FIEBRE OSCURA

Amor y Aventura

FIEBRE OSCURA

Karen Marie Moning

Traducción de Albert Solé

VERGARA
GRUPO ZETA

Barcelona • Bogotá • Buenos Aires • Caracas • Madrid • México D.F. • Montevideo • Quito • Santiago de Chile

Título original: *Darkfever*

Traducción: Albert Solé

1.ª edición: abril 2008

© 2006 by Karen Marie Moning, LLC
© Ediciones B, S. A., 2008
    para el sello Javier Vergara Editor
    Bailén, 84 - 08009 Barcelona (España)
    www.edicionesb.com

Publicado por acuerdo con The Bantam Dell Publishing Group,
un sello de Random House, Inc.Printed in Spain
ISBN: 978-84-666-3648-3
Depósito legal: B. 12.701-2008

Impreso por LIBERDÚPLEX, S.L.U.
Ctra. BV 2249 Km 7,4 Polígono Torrentfondo
08791 - Sant Llorenç d'Hortons (Barcelona)

Para Neil, por tomar mi mano
y echar a andar conmigo por la Zona Oscura

... Cuando los muros se desmoronan,
cuando los muros se hacen pedazos se hacen pedazos...

JOHN COUGAR MELLENCAMP

Prólogo

Mi filosofía no puede ser más simple: a mi modo de ver, un día en el que nadie intente matarme es un día bueno.

No he tenido muchos días buenos últimamente.

No desde que los muros entre la humanidad y las criaturas mágicas cayeron.

Pero, naturalmente, no hay una sola *sidhe* vidente viva que haya tenido un día bueno desde entonces.

Antes de que el Pacto fuera acordado entre la humanidad y las criaturas mágicas (alrededor del año 4000 a.C., para aquellos de vosotros que no estéis muy al día en lo que respecta a la historia de las criaturas mágicas), los cazadores invisibles nos acosaban como si fuéramos animales y nos mataban. Pero el Pacto prohibió a las criaturas mágicas derramar sangre humana, así que durante los seis mil años siguientes, par de siglos más o menos, al momento en que fue firmado, las mujeres que nacían poseyendo el don de la clarividencia —aquellas que, como yo, fuesen inmunes a las ilusiones y los hechizos de las criaturas mágicas— eran hechas prisioneras y permanecían cautivas en el reino mágico hasta su muerte por causas naturales. Todo un cambio, realmente: antes morías en cuanto una criatura mágica descubría lo que eras, y ahora sólo tenías que permanecer cautiva en su reino hasta que murieras de vieja. A diferencia de ciertas personas que conozco, las criaturas mágicas nunca me han parecido fascinantes. En el fondo, no dejan de ser como cualquier otra adicción: si bajas la guardia aunque sólo sea por un segundo, harán presa en ti; si sabes mantenerte vigilante, nunca caerás en su poder.

Ahora que los muros han caído, los cazadores invisibles vuelven a matarnos. Están empeñados en aniquilarnos, como si la plaga que azota a este planeta fuéramos nosotras.

Aoibheal, la Reina de la Luz, ya no está al mando. De hecho, nadie parece saber por dónde anda en estos momentos, y algunos empiezan a preguntarse si todavía vive. Los visibles y los invisibles no han dejado de librar su encarnizada guerra por todo nuestro mundo desde la desaparición de Aoibheal, y aunque algunos podrían decir que me estoy dejando arrastrar por el pesimismo, tengo la impresión de que los invisibles están empezando a imponerse a sus bastante más hermosos congéneres.

Es un tema como para preocuparse.

Tampoco estoy diciendo que los visibles me caigan mejor que los otros, evidentemente. Para mí la única criatura mágica buena es la criatura mágica muerta. La pequeña diferencia está en que los visibles no son tan mortíferos como los invisibles. Al menos ellos no nos matan nada más vernos. Han descubierto que existe algo para lo que resultamos muy útiles.

El sexo.

Aunque consideran que apenas tenemos inteligencia, les encanta llevarnos a la cama.

En cuanto han acabado de servirse de una mujer, la pobre ha quedado para el arrastre. Es como si se le metiera en la sangre. A la que una mujer practica el sexo con una criatura mágica sin servirse de la protección adecuada, siente crecer inmediatamente en su interior un tremendo apetito sexual por algo que nunca hubiese debido llegar a conocer, y que nunca podrá llegar a olvidar.

Luego tardará mucho tiempo en recuperarse de la experiencia, pero al menos sigue con vida.

Lo que significa que el combate todavía no ha terminado para ella, porque podrá tratar de ayudar a descubrir qué podríamos hacer para que nuestro mundo vuelva a ser tal como había sido en el pasado.

Para que esas malditas criaturas mágicas tengan que volver al infierno del que han salido.

Pero estoy yendo demasiado deprisa, y no debería adelantarme a los acontecimientos.

Empezó como empiezan la mayoría de las cosas. No en una oscura noche de tormenta. No siendo anunciadas por una música ominosa de «cuidado que viene el malo», siniestros presagios en el fondo de una taza de té o terribles portentos en el cielo.

Empezó con algo muy pequeño y que no podía parecer más inocuo, que es como empiezan la mayor parte de las catástrofes. Una mariposa mueve las alas en alguna parte y de pronto el viento cambia de dirección, y un frente cálido choca con un frente frío en la costa del África occidental y antes de que puedas preguntarte qué está pasando, tienes un huracán que viene directamente hacia ti. Para cuando alguien se dio cuenta de que iba a haber tormenta, ya era demasiado tarde para hacer nada que no fuese asegurar las escotillas y tratar de minimizar los daños.

Me llamo MacKayla. Mac para abreviar. Soy una *sidhe* vidente, un hecho que sólo he aceptado recientemente, y no de buen grado.

Había muchas más de nosotras de lo que nadie se imaginaba. Y menos mal que nadie sabía que fuéramos tan numerosas.

Porque somos el servicio de control de daños.

1

Un año antes...

Nueve de julio. Ashford, Georgia.

La temperatura es de treinta y seis grados. La humedad ambiental es del noventa y siete por ciento.

Los veranos sureños son enormemente calurosos, pero al menos siempre te queda el consuelo de que los inviernos no duran mucho y son muy suaves. A mí me gustan casi todas las estaciones y casi todos los climas. Esos días otoñales llenos de nubes en los que no para de lloviznar, que son ideales para ponerse cómoda con un buen libro, me sientan tan bien como el azul de un cielo despejado en verano, pero nunca he sido demasiado aficionada a la nieve y el hielo. No sé cómo los del Norte pueden aguantar ese tiempo. Ni por qué lo aguantan. Pero supongo que es una suerte que lo hagan, porque de otra manera vendrían a apretujarse todos aquí abajo y no quedaría sitio para nosotros.

Como buena hija que soy del tórrido calor sureño, me había puesto cómoda al lado de la piscina en el patio trasero de la casa de mis padres y lucía mi bikini de lunarcitos preferido, que combina estupendamente con el rosa del esmalte de uñas tipo «yo no soy una camarera del montón» que había pedido la última vez que fui a que me hicieran la manicura y la pedicura en el salón de belleza. Estaba echada en una tumbona atiborrada de cojines disfrutando de un buen baño de sol, mi larga melena rubia recogida sobre la coronilla en un improvisado sucedáneo de moño, el típico peinado con el que esperas que no te vea ninguna conocida. Mamá y papá estaban de vacaciones, celebrando su trigésimo aniversario de bodas con un crucero de veintiún días por las islas tropicales, que se había iniciado hacía dos semanas en Maui y finalizaría el próximo fin de semana en Miami.

Yo había aprovechado su ausencia para trabajar fervientemente en mi bronceado, dándome rápidos chapuzones en las frescas aguas azules de la piscina para luego echarme en la tumbona hasta que el sol me hubiera secado las gotitas de agua sobre la piel, mientras pensaba que ojalá mi hermana Alina estuviera en casa para hacerme un poco de compañía y, quizás, invitar a algunas de nuestras amistades comunes.

Mi iPod estaba conectado al equipo de sonido de papá, un Bose puesto sobre la mesa del patio que había colocado al lado de la tumbona, e iba repasando una lista de temas que había organizado específicamente con vistas a tomar el sol al lado de la piscina, compuesta por los cien números uno «visto y no visto» de las últimas décadas, complementados con unos cuantos temas más que me traían la sonrisa a los labios en cuanto los oía; el tipo de música alegre y pegadiza que no te obliga a pensar en nada cuando has decidido que lo que quieres es pasar un rato agradable sin tener que pensar en nada. Ahora estaba sonando un viejo tema de Louis Armstrong, *What a Wonderful World*. Nacida en una generación convencida de que es guay ser cínico y estar de vuelta de todo, a veces me gusta apartarme un poco de los senderos trillados. Supongo que cada uno es como es.

Tenía a mano un vaso de tubo lleno de té frío, y el teléfono estaba cerca por si mamá y papá llegaban a puerto antes de lo previsto. Se suponía que no tenían que llegar a la próxima isla hasta mañana, pero en dos ocasiones ya habían bajado del barco antes de lo programado. Como el móvil se me había caído a la piscina hacía un par de días, siempre echaba mano del inalámbrico para no perderme ninguna llamada.

A decir verdad, echaba mucho de menos a mis padres.

Al principio, cuando se fueron, me puse la mar de contenta ante la perspectiva de que por fin iba a poder estar sola un tiempo. Vivo en casa de mis padres y a veces, cuando ellos están, la encuentro molestamente parecida a la estación Gran Central, con todas las amistades de mamá, los compañeros de golf de papá y las señoras de la iglesia viniendo continuamente, sus visitas punteadas por los chicos del vecindario que aprovechan cualquier excusa para dejarse caer por aquí, convenientemente ataviados con sus trajes de baño; cielos, ¿será que andan buscando que los invitemos?

Pero al cabo de dos semanas, esa soledad que tanto anhelaba había empezado a atragantárseme. La casa me parecía deprimentemente silenciosa, sobre todo en cuanto empezaba a caer la noche. Cuando llegaba la hora de cenar ya me sentía pura y simplemente perdida. Hambrienta, también. Mamá cocina de fábula y yo ya estaba un poco harta de tantas pizzas, patatas fritas y hamburguesas dobles con queso. Me moría de ganas de hincarle el diente a una de esas cenas suyas a base de pollo frito acompañado por una buena cantidad de puré de patatas, judías tiernas y pastel de manzana casero con nata batida a mano. Incluso había ido a hacer la compra porque quería anticiparme al momento en que por fin volverían a casa, para lo que había hecho acopio de todo lo que necesitaría tener mi madre cuando decidiera meterse en la cocina.

El caso es que a mí me encanta comer. Afortunadamente, no se me nota. Estoy muy bien provista tanto de busto como de trasero, pero soy esbelta tanto de cintura como de piernas. Será que tengo un buen metabolismo, aunque mamá siempre dice: «Ja, espera a que hayas cumplido los treinta. Y los cuarenta, y los cincuenta.» Entonces papá dice: «Estará para comérsela, Rainey», y la mirada que le lanza a mamá después de haber dicho eso hace que yo procure pensar en otra cosa. Lo que sea, me da igual. Adoro a mis padres, pero tengo muy claro que existe algo llamado EDI. «Exceso de información.»

A grandes rasgos, la verdad es que no me puedo quejar de mi vida, dejando aparte que echo mucho de menos a mis padres y no dejo de contar los días que faltan para que Alina vuelva de Irlanda, pero tanto lo uno como lo otro son meras circunstancias pasajeras que no tardarán en verse rectificadas. Mi vida pronto volverá a ser perfecta.

¿Será verdad eso que dicen de que basta con que una sea demasiado feliz para que a las Parcas les entre la tentación de cortar alguno de los hilos más importantes que mantienen unida tu existencia?

Cuando sonó el teléfono, pensé que serían mis padres.

No eran ellos.

Es curioso cómo una acción tan insignificante que tiene lugar una docena de veces al día puede convertirse en una línea de demarcación.

Coger un teléfono. Apretar el botón que acepta la llamada.

Que yo supiese, antes de que mi dedo apretara ese botón, mi hermana Alina estaba viva. En cuanto lo hube apretado, mi vida pasó a quedar dividida en dos épocas distintas: antes de la llamada y después de la llamada.

Antes de la llamada, nunca había tenido motivos para emplear una palabra como «demarcación», una de esas palabras de cincuenta centavos que conocía sólo porque era una ávida lectora. Antes, flotaba a través de la vida yendo de un momento feliz al siguiente. Antes, creía que lo sabía todo. Creía saber quién era yo, cuál era el sitio que me correspondía ocupar en el mundo, y exactamente lo que me depararía el futuro.

Antes, creía saber que tenía un futuro.

Después de la llamada, empecé a descubrir que en realidad nunca había sabido nada de nada.

Dejé pasar dos semanas desde el día en que me enteré de que alguien acababa de matar a mi hermana antes de hacer algo —lo que fuese— aparte de meterla bajo tierra en un ataúd cerrado, cubrirla de rosas y llorar su muerte.

Llorar a Alina no la haría volver de entre los muertos, y desde luego tampoco iba a hacer que me fuera más llevadero pensar que la persona que la había asesinado andaba viva por alguna parte, contenta a su miserable estilo psicopático, mientras mi hermana yacía rígida y blanca bajo dos metros de tierra.

Esas semanas siempre permanecerán envueltas en una neblina que se niega a disiparse. Me pasaba todo el rato llorando, la vista y la memoria enturbiadas por las lágrimas. Mi llanto no podía ser más involuntario. A las cañerías de mi alma sencillamente les habían salido filtraciones, y ahora las lágrimas se escapaban por ellas. Además de ser mi hermana, Alina era mi mejor amiga. Aunque había pasado los últimos ocho meses estudiando en el programa de cursos para extranjeros del Trinity College de Dublín, no parábamos de enviarnos correos electrónicos y siempre hablábamos por teléfono al menos una vez a la semana, compartiéndolo todo sin que hubiera secretos de ninguna clase entre nosotras.

O eso creía yo. Qué equivocada estaba.

Alina y yo habíamos planeado que compartiríamos un apartamento en cuanto ella volviera a casa. Habíamos planeado que nos iríamos a vivir a la ciudad cuando yo hubiera empezado a tomar-

18

me en serio de una vez por todas lo de matricularme en la universidad, y entonces Alina continuaría estudiando la carrera de Filosofía y Letras en la misma Universidad de Atlanta. En casa todos sabíamos que mi hermana había acaparado el cupo de ambición familiar. Después de graduarme en el instituto, yo me había conformado con servir mesas en El Patio cuatro o cinco noches a la semana, vivir en casa de mis padres y ahorrar la mayor parte del dinero que ganaba como camarera, asistiendo a suficientes cursos en el sucedáneo de universidad que teníamos allí (un máximo de uno o dos al semestre, sobre materias como Aprenda a utilizar Internet y Etiqueta para los viajes que no suscitaban demasiado entusiasmo en mi casa) para que mis padres no llegaran a perder del todo la esperanza de que algún día yo me licenciaría y sabría hacerme con un «empleo de verdad en el mundo real». Aun así, con ambición o sin ella, lo cierto es que planeaba empezar a tomarme las cosas un poco más en serio e introducir unos cuantos cambios de gran calibre en mi vida en cuanto Alina volviera a casa.

Cuando me había despedido de ella en el aeropuerto hacía unos meses, ni se me ocurrió pensar que nunca volvería a verla con vida. Alina era una certeza más en mi existencia, algo de lo que podía estar tan segura como de que el sol saldrá por la mañana y se pondrá por la noche. La vida le sonreía. Ella tenía veinticuatro años y yo veintidós. Íbamos a vivir eternamente. Los treinta quedaban a un millón de años luz de distancia. Los cuarenta ni siquiera estaban en la misma galaxia. ¿La muerte? Ja. La muerte era algo que les ocurría a las personas cuando habían llegado a ser realmente mayores.

No a nosotras.

En cuanto hubieron transcurrido dos semanas, mi niebla hecha de lágrimas empezó a aclararse un poco. Creo que lo que ocurrió en realidad fue sencillamente que ya había expulsado del cuerpo hasta la última gota de humedad que no era absolutamente imprescindible para que mi organismo siguiera funcionando. Y la rabia regaba mi alma reseca. Yo quería respuestas. Quería justicia.

Quería venganza.

Parecía ser la única que quería esas cosas.

Hace unos años asistí a un curso de psicología en el que te decían que las personas hacemos frente a la muerte de un ser querido pasando por distintas etapas de la pena. Yo no había dedicado mucho tiempo al entumecimiento emocional de la negación que se supone constituye la primera fase del proceso. Había pasado directamente del primer instante de entumecimiento emocional al dolor en un abrir y cerrar de ojos. Con mamá y papá fuera de casa, me tocó ir a identificar el cadáver de mi hermana. No fue nada agradable y no había manera de negar el hecho de que Alina estaba muerta.

Dos semanas después, andaba metida de lleno en la fase de la ira. Se suponía que luego venía la depresión. Entonces, si tu mente funcionaba como es debido, llegaba la aceptación. Yo ya podía ver los primeros indicios de la aceptación en las personas que tenía a mi alrededor, como si hubieran pasado directamente del entumecimiento emocional al darse por vencidas. Hablaban de «actos insensatos de violencia». Hablaban de «seguir adelante con tu vida». Decían estar segurísimas de que «la policía hará todo lo necesario».

Sus mentes debían de funcionar mucho mejor que la mía. Yo no estaba nada segura de que la policía de Irlanda estuviese haciendo todo lo necesario.

¿Aceptar la muerte de Alina?

Jamás.

—No vas a ir, Mac, y punto final. —Mamá estaba de pie al lado de la encimera, un paño de cocina encima del hombro, un alegre delantal con un estampado de magnolias en tonos rojos, amarillos y blancos atado a la cintura, las manos empolvadas de harina.

Había estado horneando pasteles. Y cocinando. Y limpiando. Y luego se había puesto a hornear todavía más pasteles. Mamá se había convertido en un auténtico demonio de Tasmania de la domesticidad. Nacida y criada en el Profundo Sur, era su manera de tratar de hacer frente a los cambios. Aquí abajo, las mujeres reaccionan como una gallina clueca en cuanto se muere alguien. Eso es lo que hacen.

No habíamos dejado de discutir durante la última hora. Por la noche la policía de Dublín había telefoneado para decirnos que lo sentían muchísimo, pero debido a la falta de evidencias y visto que no tenían una sola pista o un solo testigo, no había nada más que investigar. Llamaban para notificarnos oficialmente que no les quedaba más remedio que pasar el caso de Alina al departamento de asuntos por resolver, un eufemismo que cualquier persona que tuviese dos dedos de frente sabía que no hacía referencia a ningún departamento, sino a un cuarto lleno de archivadores en algún sótano mal iluminado del que hacía un montón de años que no se acordaba nadie. Aunque nos aseguraron que reexaminarían el caso periódicamente en busca de nuevas evidencias, que actuarían con la debida diligencia, el mensaje no podía estar más claro: Alina estaba muerta, el cuerpo había sido enviado de regreso a su país, y el caso ya no era de su incumbencia.

Habían tirado la toalla.

¿Se suponía que eso era un tiempo récord? Tres semanas. Veintiún miserables días. ¡Era inconcebible!

—Me juego el trasero a que si viviéramos allí, nunca se habrían dado por vencidos tan deprisa —dije amargamente.

—Eso no lo puedes saber, Mac. —Mamá apartó unos mechones rubio ceniza de dos ojos azules enrojecidos de tanto llorar, dejándose una mancha de harina en el entrecejo.

—Dame ocasión de averiguarlo.

21

Mamá apretó los labios hasta que formaron una delgada línea blanca.

—Ni hablar. Ese país ya me ha quitado a una hija, y no voy a dejar que me quite a la otra.

Tablas. Y llevábamos así desde el desayuno, que era cuando yo había anunciado mi decisión de pedir unos cuantos días de permiso sin sueldo en El Patio para poder ir a Dublín y averiguar qué había estado haciendo realmente la policía para resolver el asesinato de Alina.

Exigiría que me dejaran ver una copia del expediente, y haría todo lo que estuviera en mi mano para motivarlos a que continuaran con la investigación. Daría un rostro y una voz —una voz muy alta y que esperaba sería de lo más persuasiva— a la familia de la víctima. No podía quitarme de la cabeza la convicción de que si mi hermana hubiera tenido una representante en Dublín, la investigación habría sido tomada mucho más en serio.

Había intentado convencer a papá de que me acompañara, pero ahora no había forma de mantener ninguna clase de relación con él. Estaba completamente absorto en su pena. Aunque mi hermana y yo éramos muy distintas tanto en cara como en tipo, teníamos el pelo y los ojos del mismo color, y ahora las pocas veces que papá me miraba yo veía aparecer en su rostro una expresión tan aterradora que me hacía desear ser invisible. O morena con los ojos castaños como él, en lugar de tener el pelo rubio y los ojos verdes.

En un primer momento, después del funeral de Alina, mi padre había sido una dinamo de resuelta actividad, haciendo una llamada telefónica tras otra y poniéndose en contacto con todos los sitios habidos y por haber. La embajada se mostró muy amable, pero le dijeron que acudiera a Interpol. Interpol lo mantuvo a la espera durante unos cuantos días mientras «investigaban ciertas cosas» antes de reenviarlo diplomáticamente al punto de partida, la policía de Dublín. La policía de Dublín se mantuvo en sus trece. No había evidencias. No había pistas. No había absolutamente nada que investigar. «Si tiene algo que objetar a eso, señor, contacte con su embajada.»

Papá llamó a la policía de Ashford; no, no podían enviar a nadie a Irlanda para que abriera su propia investigación sobre el caso. Papá volvió a telefonear a la policía de Dublín, y les preguntó si estaban seguros de haber hablado con todas las amistades, compañeros de estudios y profesores de Alina. No me hizo falta escuchar ambos lados de la conversación para saber que la policía de Dublín empezaba a estar un poco harta de él.

Finalmente, llamó a un viejo amigo de la universidad que ocupaba no sé qué cargo importante en el gobierno. No sé qué le diría ese amigo, pero fuera lo que fuera hizo que decidiera darse por vencido. Mi padre se encerró en sí mismo y no había vuelto a salir desde entonces.

El clima emocional era decididamente sombrío en la casa de los Lane, con mamá un tornado en la cocina y papá un agujero negro en el estudio. Decidí que no podía pasarme el día sentada en un rincón a la espera de que se les pasara. El tiempo seguía su curso y el rastro se enfriaba un poco más con cada minuto que pasaba. Si alguien iba a hacer algo, tendría que ser ahora, lo que quería decir que tendría que ser yo la que lo hiciera.

—Voy a ir tanto si te gusta como si no —dije.

Mamá se echó a llorar. Le dio una última palmada a la harina que había estado amasando sobre la encimera y salió corriendo de la cocina. Un instante después, oí cómo la puerta del dormitorio chocaba con la pared.

Eso es una cosa que no puedo aguantar, las lágrimas de mi madre. Como si no hubiera estado llorando bastante últimamente, ahora yo acababa de hacer que volviera a llorar. Salí de la cocina hecha polvo y me dirigí a la planta superior arrastrando los pies, sintiéndome como la criatura más vil del planeta.

Me quité el pijama, me duché, me sequé el pelo y me vestí, y luego salí de mi habitación sin saber qué hacer, para quedarme plantada en el pasillo mirando la puerta cerrada del dormitorio de Alina.

¿Cuántos miles de veces habíamos ido de un dormitorio a otro durante el día, hablado en susurros a altas horas de la noche, despertado la una a la otra en busca de consuelo cuando habíamos tenido alguna pesadilla?

Ahora tenía que vérmelas con mis pesadillas yo sola.

«Aguanta, Mac.» Me armé de valor y decidí que iría al campus. Si me quedaba en casa, el agujero negro podía engullirme. Podía sentir cómo iba creciendo exponencialmente con cada segundo que pasaba.

Mientras conducía hacia el campus, me acordé de que el móvil se me había estropeado al caer a la piscina. Dios, ¿de verdad hacía tantas semanas de eso? Decidí que sería mejor que me pasara por el centro comercial para comprar uno nuevo, por si se diera el caso de que mis padres necesitaran ponerse en contacto conmigo mientras estaba fuera de casa.

Eso suponiendo que se dieran cuenta de que había salido.

Entré en el centro comercial, compré el Nokia más barato que tenían, hice que desactivaran el antiguo y encendí el sustituto.

Tenía catorce mensajes nuevos, lo que probablemente era todo un récord para mí. No soy lo que llaman una mariposa social. No soy una de esas personas conectadas a todo que siempre están apuntadas en el último servicio de busca que acaba de salir al mercado. La idea de que puedan encontrarme con tanta facilidad me da un poco de miedo. No tengo uno de esos móviles con cámara o capacidad para enviar y recibir mensajes de texto. No tengo servicio de Internet o radio por satélite, sólo un número de teléfono al que puedes llamar, gracias. El único artilugio que necesito aparte de eso es mi fiel iPod; la música es mi gran evasión.

Volví a subir al coche, arranqué el motor para que el aire acondicionado pudiera hacer frente al implacable calor de julio, y me puse a escuchar los mensajes. La mayoría de ellos ya tenían unas cuantas semanas, y eran de antiguas amistades del instituto o conocidas del trabajo con quienes había hablado desde el funeral.

Supongo que, en algún rincón perdido de mi mente, se me había ocurrido pensar que me había quedado sin móvil unos días antes de que muriera mi hermana y tenía la esperanza de que quizá tendría guardado algún mensaje suyo. La esperanza de que Alina me hubiera llamado, sonando muy alegre antes de que muriese. La esperanza de que hubiese dicho algo que me hiciera olvidar mi pena, aunque sólo fuese por un ratito. Necesitaba desesperadamente oír su voz sólo una vez más.

Cuando la oí, casi se me cayó el teléfono. La voz de Alina brotó del diminuto altavoz, sonando frenética, aterrorizada.

—¡Mac! Oh, Dios, Mac, ¿dónde estás? ¡Necesito hablar contigo! ¡He ido a parar directamente a tu buzón de voz! ¿Cómo es que tienes apagado el móvil? ¡Tienes que llamarme en cuanto oigas esto! ¡Inmediatamente, quiero decir! —Pese al opresivo calor del verano, de pronto me sentí helada y un sudor frío me cubrió la piel—. ¡Oh, Mac, todo ha salido tan mal! Creía saber lo que estaba haciendo. Creía que él me iba a ayudar, pero... ¡Dios, no entiendo cómo he podido ser tan idiota! ¡Creía que me había enamorado de él y resulta que es uno de ellos, Mac! ¡Es uno de ellos!

Parpadeé sin entender nada. ¿Uno de quiénes? Y en primer lugar, ¿quién era ese «él», que además era uno de «ellos»? ¿Alina..., enamorada? ¡Ni hablar! Mi hermana y yo nos lo contábamos todo. Aparte de unos cuantos chicos con los que había salido sin que la cosa llegara a mayores durante sus primeros meses en Dublín, Alina nunca había mencionado a ningún otro hombre en su vida. ¡Y ciertamente no a uno del que estuviera enamorada!

La voz se le quebró en un sollozo. Mis dedos se tensaron frenéticamente sobre el móvil, como si pudiera aferrar a mi herma-na a través de él. Tenía que mantener con vida y a salvo de todo mal a esta Alina. Obtuve unos cuantos segundos de estática y luego, cuando Alina volvió a hablar lo hizo en un tono más bajo, como si temiera que pudieran oírla.

—¡Tenemos que hablar, Mac! Hay tantas cosas que ignoras. ¡Dios mío, pero si ni siquiera sabes lo que eres! Hay tantas cosas que debería haberte contado, pero creí que podría mantenerte fue-ra de todo esto hasta que las cosas se hubieran calmado un poco. Intentaré llegar a casa... —se calló y rio amargamente, un sonido lleno de causticidad que no era nada propio de ella—, pero no creo que él vaya a permitirme salir de este país. Te llamaré tan pronto como... —Más estática. Un jadeo ahogado—. ¡Oh, Mac, ya viene! —Bajó la voz hasta convertirla en un susurro apre-miante—. ¡Escúchame! Tenemos que encontrar el... —La pala-bra que dijo a continuación sonó embarullada o extranjera, algo como *shi sadu*, me pareció—. Ahora todo depende de ello. ¡No podemos dejar que caiga en sus manos! ¡Tenemos que encon-trarlo antes que ellos! Él no ha dejado de mentirme desde el pri-mer momento. Ahora sé lo que es y sé dónde...

Silencio.

La llamada había finalizado.

Con el cuerpo rígido en el asiento, traté de entender lo que acababa de oír. Por un instante pensé que debía de tener doble personalidad y había dos Mac: una que estaba razonablemen-te al corriente de lo que sucedía en el mundo que la circundaba y otra cuya percepción de la realidad se reducía a saber vestirse por la mañana y no equivocarse de pie cuando se ponía los zapa-tos. La Mac «que estaba al corriente» tenía que haber muerto cuando lo hizo Alina, porque..., esta Mac, obviamente, no sabía nada acerca de su hermana.

¡Alina había estado enamorada y nunca me lo había mencio-nado! Ni una sola vez. Y ahora parecía como si ésa fuera la menos importante de todas las cosas que Alina no me había contado. Yo estaba atónita. Me sentía traicionada. Mi hermana me había estado ocultando una importante parte de su vida durante meses.

¿En qué clase de peligro se había visto involucrada? ¿De qué había estado intentando mantenerme apartada? ¿Cuáles eran esas cosas que tenían que calmarse un poco? ¿Qué teníamos que encontrar? ¿Había sido el hombre del que ella había creído estar enamorada el que la había matado? ¿Por qué..., oh, por qué no me había dicho su nombre?

Miré la fecha y la hora de la llamada: Alina había telefoneado por la tarde, poco después de que se me cayera el móvil a la piscina. Me entraron náuseas. Mi hermana me había necesitado y yo no había estado allí para ella. Mientras Alina hacía esfuerzos desesperados por hablar conmigo, yo tomaba el sol en el patio de atrás y escuchaba mis cien alegres números uno, con el móvil estropeado encima de la mesa del comedor.

Apreté el botón de guardar la llamada y luego escuché el resto de los mensajes con la esperanza de que Alina pudiese haber vuelto a llamar, pero no había nada más. Según la policía de Dublín, mi hermana había muerto aproximadamente cuatro horas después de que hubiera tratado de contactar conmigo, aunque su cuerpo había pasado casi dos días tirado en un callejón antes de que lo encontraran.

Ésa era una imagen que me había esforzado por borrar de mi mente.

Cerré los ojos e intenté no pensar en que había dejado escapar mi última ocasión de hablar con ella, intenté no pensar en que quizá podría haber hecho algo para salvarla sólo con que hubiera respondido a la llamada. Esa clase de pensamientos podían hacerme enloquecer.

Volví a escuchar el mensaje. ¿Qué era un *shi sadu*? ¿Y a qué venía esa críptica afirmación suya: «Ni siquiera sabes lo que eres.»? ¿Qué podía haber querido decir Alina con eso?

La tercera vez que oí el mensaje, ya me lo sabía de memoria. También sabía que no podía hacérselo escuchar a mis padres. Eso no sólo haría que el abismo de pena en el que habían caído se hiciera aún más profundo, suponiendo que eso fuera posible, sino que probablemente me encerrarían en mi habitación y luego tirarían la llave. Sabía que mis padres no querrían arriesgarse a perder a la única hija que les quedaba.

Pero... si iba a Dublín y se lo hacía escuchar a la policía, tendrían que volver a abrir el caso, ¿no? Esto era una pista con todas las de la ley. Si Alina había estado enamorada de alguien, tendría que haberse visto con él en algún momento, en algún sitio. En la universidad, en su apartamento, en el trabajo, donde fuera. Alguien sabría quién era ese hombre.

Y si el enamorado misterioso no era su asesino, seguro que era la clave para descubrir quién la había matado. Después de todo, ese hombre era «uno de ellos».

Fruncí el ceño.

Quienesquiera o lo que quiera que fuesen «ellos».

2

No tardé en descubrir que una cosa era pensar en ir a Dublín y exigir justicia para mi hermana y otra, completamente distinta, encontrarme en carne y hueso al otro lado del océano, a seis mil quinientos kilómetros de casa, con la mente aturdida por el desfase horario del vuelo en avión.

Pero ahí estaba yo, con las sombras del anochecer creciendo rápidamente a mi alrededor, de pie en una calle adoquinada en el corazón de una ciudad extranjera, rodeada de personas que hablaban una versión de mi idioma que me era prácticamente ininteligible, intentando aceptar el hecho de que, aunque había más de un millón de habitantes en la ciudad y sus alrededores, yo no conocía absolutamente a nadie.

Ni en Dublín, ni en Irlanda, ni en todo el continente.

Estaba todo lo sola que se podía estar.

Había tenido una acalorada discusión con mis padres antes de irme, y como resultado de ella ahora no me hablaban. Claro que tampoco se hablaban entre ellos, así que intenté no tomármelo de una manera demasiado personal. Había dejado mi empleo de camarera y me había dado de baja en los cursos que estaba siguiendo. Había vaciado mi cuenta corriente y retirado todos mis ahorros. Era una mujer blanca soltera de veintidós años, sola en un país extraño donde mi hermana había sido asesinada.

Con una maleta en cada mano, describí un lento círculo sobre la acera. ¿Qué diablos creía estar haciendo? Antes de que pudiera pensar en ello lo suficiente para echar a correr presa del pánico en pos del taxi que se alejaba, me cuadré de hombros, di media vuelta y entré resueltamente en The Clarin House.

Había elegido aquella pensión que ofrecía cama y desayuno por dos razones: estaba cerca de donde Alina había ocupado un pequeño y ruidoso apartamento encima de uno de los pubs más frecuentados de Dublín, y era de las que te cobraban menos dinero. No tenía ni idea del tiempo que pasaría en Dublín, así que había comprado el billete de ida más económico que pude encontrar. Mis fondos eran limitados y tenía que mirar en qué gastaba cada penique, o podía acabar encontrándome atrapada en Dublín sin dinero suficiente para volver a casa. Sólo cuando estuviera convencida de que la policía, o *An Gardai Síochána*, los Guardianes de la Paz, como se la llamaba aquí, lo estaba haciendo lo mejor posible, me permitiría tomar en consideración la posibilidad de irme de Irlanda.

Durante el vuelo de ida, había devorado dos guías de viaje ligeramente anticuadas que encontré el día anterior en El Rincón de los Libros, la única librería de segunda mano de Ashford. Estudié los mapas, intentando hacerme una idea de la historia de Irlanda y familiarizarme un poco con las costumbres locales. Había pasado las tres horas de espera en Boston para coger el vuelo de enlace con los ojos cerrados, tratando de recordar todos los detalles sobre Dublín que había obtenido de mi hermana durante nuestras conversaciones telefónicas y en nuestros correos electrónicos. Me temía que aún estaba tan verde como un melocotón de Georgia antes de madurar, pero esperaba que al menos no sería la típica turista patosa que le va pisando los pies a todo el mundo en cuanto da un paso.

Entré en el vestíbulo de The Clarin House y fui al mostrador de recepción.

—Buenas noches, querida —dijo el encargado jovialmente—. Espero que se habrá agenciado una reserva, porque va a necesitarla tan entrada la temporada.

Yo estaba tan nerviosa que parpadeé sin abrir la boca mientras efectuaba un cauteloso repaso mental de lo que acababa de decirme el recepcionista, analizando cada palabra para tratar de entenderla.

—¿Que si tengo reserva? —dije finalmente—. Oh, sí. —Le tendí mi confirmación por correo electrónico al anciano caballero. Con su pelo blanco como la nieve, la barbita pulcramente recortada, unos ojos que chispeaban tras los cristales redondos de las gafas, y unas orejas extrañamente pequeñas, parecía un duendecillo travieso llegado de la legendaria «Tierra del Pequeño Pueblo». Mientras confirmaba mi reserva y me inscribía en el registro de huéspedes, el recepcionista me fue dando un folleto tras otro sin dejar de explicarme adónde tenía que ir y qué era lo que tenía que ver.

Al menos creo que eso fue lo que hizo.

A decir verdad, yo entendía muy poco de lo que me estaba diciendo. Aunque su acento era encantador, la sospecha que había empezado a rondarme por la cabeza cuando estaba esperando en el aeropuerto acababa de verse confirmada: mi pobre cerebro monolingüe de estadounidense iba a tardar lo suyo en aclimatarse a las inflexiones irlandesas y a esa forma tan peculiar de decir las cosas que tienen. Aunque el recepcionista hablaba como una ametralladora, a efectos prácticos para mí era como si le estuviese «dando vueltas al asunto» (una de las expresiones irlandesas que había aprendido de mi guía práctica) en gaélico, porque apenas lograba descifrar nada de lo que me decía.

Unos minutos después, y todavía igual de confusa acerca de lo que el recepcionista me había recomendado que hiciera o dejara de hacer, me encontré en el tercer piso abriendo la puerta de mi habitación. Como ya me había esperado por el precio, no era gran cosa. Pequeñísima, con sólo dos metros y medio como mucho en cualquier dirección que la mirases, el cuarto estaba modestamente amueblado con una cama de matrimonio puesta bajo un estrecho ventanal, una cómoda de tres cajones coronada por una lámpara con una pantalla amarillenta, una silla de aspecto bastante precario, una pileta para lavarse y un armario que tendría aproximadamente mi anchura; lo abrí y vi que contenía la asombrosa cantidad de dos perchas de alambre, ambas bastante retorcidas por el uso. El cuarto de baño era un cubículo comunitario al final del pasillo. La única concesión a la atmósfera consistía en una alfombra de tonos naranjas y marrones descolorida por el paso del tiempo y una cortina a juego sobre la ventana.

Dejé mis maletas encima de la cama, descorrí la cortina y contemplé la ciudad en la que había muerto mi hermana.

Yo no quería que fuese hermosa, pero lo era.

Ya había anochecido, y Dublín estaba brillantemente iluminada. Había llovido hacía poco, y contra el negro carbón de la noche, las relucientes calles adoquinadas brillaban con los destellos ámbar, rosa y azul de las farolas y los letreros de neón. La arquitectura era de un tipo que antes yo sólo había visto en los libros y en las películas: muy elegante y un poco aparatosa, europea. Los edificios alardeaban de suntuosas fachadas, algunas de ellas adornadas con pilares y columnas, otras provistas de magníficas tallas en madera y ventanas de aspecto majestuoso. The Clarin House ocupaba una esquina en la periferia del barrio de Temple Bar, que, según mi guía turística, era la parte más animada de la ciudad, llena como estaba de sitios que ofrecían numerosas posibilidades de practicar el *craic*, palabra del argot dublinense para designar algo así como «pasárselo bomba».

La gente abarrotaba las calles, yendo de uno de los incontables pubs del barrio al siguiente. «Ardua empresa —había escrito James Joyce— sería atravesar Dublín sin pasar por delante de un pub.» ¡Más de seiscientos pubs en Dublín!, proclamaba orgullosamente uno de los folletos turísticos que me había puesto en la mano el alegre anciano de la recepción. A juzgar por lo que yo había podido ver mientras viajaba en el taxi, estaba claro que el folleto no mentía. Alina había estudiado como una loca para que la admitieran en el exclusivo programa de cursos para extranjeros del Trinity College, pero yo sabía también que había disfrutado a fondo de toda la energía, la vida social y los diversos pubs de la ciudad. Mi hermana adoraba Dublín. Ver a toda aquella gente que reía y hablaba en la acera hizo que me sintiera tan diminuta como una mota de polvo iluminada por un rayo de luna.

Y aproximadamente igual de desconectada del mundo.

—Bueno, pues intenta enchufarte —me murmuré—. Eres la única esperanza de Alina.

De momento, la única esperanza de Alina estaba más hambrienta que cansada; y después de tres cambios de avión y veinte horas de vuelo, el caso es que me encontraba para el arrastre. Nunca he sido capaz de dormir con el estómago vacío, así que sabía que necesitaba comer algo antes de acostarme. Si no lo hacía, me pasaría la noche sin pegar ojo dando vueltas en la cama y al despertar estaría todavía más famélica y exhausta, con lo que sería incapaz de hacer nada. Me esperaba un día siguiente muy ocupado y necesitaba estar despejada.

Era un momento tan bueno como cualquier otro para tratar de conectar con el mundo. Me eché un poco de agua fría en la cara y me cepillé el pelo. Después de ponerme mi falda favorita, un modelito blanco bastante corto que les sentaba de maravilla a mis piernas bronceadas por todos aquellos ratos de tomar el sol, una blusita lila de tirantes y un cárdigan a juego, recogí mi larga melena rubia en una cola de caballo sobre la nuca, cerré la puerta con llave y salí de la pensión, para adentrarme en la noche de Dublín.

Entré en el primer pub con aspecto invitador: anunciaba auténtica cocina al estilo irlandés. Opté por un pintoresco establecimiento europeo frente a los de aspecto más aparatosamente moderno que había en el barrio. Lo único que quería era una buena cena caliente en un lugar tranquilo. Y la conseguí: un cuenco lleno de sabroso estofado irlandés, pan caliente y una rebanada de pastel de chocolate al whisky, que hice bajar con una Guinness servida como mandan los cánones.

Aunque me sentía agradablemente adormilada después de haberme llenado el estómago, pedí una segunda cerveza y miré alrededor, embebiéndome de la atmósfera. Me pregunté si Alina habría ido a esa taberna alguna vez, y me permití la pequeña fantasía de imaginármela allí con unos cuantos amigos, riendo y siendo feliz. El pub era realmente precioso, con acogedores reservados tapizados de cuero o «rincones», como los llamaban allí, dispuestos a lo largo de las paredes de ladrillo. La barra ocupaba el centro del espacioso recinto, y estaba hecha con una elegante combinación de madera de caoba, latón y espejos. Estaba rodeada de taburetes y mesas para tomar el café. Yo me hallaba sentada en una de ellas.

El pub estaba lleno a rebosar de una clientela que no podía ser más variada, desde estudiantes de universidad hasta turistas con indumentaria que oscilaba entre lo elegante y el desaliño cuidadosamente estudiado. Como sirvo mesas, siempre me interesa el aspecto de los otros locales: qué ofrecen, a qué clase de clientes atraen y qué clase de culebrones están teniendo lugar en ellos, porque es inevitable que haya culebrones. Cualquiera que sea el bar, y cualquiera que sea la noche, siempre hay unos cuantos tíos buenos, siempre hay unas cuantas discusiones, siempre hay unos cuantos romances en curso, y siempre hay unos cuantos especímenes exóticos.

Esa noche no era una excepción a la regla.

Ya había pagado la cuenta y acababa de apurar mi segunda

cerveza cuando él entró en el pub. Lo miré porque era imposible no hacerlo. Aunque no lo vi hasta que ya había dejado atrás mi mesa y me daba la espalda, no cabía duda de que tenía el dorso de un atleta mundial. Unos músculos impresionantes fluían dentro de unos pantalones de cuero negro, unas botas negras y una camisa negra..., sí, lo habéis adivinado, un auténtico rey del mundo del espectáculo. He pasado suficientes horas detrás de una barra para desarrollar unas cuantas opiniones sobre qué personas llevan qué clase de ropa y lo que ésta dice acerca de ellas. Los tipos que visten de negro pertenecen a dos categorías: o van de marcha o te darán la noche. Tiendo a mantenerme alejada de ellos. Las mujeres que visten de negro son otra clase de historia, pero ahora tampoco viene al caso.

Así que lo primero que vi de él fue su espalda, y mientras se la estaba repasando con ojos de entendida (tanto si iba de marcha como si era de los que te dan la noche, aquel tipo era un auténtico regalo para la vista), fue directo hacia la barra, se inclinó sobre ella y cogió una botella de whisky del bueno.

Nadie pareció darse cuenta.

Un ramalazo de justa indignación por el camarero que atendía la barra me recorrió el cuerpo; estaba segura de que los sesenta y cinco dólares que costaba esa botella de whisky de malta tendrían que salir de su bolsillo cuando no le cuadraran las cuentas a la hora de cerrar el local.

Empecé a bajar del taburete. Sí, iba a hacer de chivata..., forastera en tierra extraña, nada menos. Iba a alertar al camarero que atendía la barra. Los que trabajamos en bares tenemos que mantenernos unidos.

Entonces el tipo se volvió.

Me quedé helada, un pie en el travesaño y con medio cuerpo fuera del taburete. Creo que incluso dejé de respirar. Decir que aquel tipo tenía material de estrella de cine sería quedarse corta. Decir que era guapo a rabiar tampoco le haría justicia. Decir que

35

Dios tenía que haber obsequiado a los arcángeles con rostros como aquél ni siquiera empezaría a describirlo. Largos cabellos dorados, ojos tan claros que parecían plateados y piel bronceada, el hombre era cegadoramente hermoso. Cada pelito de mi cuerpo se puso tieso, de golpe y al mismo tiempo. Y el pensamiento que me vino a la mente no pudo ser más extraño: «No es humano.»

Sacudí la cabeza ante el disparate que se me acababa de ocurrir y volví a acomodarme en el taburete. Seguía teniendo intención de avisar al camarero que atendía la barra, pero no hasta que aquel tipo se hubiera apartado unos metros. De pronto no tenía ninguna prisa por acercarme a él.

Pero él no se apartó. Lo que hizo fue inclinarse hacia atrás hasta quedar apoyado en la barra con la botella en la mano, romper el precinto, desenroscar el tapón y beber un buen trago directamente de la botella.

Y mientras lo miraba, ocurrió algo completamente inexplicable. Los finos pelitos de mi cuerpo empezaron a vibrar todos a la vez, lo que acababa de cenar se convirtió en una masa de plomo dentro de mi estómago, y de pronto me encontré teniendo una especie de visión en la vigilia. La barra aún estaba allí y el hombre también, pero en esta nueva versión de la realidad, ya no tenía nada de guapo. No era más que una abominación minuciosamente camuflada, y justo bajo la superficie de toda aquella perfección, emanaba de su piel el hedor apenas disimulado de la podredumbre. Y si me acercaba lo suficiente, aquella pestilencia podía matarme. Pero eso no era todo. Sentí como si fuese a ver algo oculto sólo con que pudiera abrir los ojos un poco más. Vería exactamente lo que era él, sólo con que pudiese fijar un poco más la mirada.

No sé cuánto rato pude llegar a estar sentada en aquel taburete, mirando. Luego, sabría que estuvo muy cerca de ser lo bastante largo para que me costara la vida, pero en aquel entonces yo no sabía absolutamente nada de esas cosas.

Fui salvada de mí misma, de que mi historia acabara ahí mismo y en esta misma página, por un súbito impacto en la nuca.

—¡Ay! —Salté del taburete, me di la vuelta y fulminé con la mirada a mi atacante. Ella me devolvió la mirada con la misma expresión de pocos amigos; una anciana minúscula, al menos con ochenta años a cuestas. Su abundante cabellera plateada estaba recogida en una larga trenza que la apartaba de una cara de huesos muy finos. Iba completamente vestida de negro, y por un instante me disgustó pensar que quizá tendría que revisar mis teorías sobre la moda femenina. Antes de que pudiera decir «Eh, ¿qué se cree que está haciendo?», la anciana estiró el brazo y volvió a darme con los nudillos, ahora directamente en la frente—. ¡Ay! ¡Vale ya!

—¿Cómo te atreves a mirarlo así? —siseó mi atacante. Dos ojos muy azules me escudriñaron, echando chispas desde el interior de dos nidos de finas arrugas—. ¿Es que quieres ponernos en peligro a todas, maldita idiota?

—¿Eh? —Como me había sucedido antes con el duendecillo de la tercera edad que desempeñaba las funciones de recepcionista en la pensión, tuve que volver a escuchar la grabación mental de lo que me acababa de decir. Pero ni aun así pude entender nada.

—¡El *tuatha dé* oscuro! ¡Cómo te atreves a delatarnos! Y precisamente tú, que eres una O'Connor... ¡Tu familia se va a enterar de esto, así que ya te puedes ir preparando!

—¿Eh? —Parecía ser la única palabra que me venía a los labios. ¿La había oído bien? ¿Qué diablos estaba diciendo? ¿Y quién se creía aquella anciana que era yo? Levantó la mano y por un momento temí que volviera a atizarme con los nudillos, así que farfullé—: No soy una O'Connor.

—Claro que lo eres. —Puso los ojos en blanco—. Ese pelo, esos ojos. ¡Y esa piel! Ay, sí, eres una O'Connor de pura cepa. El oscuro y los que son como él saltarían sobre una monada como tú nada más verte, y luego empezarían a limpiarse los dientes con tus huesos antes de que tuvieras tiempo de separar esos labios tan bonitos que tienes para suplicarles. ¡Ahora largo de aquí, antes de que seas nuestra ruina!

Parpadeé.

—Pero yo...

La anciana me hizo callar con una mirada abrasadora sin duda perfeccionada por medio siglo de práctica.

—¡Largo! ¡Ahora! Y no se te ocurra volver por aquí. Ni esta noche, ni nunca. Si no puedes agachar la cabeza y hacer honor a tu linaje, entonces haznos un favor a todas: búscate otro sitio donde morir.

¡Ay! Sin dejar de parpadear, busqué a tientas mi bolso detrás de mí. No necesitaba que me dieran en la cabeza con un palo para saber que mi presencia no era bienvenida. Unos cuantos golpes con los nudillos habían bastado para dejármelo muy claro. Con la cabeza bien alta y la vista dirigida hacia delante, retrocedí cautelosamente por si a aquella vieja chiflada se le ocurría volver a atizarme. Cuando estuve a una distancia prudencial de ella, me di la vuelta y salí del pub.

—Fin de la conversación —murmuré mientras volvía a mi nada acogedora habitación en la pensión—. Bienvenida a Irlanda, Mac.

No hubiese sabido decir qué me había parecido más inquietante, si mi extraña alucinación o la hostilidad de aquella arpía.

Mi último pensamiento antes de quedarme dormida fue que aquella anciana estaba loca. O ella o yo teníamos que estar locas, y desde luego yo no lo estaba.

3

Al día siguiente tardé bastante en dar con la comisaría de la *Gardai* en la calle Pearse. Las cosas tenían otro aspecto cuando estaba andando sobre aquel mapita tan mono, en vez de bajar la vista hacia el papel en que lo habían impreso. Las calles no se ramificaban siguiendo los mismos pulcros ángulos y sus nombres cambiaban sin ninguna lógica aparente entre una manzana y la siguiente.

Pasé tres veces por delante del mismo café con mesitas en la calle y quiosco independiente. «Un hombre ve al diablo en un maizal de County Clare, sexto avistamiento en lo que llevamos de mes», pregonaba la primera página de un periódico sensacionalista. «Los Antiguos están regresando, asegura una médium», proclamaba otro. Preguntándome quiénes serían los antiguos..., ¿unos rockeros de la tercera edad, quizá?, en mi cuarta pasada ante el quiosco me detuve y pedí al anciano vendedor que me indicara cómo se llegaba a la comisaría.

No entendí absolutamente nada de lo que me dijo. Estaba empezando a darme cuenta de que parecía existir una clara correlación entre la edad de la persona que me hablaba y la ininteligibilidad de su acento. Cuando el caballero de pelo entrecano empezó a endilgarme una sarta de palabras deliciosamente musicales que no tenían ningún significado para mí, asentí con la cabeza y no dejé de sonreír, sólo para parecer medianamente inteligente. Esperé hasta que al caballero se le hubo acabado la cuerda, y luego decidí jugármelo todo a una carta y me di la vuelta para poner rumbo hacia el norte. ¡Qué diablos, después de todo tenía un cincuenta por ciento de probabilidades de acertar!

Con un seco chasquido de lengua, el caballero me agarró del hombro, me dio la vuelta hasta dejarme encarada en la dirección opuesta a la que yo iba a tomar y ladró:

—¿Es que eres dura de oído, moza?

Decidí que estaba empezando a pillarle el truco al acento irlandés, porque eso sí que lo entendí a la primera.

Sonreí alegremente y eché a andar hacia el sur.

La recepcionista del turno de mañana en The Clarin House, una veinteañera llamada Bonita a la que no me costó casi nada entender, me había asegurado que reconocería la comisaría de la *Gardai* en cuanto la viera. Había dicho que el edificio histórico recordaba un poco a una vieja casa de campo inglesa, todo él construido con piedra, con muchas chimeneas y torretas redondeadas en cada extremo. Tenía razón, porque parecía precisamente eso.

Entré en la comisaría por una alta puerta de madera embutida en un profundo arco de piedra y hablé con la mujer que atendía al público.

—Soy MacKayla Lane. —No me anduve con rodeos—. Mi hermana fue asesinada aquí el mes pasado. Querría ver al detective que llevó su caso. Tengo nueva información para él.

—¿Con quién has estado hablando, cariño?

—Inspector O'Duffy. Patrick O'Duffy.

—Lo siento, cariño. Nuestro Patty no estará aquí hasta dentro de unos días. Podría apuntarte en su agenda para el jueves.

¿Para el jueves? Yo tenía una pista ahora. No quería esperar tres días.

—¿Hay algún otro inspector con el que pueda hablar de esto?

La mujer se encogió de hombros.

—Sí, podrías. Pero siempre es mejor que hables con el que ha estado trabajando en tu caso. Si se tratara de mi hermana, yo esperaría a que volviera Patty.

Yo estaba tan impaciente que no podía estarme quieta. La necesidad de hacer algo me roía por dentro, pero quería hacer lo que fuese mejor para Alina, no lo más inmediato.

—Está bien. Apúnteme para el jueves. ¿Tiene algún hueco por la mañana?

Me apuntó para la primera cita del día.

Lo siguiente que hice fue ir al apartamento de Alina.

Aunque el alquiler estaba pagado hasta finales de mes sin derecho a que te devolvieran la diferencia si te ibas antes, no tenía ni idea de cuánto tardaría en examinar las pertenencias de mi hermana y meterlo todo en cajas para enviarlo a Georgia, así que pensé que sería mejor que empezase cuanto antes. No iba a dejar ni una sola hebra de mi hermana olvidada a seis mil kilómetros de casa.

Había unas cuantas tiras de cinta policial extendidas sobre la puerta, pero ya no quedaba una sola que estuviese entera. Abrí con la llave que el inspector O'Duffy nos había remitido por correo en el pequeño paquete conteniendo los efectos personales encontrados sobre el cuerpo de Alina. El apartamento en el que había vivido mi hermana olía igual que su habitación en casa, a velas de melocotones con crema y perfume Beautiful.

Dentro estaba oscuro, las persianas bajadas. El pub de abajo aún no había abierto sus puertas, así que reinaba un silencio de tumba. Busqué a tientas el interruptor de la luz. Aunque nos habían dicho que el apartamento había sido saqueado a conciencia, no estaba preparada para lo que vi. Había polvo para tomar huellas dactilares por todas partes. Todo lo que podía romperse

41

estaba roto: lámparas, chucherías, platos, incluso el espejo sobre la repisa de la chimenea de gas. El sofá había sido rasgado a navajazos, los cojines estaban hechos trizas, los libros tenían las páginas esparcidas por el suelo, las estanterías habían sido arrancadas de la pared, y hasta las cortinas estaban destrozadas. Los cedés crujieron bajo mis pies cuando entré en la sala de estar.

¿Esto había sido hecho antes o después de que muriera Alina? La policía no había adelantado ninguna opinión acerca del momento en que tuvo lugar la incursión. No sabía si lo que estaba viendo ahora era el efecto colateral de una rabia irracional o si el asesino había estado buscando algo en el apartamento. Tal vez la cosa que Alina había dicho que necesitábamos encontrar. Quizás el asesino pensaba que mi hermana ya la tenía en su poder, fuera lo que fuese.

El cuerpo de Alina había sido encontrado a unos cuantos kilómetros de allí, en un callejón lleno de basura al otro lado del río Liffey. Yo sabía exactamente dónde. Había visto las fotos de la escena del crimen. Antes de dejar Irlanda, sabía que acabaría yendo a ese callejón para decirle mi último adiós a Alina, pero no tenía ninguna prisa por hacerlo. Esto ya era bastante duro.

De hecho, cinco minutos en el apartamento fueron todo lo que pude aguantar.

Cerré con llave y bajé corriendo los escalones, para salir por aquella estrecha escalera sin ventanas al callejón lleno de neblina que había detrás del pub. Pensé que era una suerte que todavía dispusiera de tres semanas y media para hacer frente a lo que me esperaba en el apartamento antes de que expirase el contrato de alquiler. La próxima vez que viniera, estaría preparada para lo que iba a encontrar. La próxima vez que viniera, estaría armada con cajas de cartón, bolsas de basura y una escoba.

La próxima vez que viniera, me dije mientras me pasaba una manga por la mejilla, no lloraría.

Pasé el resto de la mañana y una buena parte de una tarde lluviosa metida en un cibercafé, intentando seguirle la pista a esa cosa que Alina había dicho que teníamos que encontrar, el *shi sadu*. Probé con todos los buscadores. Interrogué a Jeeves. Llevé a cabo no sé cuántas búsquedas de textos en todas las publicaciones online locales con la esperanza de que me sonriera la suerte. El problema era que no sabía cómo se deletreaba aquella palabra; no sabía si se trataba de una persona, un lugar o una cosa, y por muchas veces que escuchara el mensaje, seguía sin estar segura de haber entendido lo que había dicho Alina.

Por si acaso sonaba la flauta, al final decidí buscar una palabra rara que había dicho la anciana anoche: *too ah day*. No tuve suerte con eso, tampoco.

Después de unas cuantas horas de mi frustrante búsqueda, durante las cuales también mandé unos cuantos correos electrónicos, incluido uno de lo más emotivo a mis padres, pedí otro café y pregunté a los dos guapos irlandeses que atendían la barra y parecían tener más o menos mi edad si tenían alguna idea de lo que era un *shi sadu*.

No la tenían.

—¿Y un *too ah day*? —pregunté, esperando la misma respuesta.

—¿*Too ah day*? —repitió el moreno, con una inflexión ligeramente distinta a la que había usado yo.

Asentí.

—Una anciana en un pub lo dijo anoche cuando se puso a hablar conmigo. ¿Tienes alguna idea de lo que significa?

—Claro. —Rio—. Es lo que todos los dichosos americanos venís aquí esperando encontrar. Eso y una olla llena de oro al final del arco iris; ¿no es así, Seamus? —Dirigió una sonrisa maliciosa a su rubio compañero, quien se la devolvió corregida y aumentada.

—¿El qué? —pregunté recelosamente.

Agitando los brazos como si fueran un par de alitas, el moreno me guiñó el ojo.

—Una ocasión de mariposear con las hadas, muchacha.

Mariposear con las hadas. Ya. Claro. Con «turista» estampado en letras bien grandes a través de mi frente, cogí la taza que echaba humo, pagué el café y escolté a mis mejillas inflamadas de regreso a mi mesa.

Vieja chiflada, pensé con irritación mientras cerraba mi sesión en Internet. Si volvía a encontrarme con ella se iba a enterar.

Fue la niebla la que hizo que me perdiera.

Todo habría ido bien si el día hubiera sido soleado. Pero la niebla tiene la habilidad de transformar hasta el paisaje más familiar en algo extraño y siniestro, y aquella ciudad ya me era tan ajena que enseguida empezó a adquirir atributos tenebrosos.

Creía estar siguiendo la ruta más directa hacia The Clarin House, dejando atrás una manzana tras otra sin prestarles demasiada atención, cuando me encontré en una calle que no había visto antes donde apenas había nadie, y de pronto, fui sólo una de tres personas en una calleja extrañamente silenciosa que estaba llena de neblina. No tenía ni idea de qué distancia había recorrido. Había estado pensando en otras cosas. Podía haber andado kilómetros.

Entonces se me ocurrió lo que creí una idea realmente brillante. Seguiría a uno de los otros transeúntes, y seguro que me llevaría de regreso a la parte más concurrida de la ciudad.

Abrochándome la chaqueta contra la lluvia acompañada de neblina, escogí a la persona más próxima de las dos que iban por la calle, una cincuentona con un impermeable beige y una bufanda azul. Me vi obligada a mantenerme prácticamente pegada a ella debido a lo espesa que era la niebla.

Dos manzanas después, la mujer llevaba el bolso rígidamente apretado contra el costado y me lanzaba miradas nerviosas por encima del hombro. Tardé unos minutos en comprender de qué estaba tan asustada: de mí, claro. Me acordé de lo que había leído en mi guía turística sobre el crimen en los barrios bajos de la ciudad. Jóvenes de aspecto inocente de ambos sexos eran responsables de una gran parte de los delitos.

Traté de tranquilizarla.

—Me he perdido —dije—. Sólo intento volver a mi hotel. Por favor, ¿podría ayudarme?

—¡Deje de seguirme! No se me acerque —gritó ella, apretando el paso entre un revoloteo de los faldones de su gabardina.

—Vale, no me acercaré. —Me quedé en el sitio. Lo último que quería era tener que correr tras ella; el otro transeúnte se había ido, necesitaba a aquella mujer. La niebla se hacía cada vez más espesa y yo no tenía ni idea de dónde me encontraba—. Oiga, siento haberla asustado. ¿Podría indicarme cómo se llega al barrio de Temple Bar? Soy una turista americana y me he perdido.

Sin darse la vuelta o aflojar el paso, la mujer extendió un brazo en un gesto que señalaba vagamente la izquierda y luego dobló la esquina, para desaparecer dejándome sola entre la niebla.

Suspiré. Estaba claro que tendría que ir hacia la izquierda.

Fui hasta la esquina, la doblé y empecé a andar a un paso moderado. Cuando vi lo que había a mi alrededor, enseguida lo avivé un poco. Parecía como si me estuviese adentrando en una antigua parte industrial de la ciudad que había caído en desuso. Las fachadas de las tiendas con algún que otro apartamento encima fueron reemplazadas por edificios con aspecto de almacenes a ambos lados de la calle, donde las ventanas tenían todos los cristales rotos y las puertas colgaban precariamente de sus bisagras. La acera fue estrechándose hasta que su anchura quedó reducida a menos de un metro, y las basuras acumuladas en ella parecían aumentar con cada paso que daba yo. Empecé a tener náuseas, supongo que por el hedor que emanaba de las alcantarillas. Tenía que haber habido alguna fábrica de papel cerca; gruesos rollos de pergamino amarillento, de distintos tamaños y siempre con un aspecto vagamente poroso, rodaban a lo largo de las calles vacías impulsados por el viento. Las entradas de pequeños callejones estaban indicadas por flechas cuya pintura empezaba a desprenderse de las paredes, señalando la ubicación de muelles de carga industrial que aparentaban llevar veinte años sin haber sido utilizados.

De pronto, la chimenea de una fábrica se alzó ante mí, sus contornos confundiéndose con la niebla. Allí, un coche abandonado esperaba con la puerta del conductor abierta y, junto a ella, un par de zapatos y un montón de ropa, como si el conductor sencillamente hubiera bajado del coche, se hubiera desnudado y lo hubiese dejado todo tirado por el suelo. Los únicos sonidos eran el tenue rumor de mis pasos y el lento goteo de los canalones que vaciaban su contenido en los desagües de la calle. Cuanto más me adentraba en aquel barrio degradado, más ganas tenía de echar a correr, o al menos de adoptar un paso lo más rápido posible, pero me preocupaba que si había moradores poco recomendables de la variedad humana presente en el área, el repiqueteo acelerado de mis tacones contra el pavimento pudiera atraer su atención. Temía que esta parte de la ciudad se encontrara tan abandonada porque toda la actividad comercial se había trasladado a otro sitio cuando las pandillas callejeras se mudaron a vivir allí. ¿Quién sabía qué podía acechar tras aquellas ventanas rotas? ¿Quién sabía qué podía estar agazapado al otro lado de aquella puerta a medio abrir?

Los diez minutos siguientes fueron los más espantosos de mi vida. Me hallaba sola en una zona nada recomendable de una ciudad extranjera sin tener ni la más remota idea de si iba en la dirección adecuada o me encaminaba hacia algo aún peor que lo que estaba viendo. Hubo dos momentos en los que me pareció oír que algo se movía dentro de un callejón cuando yo pasaba ante él. Dos veces me tragué el pánico y me negué a correr. Era imposible no pensar en Alina, en el sitio tan parecido a éste donde había sido encontrado su cuerpo. No lograba quitarme de encima la sensación de que allí había algo que no estaba bien, y que era algo mucho peor que el mero abandono y la degradación del entorno. No se trataba sólo de que aquella parte de la ciudad pareciese estar vacía. Parecía que estuviera, bueno..., dejada de la mano de Dios, como si diez manzanas antes yo hubiera debido pasar ante un letrero en el que ponía «Abandonad toda esperanza, vosotros que entráis».

Las náuseas se hacían cada vez más intensas y se me había puesto la carne de gallina. Dejaba atrás rápidamente una manzana tras otra, en una dirección general hacia la izquierda todo lo recta que me permitía la disposición de las calles. Aunque sólo era hora de cenar, la lluvia y la niebla habían convertido el día en un oscuro crepúsculo y las escasas farolas que no llevaban años rotas empezaban a encenderse con un trémulo parpadeo. Estaba anocheciendo, y la negrura no tardaría en volverse absoluta en aquellos largos tramos llenos de sombras entre los tenues e infrecuentes charcos de luz.

Apreté el paso hasta que sólo me faltó echar a correr. Al borde de la histeria sólo de pensar que podía extraviarme en aquella parte tan horrible de la ciudad durante la noche, casi sollocé de alivio cuando divisé un edificio brillantemente iluminado a unas cuantas manzanas enfrente de mí, resplandeciendo como un oasis de luz.

Entonces inicié aquella desesperada carrera a la que me había estado resistiendo hasta ese momento.

Conforme me aproximaba al edificio, pude ver que todas sus ventanas estaban intactas, y la estructura de ladrillo impecablemente restaurada, con el primer piso luciendo una fachada de latón y oscura madera de cerezo cuya modernización tenía que haber costado mucho dinero. Grandes columnas enmarcaban una entrada en forma de alcoba que disponía de una magnífica puerta hecha de la misma madera, flanqueada por unos hermosos ventanales con cristales verdosos a la manera antigua y coronada por un montante del mismo estilo. Los ventanales estaban enmarcados por columnitas a juego, y recubiertos por una complicada verja hecha en hierro forjado.

Un sedán último modelo estaba estacionado frente a la puerta al lado de una motocicleta de lujo.

Más allá del edificio, pude vislumbrar las fachadas de unos cuantos establecimientos comerciales con residencias particulares en el segundo piso. Había gente en las calles; personas de aspecto completamente normal que iban de compras, a cenar o a tomar una copa en los pubs.

¡Como si nada, de pronto volvía a estar en una parte decente de la ciudad! Gracias a Dios, pensé. Aunque después ya no estaría tan segura de quién me había salvado del peligro aquel día, o de si realmente había sido salvada. En Georgia tenemos un refrán: «Saltar de la sartén para caer en las brasas.» Mis zapatos no debían entender de refranes, porque si no las suelas habrían estado echando humo.

«Barrons Libros y Objetos de regalo», proclamaba en letras de vivos colores el gran rótulo colgado en perpendicular a la fachada del edificio, suspendido sobre la acera por una elaborada barra de metal dorado atornillada a los ladrillos encima de la puerta. Un letrero iluminado en los ventanales de cristales verdosos anunciaba que tenían abierto. El sitio no podría haber parecido más adecuado para que yo llamara a un taxi si hubiera lucido un letrero diciendo «Si es usted un turista y se ha perdido llame a su taxi desde aquí».

Decidí que ya estaba bien por aquel día. No más pedir instrucciones para llegar a la pensión, no más caminar. Tenía frío y la lluvia me había dejado empapada. Quería una sopa caliente y una ducha todavía más caliente. Y las quería más de lo que supondría ahorrar unos preciosos peniques.

Empujé la puerta y hubo un tintineo de campanillas.

Entré y me detuve, asombrada. Basándome en lo que había visto fuera, me esperaba una encantadora tiendecita de libros y curiosidades con las dimensiones interiores de un Starbucks universitario. Pero lo que encontré fue un interior cavernoso y tan bien provisto de libros que hacía que la biblioteca que la Bestia de la película de Disney le regaló a la Bella el día de su boda pareciera haber estado sufriendo un problema de abastecimiento.

Adoro los libros, dicho sea de paso, mucho más que las películas. Las películas siempre se empeñan en decirte lo que has de pensar. Un buen libro te deja elegir unos cuantos pensamientos por tu cuenta. Las películas te enseñan la casa rosada. En cambio un buen libro te dice que hay una casa rosada y luego deja que te encargues de aplicar algunos de los toques finales, como por ejemplo escoger el estilo del tejado o aparcar tu propio coche ante ella. Mi imaginación siempre ha sabido llegar más lejos que todo lo que pueda ocurrir en una película. Un caso muy claro, las dichosas películas de Harry Potter. Mi idea de los libros no se parecía en nada a aquel manual de interiorismo para gente forrada de dinero.

Aun así, yo nunca me había imaginado una librería semejante. Debía de medir treinta metros de largo por quince de ancho. La parte delantera del establecimiento se elevaba hasta el techo del edificio, a una altura de cuatro pisos o más. Aunque me era imposible distinguir los detalles, el techo abovedado se hallaba ocupado por un complicado mural. Las estanterías se sucedían unas encima de otras en cada uno de los niveles, elevándose desde el suelo hasta las molduras. Detrás de unas elegantes barandillas, unas pequeñas plataformas rodantes instaladas sobre rieles permitían acceder a los niveles segundo, tercero y cuarto. Unas escalerillas igualmente provistas de ruedas montadas sobre rieles conducían de una sección a la siguiente.

El primer piso disponía de toda una serie de estanterías dispuestas en amplios pasillos a mi izquierda, dos cómodos sillones para sentarse, y una caja registradora colocada a mi derecha. No pude ver qué había más allá del balcón de la parte de atrás en los pisos de arriba, pero supuse que serían más libros y quizás algunos de los objetos de regalo que mencionaba el letrero.

No había un alma.

—¡Hola! —llamé, describiendo un círculo para empaparme de todo aquello. Una librería semejante era un hallazgo maravilloso, un final estupendo para un día que por lo demás no había podido ser más horrible. Decidí que mientras esperaba a que llegara mi taxi, iría a echar un vistazo en busca de nuevas lecturas—. Hola, ¿hay alguien aquí?

—Enseguida estoy con usted, querida —se elevó una voz femenina desde la parte de atrás del establecimiento.

Oí un suave murmullo de voces, una femenina y otra masculina, al que siguió un ruidito de tacones que avanzaban rápidamente sobre un suelo de madera.

La mujer que vi aparecer ante mí, elegante y de busto generoso, había tenido que ser impresionante del modo en que lo eran las grandes seductoras de la época dorada de Hollywood. A sus cincuenta y tantos años, el moño en que se había recogido el pelo sobre la nuca realzaba las formas de un rostro de piel muy blanca y facciones clásicas. Aunque el tiempo y la fuerza de la gravedad habían adornado el terso cutis de sus días de juventud con el fino trazado de líneas de un pergamino antiguo, esa mujer sería hermosa siempre, hasta el día en que muriera. Llevaba una falda larga de color gris y una fina blusa de gasa, que ponía de relieve la voluptuosidad de sus formas y dejaba entrever el sujetador con encajes que llevaba debajo. El lustre de las perlas relucía con suaves destellos opalinos en su cuello, muñeca y orejas.

—Me llamo Fiona. ¿Buscaba usted algo en concreto, querida?

—Me preguntaba si podría usar su teléfono para llamar un taxi. Naturalmente, también compraré algo —me apresuré a añadir. Muchos de los comercios locales tenían colgados letreritos advirtiendo de que los teléfonos y los servicios sólo podían ser utilizados por los clientes que hicieran alguna compra.

La mujer sonrió.

—No tiene usted por qué hacerlo, querida, a menos que quiera. Por supuesto que puede usar nuestro teléfono.

Después de haber buscado en el listín telefónico y haber marcado el número de un servicio de taxis, me dispuse a emplear de la manera más provechosa posible mis veinte minutos de espera, para lo que me hice con dos novelas de suspense, lo último de Janet Evanovich y una revista de modas. Mientras Fiona tecleaba los importes en la caja registradora, decidí que haría otro intento en mi hasta ahora infructuosa búsqueda, pensando que una persona cuyo trabajo la obligaba a estar rodeada de tantísimos libros seguramente sabría un poquito acerca de casi todo.

—He estado tratando de averiguar lo que significa una palabra pero no estoy segura de a qué idioma pertenece, o ni siquiera de si la estoy diciendo bien —le dije.

Fiona pasó el lector del código de barras por mi último libro y me dijo el total.

—¿De qué palabra se trata, querida?

Bajé la vista mientras hurgaba dentro del bolso en busca de mi tarjeta de crédito. Los libros no habían figurado en mi presupuesto original, y tendría que hacerlos durar hasta que volviera a casa.

—*Shi sadu*. Al menos creo que es ésa. —Encontré mi cartera, saqué la Visa, y volví a levantar los ojos hacia la mujer. Estaba quieta como una estatua y se había puesto pálida.

—Es la primera vez que la oigo. ¿Por qué lo busca? —me preguntó en un tono muy seco.

Parpadeé.

—¿Quién ha dicho que lo esté buscando? —Yo no había dicho que lo estuviese buscando. Sólo había preguntado qué significaba la palabra.

—¿Por qué otra razón iba a preguntármelo si no?

—Sólo quería saber qué significa —dije.

—¿Dónde ha oído esa palabra?

—¿Y a usted qué más le da? —Sabía que estaba empezando a sonar como si me pusiera a la defensiva, pero, realmente, ¿adónde quería ir a parar aquella mujer? Era evidente que la palabra significaba algo para ella. ¿Por qué no me lo quería decir?—. Mire, de verdad que es muy importante.

—¿Cómo cuánto de importante? —preguntó ella.

¿Qué quería aquella mujer? ¿Dinero? Bueno, eso podía ser un problema.

—Mucho.

Ella miró más allá de mí, por encima de mi hombro y pronunció una sola palabra, en el mismo tono que si fuese una bendición.

—Jericho.

—¿Jericho? —Repetí yo, sin entender nada—. ¿Se refiere a la antigua ciudad bíblica? —pregunté, pensando que «Jericó» quizá sonara así en labios de un irlandés.

—Jericho Barrons —dijo detrás de mí una profunda voz masculina que era evidente pertenecía a un hombre cultivado—. ¿Y usted es? —No era un acento irlandés. Ni idea de qué clase de acento era, sin embargo.

Me volví, con mi nombre ya en la punta de la lengua, pero no llegó a salir de mis labios. No era de extrañar que Fiona hubiera dicho el nombre de aquel caballero de la forma en que lo había hecho. Me administré una buena sacudida interior y le tendí la mano.

—MacKayla, pero la mayoría de la gente me llama Mac.

—¿Tiene usted un apellido, MacKayla? —Apretó mis nudillos contra sus labios por una fracción de segundo antes de soltarme la mano. Sentí un hormigueo en la piel allí donde habían estado sus dedos.

¿Era mi imaginación o aquel hombre tenía mirada de depredador? Aunque pensándolo bien era natural que me sintiera un poco paranoica, con lo agotada que estaba y lo extraño que estaba resultando ser aquel día, que había venido precedido por una noche todavía más extraña. Los titulares del *Ashford Journal* ya estaban empezando a cobrar forma en mi mente: «La segunda hermana MacLane descubre una oscura trama delictiva en una librería de Dublín.»

—Puede llamarme sólo Mac —respondí, eludiendo la pregunta.

—¿Y qué sabe usted acerca de ese *shi sadu*, sólo Mac?

—Nada. Por eso lo pregunto. ¿Qué es?

—Ni idea —dijo él—. ¿Dónde ha oído hablar de ello?

—No me acuerdo. ¿Por qué quiere saberlo?

Él cruzó los brazos.

Yo también crucé los míos. ¿Por qué me estaban mintiendo aquellas personas? ¿Qué diablos era esa cosa por la que les estaba preguntando?

El hombre me estudió con su mirada de depredador, midiéndome de arriba abajo. Yo lo estudié a mi vez. Jericho Barrons no sólo ocupaba el espacio, sino que lo saturaba. Antes la librería había estado llena de libros, pero ahora estaba llena de él. De unos treinta años y un metro ochenta y cinco de altura, tenía el pelo oscuro, la piel dorada y los ojos oscuros. Sus facciones parecían haber sido esculpidas a golpes de cincel. Su nacionalidad me era tan imprecisa como su acento; un cruce de centroeuropeo con algún país mediterráneo o, quizás, algunas gotas de sangre gitana en las venas herencia de un antepasado lejano. Vestía un elegante traje gris oscuro de corte italiano, una camisa blanquísima que parecía acabada de planchar y una corbata con un dibujo discreto. No era guapo. La palabra le quedaba pequeña. Jericho Barrons era intensamente masculino. Era sexual. Atraía. Toda su persona irradiaba una intensa carnalidad, como un aura omnipresente que podías percibir en sus oscuros ojos, en su boca de labios sensuales, hasta en su porte. Jericho Barrons era la clase de hombre con el que nunca se me ocurriría coquetear.

Una sonrisa le curvó los labios. La encontré tan desagradable como el resto de su persona, y no me engañó ni por un instante.

—Usted sabe lo que significa —le dije—. ¿Por qué no se limita a contármelo?

—También usted sabe algo acerca de lo que es en realidad —dijo él—. ¿Por qué no me lo cuenta?

—Yo he preguntado primero. —Infantil, quizá, pero fue lo único que se me ocurrió decir. Él no se molestó en dignificarlo con una respuesta—. Ya encontraré la manera de averiguar lo que quiero saber —dije. Si aquellas personas sabían lo que era un *shi sadu*, en algún lugar de Dublín alguien más lo sabría.

—Al igual que lo haré yo en el futuro. No le quepa duda de eso, sólo Mac.

Le lancé mi mirada más gélida, una que había tenido ocasión de practicar a menudo en El Patio con los clientes que habían bebido demasiado y buscaban guerra.

—¿He de tomármelo como una amenaza?

Él avanzó y yo me puse rígida, pero lo único que hizo fue extender la mano más allá de mí, por encima de mi hombro. Cuando retiró el brazo, sostenía mi tarjeta de crédito entre los dedos.

—Por supuesto que no... —bajó los ojos hacia mi nombre—,

señorita Lane. Veo que su Visa ha sido extendida por SunTrust. ¿No es un banco del sur de Estados Unidos?

—Quizá. —Le quité mi tarjeta de la mano.

—¿De qué estado sureño es usted?

—Texas.

—Ya. ¿Qué la ha traído a Dublín?

—Eso no es asunto suyo.

—Pasó a serlo cuando entró en mi establecimiento, queriendo saber del *shi sadu.*

—¡Así que sabe lo que es! Lo acaba de admitir.

—No admito nada. Sin embargo, le diré una cosa: se está metiendo en algo demasiado grande para usted, señorita Lane. Siga mi consejo y olvídese de esto ahora que aún puede hacerlo.

—Es demasiado tarde. No puedo. —Su condescendencia empezaba a enfurecerme. Cuando me pongo furiosa por algo, planto los pies en el suelo allí donde esté.

—Lástima. No va a durar ni una semana como continúe investigando el asunto igual que si estuviera en el primer curso de la escuela de detectives. Si quisiera contarme lo que sabe, entonces quizá podría hacer algo para incrementar sus posibilidades de supervivencia.

—Ni lo sueñe. No a menos que antes me cuente lo que yo quiero saber.

Hizo un sonido de impaciencia y me miró con los ojos entornados.

—Condenada estúpida, no tiene ni idea de en qué se...

—¿Alguien de aquí ha llamado pidiendo un taxi? —Las campanillas de la puerta tintinearon.

—Yo —contesté por encima del hombro.

Jericho Barrons llegó a esbozar el tenue inicio de una acometida, como para retenerme físicamente. Hasta ese momento, aunque la atmósfera se había cargado de agresión y la amenaza había sido dada a entender, no había habido nada declarado. Yo había estado furiosa, pero de pronto me sentí un poco asustada.

Barrons y yo nos sostuvimos la mirada y permanecimos inmóviles unos momentos en aquel retablo. Casi pude ver cómo él calculaba la importancia, si es que tenía alguna, de nuestra súbita audiencia.

Entonces me dirigió una sonrisa levemente sardónica e inclinó la cabeza como para decir: «Esta vez gana usted, señorita Lane.»

—No cuente con que vuelva a suceder —murmuró después.

Salvada por la campana, agarré la bolsa con mis libros y empecé a retroceder en dirección a la puerta. No aparté los ojos de Jericho Barrons hasta que salí del establecimiento.

4

Los cuartos de baño comunitarios daban pena.

Conseguí la sopa caliente, pero el agua de la ducha que me di estaba helada. En cuanto llegué a The Clarin House, hice el desagradable descubrimiento de que al parecer todos los huéspedes de la pensión esperaban hasta primera hora del anochecer para ducharse antes de salir a cenar y divertirse un poco en el centro de Dublín. Los turistas no tienen consideración. El agua estaba demasiado fría para que me atreviera a lavarme el pelo, así que telefoneé a recepción para pedirles que me despertaran a las seis de la mañana, momento en que haría otro intento. Sospechaba que algunos de los huéspedes estarían volviendo a la pensión justo entonces.

Me quité la ropa de calle y me puse la camiseta de algodón de color melocotón que usaba para dormir y unas bragas a juego. Ése era otro problema que tenían los baños comunitarios; o te volvías a vestir después de haberte duchado o te arriesgabas a tener que correr como una loca medio desnuda por el pasillo, pasando ante docenas de puertas que podían abrirse en cualquier momento. Opté por ir vestida.

Acabé de deshacer el resto de mi equipaje. Había traído conmigo unas cuantas cosas de casa para que me hicieran compañía en Dublín. Saqué una de las velas de melocotón y crema de Alina, dos tabletas de chocolate Hershey, mis vaqueros favoritos con las perneras recortadas y la tela descolorida por muchos lavados que mamá siempre estaba amenazando con tirar al cubo de la basura, y una pequeña foto enmarcada de mi familia, que dejé apoyada en la lámpara de la cómoda.

Luego busqué dentro de la mochila, saqué el cuaderno que había comprado hacía unas semanas y me senté en la cama con las piernas cruzadas. Alina siempre había llevado un diario, desde que éramos niñas. Como buena hermanita pequeña que era, yo había descubierto muchos de sus escondites. Alina fue volviéndose más inventiva con el paso de los años; el último que había encontrado estaba debajo de una tabla suelta en el suelo de su armario. Yo le había tomado el pelo implacablemente acerca de cualquier novio por el que estuviese bebiendo los vientos en aquel momento, con irritantes sonidos de besito besito incluidos.

Hasta hacía poco, yo nunca había escrito un diario. Después del funeral, necesitaba desesperadamente una válvula de escape y llegué a verter páginas de pena sobre el diario. Últimamente había empezado a escribir listas: qué meter en el equipaje, qué comprar, qué averiguar y adónde ir primero. El vacío del sueño me ayudaba a soportar las noches. Mientras supiera exactamente adónde tenía que ir y qué iba a hacer al día siguiente, podría seguir adelante.

Estaba orgullosa de lo bien que había sabido plantar cara a mi primer día de estancia completa en Dublín. Claro que, cuando lo único que podías hacer era alardear, tampoco costaba tanto aplicar esa capa de maquillaje sobre tu verdadero rostro. Yo sabía muy bien lo que era en realidad: una joven bastante guapa con la edad justa para servir mesas, que nunca se había encontrado a más de unos cuantos estados de distancia de su Georgia natal, que había perdido a su hermana recientemente y ahora acababa de meterse en algo —como había dicho Jericho Barrons— demasiado grande para ella.

«Ir al Trinity College, hablar con los profesores de Alina y tratar de averiguar los nombres de sus amistades» ocupaba el primer lugar en mi lista para el día siguiente. Había sacado una copia impresa del correo electrónico en el que Alina me había remitido su programa académico, con todos los nombres de los que daban las clases y los horarios. Me lo había enviado nada más empezar el curso para que supiera cuándo estaba en clase y cuándo tenía más probabilidades de pillarla en su apartamento para que pudiéramos hablar. Con un poco de suerte, alguna de las personas con las que hablara sabría con quién había estado saliendo mi hermana, y podría decirme quién era su hombre misterioso. «Ir a la biblioteca local, seguir tratando de averiguar qué es el *shi sadu*» venía después. Tenía muy claro que no iba a volver a poner los pies en aquella librería, cosa que me disgustaba porque me había parecido realmente impresionante. No podía sacudirme de encima la sensación de que había escapado por los pelos. De que si el taxista no hubiera llegado en ese preciso instante, Jericho Barrons podría haberme atado a una silla y no haber parado de torturarme hasta que le hubiese dicho todo lo que él quería saber. «Comprar cajas de cartón, bolsas de basura y una escoba para llevar al apartamento de Alina» era lo tercero. Esa entrada era opcional. No estaba segura de si realmente me encontraba preparada para volver allí. Mordisqueé la punta del bolígrafo, y pensé que ojalá hubiera podido ver al inspector O'Duffy. Había ido a la comisaría con la esperanza de que podría acceder a sus informes y continuar por cualquiera que fuese la ruta que hubiese tomado la investigación de la *Gardai*. Desgraciadamente, esa posibilidad ahora había quedado en suspenso durante unos días.

Escribí una breve lista de las cosas que quería comprar en algún supermercado local: un adaptador para cargar mi iPod, zumo de fruta y algo barato para picar que pudiese tener en mi habitación. Después apagué la luz y me sumergí casi inmediatamente en un profundo sopor carente de sueños.

Me despertó alguien que llamaba a mi puerta.

Me incorporé en la cama y me froté unos ojos llenos de legañas que parecían haber sido cerrados hacía apenas unos segundos. Tardé unos instantes en recordar dónde estaba: en una cama de matrimonio en una fría habitación de Dublín, con la lluvia repiqueteando suavemente sobre los cristales de la ventana.

Había estado teniendo un sueño fantástico. Alina y yo estábamos jugando al voleibol en uno de los muchos lagos creados por la mano del hombre que había hecho excavar el Departamento de Energía de Georgia, esparcidos a través del estado. Había tres en los alrededores de Ashford y mi hermana y yo íbamos a alguno de ellos prácticamente cada fin de semana durante el verano para pasar el rato, tomar el sol y mirar a los tíos. El sueño había sido tan vívido que aún podía sentir el sabor de la Coronita fría con lima, oler el aceite bronceador de coco y sentir bajo mis pies la sedosa suavidad de la arena traída hasta allí en camiones.

Consulté mi reloj. Eran las dos de la madrugada. Estaba medio dormida y de muy mal humor, y no me molesté en tratar de ocultarlo.

—¿Quién es?

—Jericho Barrons.

Me espabilé tan de golpe como si acabaran de atizarme en la cabeza con la sartén de hierro forjado que mi madre usaba para freír. ¿Qué estaba haciendo él allí? ¿Cómo había dado conmigo? Salté de la cama y mi mano quedó suspendida sobre el teléfono, lista para llamar a recepción en cualquier momento y pedirles que avisaran a la policía.

—¿Qué quiere?

—Tenemos información que intercambiar. Usted quiere saber lo que es esa cosa. Yo quiero saber cómo se ha enterado de su existencia.

Decidí que no iba a dejarle ver lo nerviosa que me había puesto el que hubiera sido capaz de seguirme la pista.

—Un tipo listo, ¿eh? Eso ya lo pensé yo cuando estaba en la librería. ¿Cómo es que ha tardado tanto en ocurrírsele?

Hubo un silencio tan prolongado que empecé a preguntarme si se habría ido.

—No estoy acostumbrado a tener que pedir que me den lo que quiero. Tampoco estoy acostumbrado a regatear con una mujer —dijo él finalmente.

—Pues empiece a acostumbrarse a eso conmigo, caballero, porque no acepto órdenes de nadie. Y tampoco doy nada gratis.

—«Estás fanfarroneando, Mac.» Pero eso él no lo sabía.

—¿Tiene usted intención de abrir esta puerta, señorita Lane, o tendremos que mantener esta conversación donde cualquiera puede enterarse de lo que nos interesa?

—¿De verdad tiene intención de que intercambiemos información? —repliqué a mi vez.

—La tengo.

—¿Y usted será el primero en suministrarla?

—Sí.

Bajé los hombros. Aparté la mano del teléfono. Luego me apresuré a enderezarme. Sabía que colocar una sonrisa encima de una cara triste siempre ayuda bastante, porque en cuanto ha pasado un rato el sonreír hace que te sientas contenta. Con el valor ocurría exactamente lo mismo. Jericho Barrons me inspiraba tanta confianza como una serpiente de cascabel, lo que quería decir que no me inspiraba absolutamente ninguna, pero él sabía lo que era ese *shi sadu*, y aunque yo no había perdido la esperanza de poder localizar la información en algún otro sitio, ¿qué haría si no lograba dar con ella? ¿Y si me pasaba semanas enteras buscando sin éxito? El tiempo era dinero y el mío era escaso. Si Barrons estaba dispuesto a hacer un trueque, yo tenía que abrir esa puerta. A menos que...

—Podemos intercambiar información a través de la puerta —dije.

—No.

—¿Por qué no?

—Soy una persona muy reservada, señorita Lane. Esto no es negociable.

—Pero yo...

—No.

Solté un bufido. El tono en la voz de él decía que intentar discutir sería una pérdida de tiempo. Me aparté de la cama y fui a coger unos vaqueros.

—¿Cómo ha dado conmigo? —Me subí la cremallera y me pasé las manos por el pelo. Siempre se me enreda mucho cuando duermo porque lo llevo muy largo. Ahora tenía lo que llaman una auténtica cara de sueño.

—Usted hizo acudir un medio de transporte que cobra una tarifa cuando visitó mi establecimiento.

—En el sitio del que vengo yo los llamamos taxis. Y a los establecimientos como el suyo los llamamos librerías. —Dios, qué hombre más estirado.

—En el sitio del que vengo yo los llamamos modales, señorita Lane. ¿Sabe usted qué son?

—Si no le gustan mis modales, la culpa es suya. Ser amenazada siempre hace aflorar las peores facetas de mi carácter. —Abrí la puerta una rendija y lo miré hoscamente a través del espacio suministrado por la cadena de seguridad. Intenté imaginar a Jericho Barrons de niño, yendo a la escuela con la cara recién lavada, el pelo pulcramente peinado y la fiambrera en la mano, y fracasé miserablemente. Aquel tipo tenía que haber sido engendrado por algún cataclismo de la naturaleza, no por un hombre y una mujer.

Barrons inclinó la cabeza hacia un lado y me estudió a través de la estrecha abertura, dedicando unos cuantos segundos a cada parte de mí: pelo en desorden, boca y ojos hinchados por el sueño, camiseta para dormir, vaqueros, dedos de los pies. Para cuando hubo acabado de repasarme, me sentía como si hubiera quedado reducida a un cedé.

—¿Puedo entrar? —dijo.

—Si por mí fuera no habría llegado ni a la puerta. —Pensar que en recepción lo habían dejado subir me llenó de furia. Había creído que en The Clarin House se tomaban un poquito más en serio la observación de las normas de seguridad. Decidí que mañana mismo iría a decirle cuatro cosas al encargado.

—Les dije que era hermano suyo —replicó él, y me recogió los pensamientos de la cara.

—Claro. Será por lo mucho que nos parecemos. —Si él era invierno, yo era verano. Si yo era la luz del sol, él era la noche. Una muy negra y tormentosa.

No vi ni pizca de diversión en aquellos ojos oscuros.

—¿Y bien, señorita Lane?

—Estoy pensando. —Ahora que él sabía dónde me estaba alojando, si quería hacerme daño, podía hacérmelo en cualquier momento. No había ninguna necesidad de que se apresurase actuando esa misma noche. Podía dedicarse a acecharme y saltar sobre mí en cualquier lugar mañana en las calles. En el futuro no estaría más a salvo de él de lo que lo estaba ahora, a menos que estuviese dispuesta a ir mudándome de pensión en pensión, tratando de hacer que me perdiera el rastro, y no lo estaba. Necesitaba estar en esa parte de la ciudad. Además, Barrons no parecía la clase de pervertido que asesina crudamente a una mujer en la habitación de un hotel; más parecía la clase de pervertido que preferiría centrarla en la mira telescópica de uno de esos rifles que emplean los asesinos profesionales, para luego apretar el gatillo sin sentir ninguna clase de emoción. Que yo empleara eso como un argumento en favor suyo debería haberme preocupado. Después comprendería que durante las primeras semanas que pasé en Irlanda todavía estaba un poco aturdida debido a la muerte de Alina, y que por eso hacía las cosas sin pensar. Suspiré.

—Claro. Entre.

Cerré la puerta, quité la cadena de seguridad, volví a abrirla y luego di un paso atrás, para que él pudiera entrar. Había abierto la puerta todo lo que ésta daba de sí y la dejé pegada a la pared, para que cualquier persona que pasara por el pasillo pudiera mirar dentro de la habitación y, si se daba el caso de que necesitara hacerlo, yo pudiera dejar sordo con mis gritos de socorro a todo el tercer piso de la pensión. Un torrente de adrenalina me corría por el cuerpo, haciendo que me temblaran los músculos. Barrons aún llevaba aquel traje italiano de corte impecable, su camisa igual de blanca y con el mismo aspecto de estar acabada de planchar que había tenido hacía unas horas. Aquella habitación en la que apenas había espacio quedó súbitamente abarrotada cuando Jericho Barrons entró. Las personas normales llenan el cien por cien de las moléculas que ocupan, pero él conseguía que su presencia ocupara el doble del espacio que le habría correspondido.

Llevó a cabo un breve pero concienzudo escrutinio de la habitación y no me cupo duda, si fuese interrogado después, de que sería capaz de describir con la mayor precisión cada detalle, desde las manchas de agua color óxido en el techo hasta el sujetador con un estampado de florecitas que me había dejado olvidado sobre la alfombra. Lo empujé con la punta del pie, impulsándolo debajo de la cama.

—Bueno, ¿qué es? —dije—. No, espere... ¿cómo lo deletrearía usted? —Ya había probado todas las variantes que se me ocurrieron durante mis búsquedas, y suponiendo que él me lo contara y yo viviera para hacer uso de la información, quería estar en condiciones de poder hacer mis propias investigaciones.

Barrons empezó a describir un pequeño círculo a mi alrededor. Giré con él, porque no quería darle la espalda en ningún momento.

—S i n s a r —deletreó.

—¿Sinsar? —pregunté.

Él sacudió la cabeza.

—*Shi sa. Shi sa du.*

—Oh, claro. ¿Y el «du»? —Él dejó de caminar en círculos, así que yo me detuve también, su espalda hacia la pared y la mía hacia la puerta abierta. Con el paso del tiempo, cuando empezara a ver pautas, me daría cuenta de que Barrons siempre se colocaba de aquella manera, nunca con la espalda vuelta hacia una ventana o una puerta abiertas. No tenía nada que ver con el miedo. Tenía que ver con el control.

—D u b h.

—¿*Dubh* es *du*? —No me lo podía creer. Pues claro que no había podido encontrar aquella palabreja—. ¿Debería llamar a los pubs poos?

—*Dubh* es gaélico, señorita Lane. Pub no.

—Perdone si no me troncho de risa. —Y yo que había creído que estaba siendo graciosa. Y él era un tipo de lo más estirado, como he dicho antes.

—Nada que guarde relación con el *Sinsar Dubh* debería ser tomado a risa.

—Me doy por corregida. Bueno, ¿qué se supone que es esa cosa tan gravísimamente seria?

La mirada de él descendió desde mi rostro hasta los dedos de mis pies y luego volvió a subir. Al parecer no había quedado muy impresionado por lo que vio.

—Vuelva a su país, señorita Lane. Sea joven. Sea guapa. Cásese. Tenga hijos. Envejezca al lado de su apuesto marido.

Su comentario me escoció como ácido sobre la piel. Porque yo era rubia, daba gusto verme y los chicos no habían dejado de tirar del cierre de mi sujetador desde primero en el instituto, llevaba años teniendo que cargar con el estereotipo de la Barbie. Que el rosa fuese mi color favorito, que me gustaran los accesorios que hacían juego con la ropa que llevaba y los tacones que atraían las miradas..., tampoco ayudaba demasiado. Pero nunca me había sentido atraída por el muñeco Ken, incluso antes de que se me ocurriera bajar la mirada hacia sus pantalones y viera lo que le faltaba, y mi meta en la vida no era una casita con jardín y un todoterreno en el garaje, y no aguantaba esas indirectas de que en el fondo yo era una Barbie: «Ve a procrear y muérete, porque seguro que es todo lo que alguien como tú sabe hacer.» Puede que yo no fuera la bombilla más brillante de la caja, pero tampoco era la de menor voltaje.

—Oh, váyase a la mierda, Jericho Barrons. Cuénteme qué es. Dijo que lo haría.

—Si insiste. Pero no sea tonta. No insista.

—Estoy insistiendo. ¿Qué es?

—Última oportunidad.

—Lástima. No quiero una última oportunidad. Dígamelo.

Barrons clavó su oscura mirada en la mía. Luego se encogió de hombros, su magnífico traje resbalando sobre su cuerpo con esa facilidad exenta de esfuerzo que sólo la ropa carísima confeccionada a medida puede exhibir.

—El *Sinsar Dubh* es un libro.

—¿Un libro? ¿Eso es todo? ¿Nada más que un libro? —Parecía terriblemente banal.

—Al contrario, señorita Lane, nunca cometa ese error. Nunca piense en el *Sinsar Dubh* como «nada más que un libro». Es un manuscrito increíblemente raro e increíblemente antiguo que incontables personas matarían por poseer.

—¿Incluido usted? ¿Mataría por poseerlo? —Necesitaba

saber exactamente cuál era el terreno que pisábamos, tanto él como yo.

—Desde luego. —No apartó la mirada de mi rostro mientras yo asimilaba la información—. ¿Ha cambiado de parecer acerca de lo de quedarse en Dublín, señorita Lane?

—Desde luego que no.

—Entonces volverá a casa metida en una caja.

—¿Ésa es otra de sus amenazas?

—No soy yo quién la pondrá ahí dentro.

—¿Quién lo hará?

—Yo he respondido a su pregunta, así que ahora le toca el turno de responder a la mía. ¿Qué sabe usted acerca del *Sinsar Dubh*, señorita Lane?

No lo suficiente, eso estaba claro. ¿En qué diablos se había visto involucrada mi hermana? ¿Alguna oscura conspiración urdida en los bajos fondos de Dublín, llena de artefactos robados, poblada de asesinos y ladrones implacables?

—Quiere saber qué sé...

—Cuéntemelo —insistió él—. Y no mienta. Porque si lo hace lo sabré.

Lo miré fijamente, casi creyendo que realmente lo sabría. Oh, no gracias a algún extraño poder extrasensorial, no creo en esa clase de cosas, sino por la manera en que un hombre escudriña a la gente, hace acopio de sus menores gestos y sus expresiones, y les toma la medida.

—Mi hermana estaba estudiando aquí. —Él me había dado el mínimo. Yo no le daría nada más—. La mataron hace un mes. Me dejó un mensaje en el buzón de voz justo antes de que muriera, diciéndome que yo tenía que encontrar el *Sinsar Dubh*.

—¿Por qué?

—No me lo dijo. Lo único que dijo fue que todo dependía de ese libro.

Barrons hizo un sonido de impaciencia.

—¿Dónde está ese mensaje? Tengo que oírlo.

—Lo borré sin querer —mentí.

Él cruzó los brazos encima del pecho y se recostó en la pared.

—Miente. Usted nunca cometería semejante error con una hermana que le importa lo suficiente para morir por ella. ¿Dónde está ese mensaje? —Cuando vio que yo no decía nada, siguió hablando en voz baja—. Si no está usted conmigo, señorita Lane, entonces está contra mí. No tengo piedad de mis enemigos.

Me encogí de hombros. Jericho Barrons quería la misma cosa que yo y estaba dispuesto a matar por ella. Yo tenía muy claro que eso nos hacía enemigos. Miré por encima del hombro el pasillo que había al otro lado de la puerta abierta y medité cuál iba a ser mi próximo movimiento. La amenaza de Barrons no acababa de decidirme. Quería verle la cara cuando le pusiera el mensaje. Si él había tenido algo que ver con mi hermana o con su muerte, esperaba que se delatara de alguna forma en cuanto oyese la voz y las palabras de Alina. También quería que supiera que yo sabía unas cuantas cosas, y que creyera que la policía las sabía, también.

—Ya le he pasado una copia de este mensaje a la *Gardai* de Dublín —le dije, mientras sacaba el móvil de mi bolso y apretaba el botón de los mensajes guardados—. Están intentando localizar al hombre con el que salía mi hermana.

Vean cómo Mac se tira faroles. Es mejor que ver correr a Mac. Muchísimo mejor que ver cómo Mac consigue que la maten a base de hacer tonterías. Barrons no lo puso en duda; adiós a su bravata de que si yo mentía lo sabría enseguida. Conecté el altavoz del móvil y luego apreté el botón de reproducir, y la voz de Alina llenó la pequeña habitación.

Me estremecí. Daba igual las veces que lo escuchara, siempre me hacía estremecer: mi hermana hablando con aquella voz tan aterrada, unas horas antes de morir. Dentro de cincuenta años, seguiría oyendo su mensaje, resonando en mi corazón, palabra por palabra.

«Todo ha salido tan mal... creía que me había enamorado... él es uno de ellos... tenemos que encontrar el *Sinsar Dubh*, todo depende de ello... no podemos dejar que se hagan con él... no ha dejado de mentirme desde el primer momento.»

No dejé de mirar a Barrons mientras él escuchaba el mensaje. Impasible y remota, su expresión no me dijo nada.

—¿Conocía usted a mi hermana? —Él sacudió la cabeza—. ¿Los dos iban detrás de ese «libro increíblemente raro» y sin embargo nunca coincidieron casualmente en ningún sitio?

—Dublín es una ciudad de un millón de habitantes que cada día se ve inundada por incontables personas que vienen a trabajar aquí desde su casa en las cercanías y siempre se encuentra asediada por una inacabable oleada de turistas, señorita Lane. Lo raro sería que ella y yo hubiéramos coincidido en algún sitio. ¿Qué quería decir su hermana con eso de que «ni siquiera sabes lo que eres»? —Clavó su oscura mirada en mi rostro como para determinar la veracidad de mi respuesta por lo que viera en mis ojos.

—Yo también me lo he preguntado. No tengo ni idea.

—¿Ninguna?

—Ninguna.

—Hmmm. ¿Esto fue todo lo que le dejó? ¿Un mensaje?

Asentí.

—¿Nada más? ¿Ninguna nota o paquete o algo por el estilo?

—Nada.

—¿Y no tiene ni idea de a qué podía estar refiriéndose cuando le habló del *Sinsar Dubh*? ¿Su hermana no confiaba en usted?

—Antes creía que sí. Parece que estaba equivocada. —No pude ocultar la nota de amargura en mi voz.

—¿A quiénes se refería su hermana cuando hablaba de «ellos»?

—Pensaba que usted podría decírmelo —dije significativamente.

—No soy uno de «ellos», si es eso lo que está dando a entender —dijo Barrons—. Muchos buscan el *Sinsar Dubh*, tanto individuos como facciones. Yo también quiero hacerme con él, pero trabajo solo.

—¿Por qué quiere hacerse con él?

Barrons se encogió de hombros.

—Tiene un valor incalculable. Yo colecciono libros.

—¿Y eso hace que esté dispuesto a llegar a matar por él? ¿Qué es lo que planea hacer con ese libro? ¿Vendérselo al mejor postor?

—Si no aprueba mis métodos, no se cruce en mi camino —me advirtió.

—Perfecto.

—Perfecto. ¿Qué más tiene usted que contarme, señorita Lane?

—Nada. —Cogí mi móvil, volví a guardar el mensaje y dirigí una mirada gélida desde él hasta la puerta, animándolo a que saliese de la habitación.

Él rio, un sonido oscuro y grave.

—Me parece que me está echando. Ya no me acuerdo de cuándo fue la última vez que me echaron de un sitio.

No lo vi venir. Barrons ya casi había pasado junto a mí, casi había llegado a la puerta, cuando me agarró y me apretó contra su cuerpo. Me pasó un brazo por debajo de los pechos, inmovilizándome en una presa tan rígida que no me dejaba llenar los pulmones para respirar. El cuerpo que se ocultaba bajo aquel traje tan elegante era mucho más poderoso de lo que nunca hubiese podido imaginar yo, como si estuviese hecho de acero reforzado. Entonces comprendí que la puerta abierta no había sido más que una burlona concesión por parte de Barrons, un placebo que él me había administrado para que me lo tragara sin pensármelo dos veces. En cualquier momento, podría haberme roto el cuello y yo no habría podido soltar ni un solo grito. O podría haberse conformado con asfixiarme, tal como estaba haciendo ahora. Su fuerza era asombrosa, realmente inmensa. Y lo peor de todo era que sólo estaba utilizando una pequeña fracción de ella. Yo podía sentir el esfuerzo que le costaba refrenarse en la tensión de su cuerpo. Barrons estaba teniendo mucho, mucho cuidado conmigo.

Me puso los labios en la oreja.

—Váyase a casa, señorita Lane. Usted no debería estar aquí. Olvídese de la *Gardai.* No intente localizar el *Sinsar Dubh* o morirá en Dublín. —Aflojó la presión sobre mi boca lo suficiente para permitirme contestar, sobre mis costillas lo suficiente para permitirme respirar dando un poco de combustible a mis pulmones.

Aspiré un aire que necesitaba desesperadamente.

—Vaya, ya me está amenazando otra vez —jadeé. Mejor morir con un comentario desdeñoso que con un sollozo.

Barrons me hincó el brazo en las costillas, volviendo a cortarme el suministro de oxígeno.

—No es una amenaza, sino una advertencia. Llevo tanto tiempo buscando ese libro y estoy tan cerca de él que no voy a permitir que nadie se interponga en mi camino y lo fastidie todo. Hay dos clases de personas en este mundo, señorita Lane: las que sobreviven cueste lo que cueste, y las que son víctimas andantes. —Me puso los labios en el lado del cuello. Sentí su lengua allí donde aleteaba mi pulso, resiguiéndome la vena—. Usted, señorita Lane, es una víctima, una ovejita en una ciudad de lobos. Le doy hasta las nueve de la noche de mañana para que salga pitando de este país y no me complique más la vida.

Me soltó y caí al suelo, con la circulación privada del suministro de oxígeno.

Cuando logré incorporarme, Barrons ya se había ido.

5

—Esperaba que usted me diera alguna información sobre mi hermana —le dije al penúltimo nombre de mi lista de integrantes del cuadro académico, un profesor llamado S. S. Ahearn—. ¿Sabe a qué personas frecuentaba cuando no tenía clase?

Llevaba la mayor parte del día dedicada a aquello. Con el horario de clases de Alina en una mano y un mapa del campus en la otra, había ido de aula en aula, esperado en el pasillo hasta que terminara la clase, y acorralado acto seguido a los profesores para coserlos a preguntas. Al día siguiente volvería a hacer lo mismo, pero me dedicaría a los estudiantes. Esperaba obtener mejores resultados de ellos. Hasta el momento lo que había averiguado no llenaría un dedal. Y nada de todo eso iba a serme de ninguna utilidad.

—Ya le conté a la *Gardai* todo lo que sé. —Alto y flaco como una escoba, el profesor echó mano de sus notas con una rápida eficiencia—. Creo que la investigación corría a cargo de un inspector llamado O'Duffy. ¿Ha hablado usted con él?

—Tengo cita con el inspector O'Duffy para dentro de unos días esta misma semana, pero tenía la esperanza de que usted podría dedicarme unos minutos mientras tanto.

El profesor volvió a guardar las notas en su maletín y lo cerró con un chasquido.

—Lo siento, señorita Lane, pero la verdad es que sé muy poco acerca de su hermana. Las raras veces en que se tomaba la molestia de acudir a clase, apenas participaba.

—¿Las raras veces en que se tomaba la molestia de acudir a clase? —repetí. A mi hermana le encantaba ir a la universidad, adoraba estudiar y aprender. Nunca se saltaba una clase.

—Sí. Como le expliqué a la *Gardai,* al principio, su hermana asistía regularmente a todas las clases, pero luego su presencia fue haciéndose cada vez más esporádica. Llegó a dejar de asistir a tres o cuatro clases seguidas. —Supongo que tuve que poner cara de que no me lo podía creer, quizás incluso de que me estaba mintiendo, porque añadió—: No piense que eso es algo tan insólito en el programa para estudiantes extranjeros, señorita Lane. Los jóvenes que se encuentran lejos de casa por primera vez..., sin padres ni reglas..., en una ciudad tan llena de vida y que está repleta de pubs... Alina era tan guapa como usted..., estoy seguro de que pensó que tenía cosas mejores que hacer que sentarse en una clase para oír cómo le impartían una asignatura que...

—Pero es que Alina no era así —protesté yo—. A mi hermana le encantaba estudiar. Siempre quería que las asignaturas fueran lo más difíciles posible. La oportunidad de estudiar en el Trinity College lo era todo para ella.

—Lo siento. Me limito a decirle lo que observé —dijo el profesor.

—¿Tiene idea de cuáles eran sus amistades?

—Me temo que no.

—¿Tenía novio? —insistí.

—No que yo sepa. Cuando la vi, si estaba en compañía de otras personas, no reparé en que alguna de ellas pareciera ser su novio. Lo siento, señorita Lane, pero su hermana sólo era una más entre la multitud de estudiantes que pasan por estas aulas cada trimestre y si destacaba por algo..., era por su ausencia, no por su presencia.

Desanimada, le di las gracias y me fui.

Ahearn era el quinto profesor de Alina con el que había hablado hasta el momento, y el retrato que pintaban de mi hermana era el de una mujer a la que yo no podía reconocer. Una alumna que no asistía a las clases, no ponía ningún empeño en sus estudios y parecía carecer de amistades.

Miré mi lista. Me quedaba una última profesora a la que localizar, pero sólo impartía clase los miércoles y los viernes. Decidí ir a la biblioteca. Mientras salía a un gran recinto ajardinado lleno de estudiantes que habían ido allí a tomar el sol de última hora de la tarde, pensé en posibles razones para la nada habitual conducta académica de Alina. Los cursos ofrecidos a través del programa de estudios para extranjeros estaban concebidos para estimular la conciencia cultural, así que mi hermana, una graduada en el instituto que planeaba licenciarse en filosofía y letras, había acabado inscrita en cursos como César en las Galias y El impacto de la industria sobre la Irlanda del siglo XX. ¿Podía ser que sencillamente no hubieran sido de su agrado?

Me parecía imposible. Alina siempre había sentido una inmensa curiosidad por todo.

Suspiré y enseguida lamenté que hubiera tenido que tragar aire para hacerlo. Me dolían las costillas. Por la mañana había despertado para descubrir que tenía una banda de cardenales cruzándome el torso, justo debajo de los pechos. No podía llevar sujetador porque las copas me hacían demasiado daño, así que opté por ponerme una blusa de tirantes ribeteada con una hilera de rositas debajo de un suéter de color rosa que hacía juego con mi sesión de manicura y pedicura «rosa atrevido para chicas modernas», unas Capri negras, un gran cinturón plateado, sandalias también plateadas y un pequeño bolso metálico Juicy Couture, en el que me había gastado todos los ahorros del verano anterior, completaban mi atuendo. Llevaba la larga melena rubia recogida en una cola de caballo, asegurada por un precioso prendedor esmaltado. Podía sentirme amoratada y perpleja, pero por Dios que tenía muy buen aspecto. Al igual que el sonreír cuando no me apetecía, presentar una fachada cuidada al mundo hacía que me sintiese un poco más entera por dentro, y la verdad era que hoy necesitaba algo que me diera ánimos.

«Le doy hasta las nueve de la noche de mañana para que salga pitando de este país y no me complique más la vida.» Qué cara más dura. Cuando me lo dijo yo había tenido que morderme la lengua para reprimir el impulso juvenil de replicar: «¿O qué? Ni que fuera usted mi jefe.» Al que siguió el impulso todavía más juvenil de llamar a mi mamá y gimotear: «Aquí no le caigo bien a nadie y ni siquiera sé por qué.»

¡Y su forma de evaluar a la gente! Qué cínico.

—Víctima andante, una petunia —murmuré. Oí lo que acababa de decir y gemí. Nacidas y criadas en los preceptos de la Biblia, mamá nos había dejado muy claro a mi hermana y a mí lo que opinaba del decir palabrotas cuando estábamos creciendo: «Una mujer guapa no tiene una boca fea», sentenciaba. Así que Alina y yo habíamos desarrollado nuestro propio repertorio de palabras que no venían a cuento como sustitutos. Cagarla era irse por el desagüe. Una mierda era una petunia. El culo era un ramillete de margaritas y la palabra que empieza con jota, que ya ni siquiera me acuerdo de cuándo fue la última vez que la usé, era jacinto. Me imagino que ya os habréis hecho una idea.

Desgraciadamente, mi hermana y yo las habíamos dicho tan a menudo cuando éramos niñas que llegaron a convertirse en un hábito tan difícil de romper como las palabrotas de verdad. Para mi continua humillación, lo habitual era que cuanto más alterada me sentía por algo, mayores eran las probabilidades de que recurriera a mi vocabulario infantil. Costaba lo tuyo conseguir que los integrantes de una despedida de soltero te tomaran en serio en el bar cuando tu amenaza consistía en decirles que se estaban yendo por el desagüe, y como no dejaran de armar escándalo llamarías al segurata del local para que los mandara a tomar por un ramillete de margaritas. Hoy en día nos hemos acostumbrado a ser tan bestias que prescindir de las palabras malsonantes casi siempre hace que se rían de ti.

Carraspeé.

—Víctima andante, una mierda.

De acuerdo, lo admito; cuando Jericho Barrons hubo acabado de propasarse conmigo, yo estaba hecha un flan. Pero eso ya lo tenía superado. No me cabía duda de que Barrons era un hombre implacable. Pero un asesino me hubiese matado anoche y así ya no habría tenido que volver a pensar en mí. Y él no lo había hecho. Me había dejado con vida, y según mi manera de razonar, eso quería decir que continuaría haciéndolo. Podía ponerse chulo y amenazarme e, incluso dejarme llena de cardenales, pero no me mataría.

Nada había cambiado. Yo seguía teniendo que encontrar al asesino de mi hermana y no me iría de Irlanda. Y ahora que sabía cómo se deletreaba, iba a averiguar qué era exactamente el *Sinsar Dubh*. Sabía que era un libro, pero ¿un libro que hablaba de qué?

Esperando saltarme las horas punta y ahorrar dinero comiendo con menos frecuencia de la habitual, hice un alto para un almuerzo tardío o cena temprana consistente en pescado con patatas fritas, y luego me dirigí a la biblioteca. Unas horas después, tenía lo que había estado buscando. No le veía ningún sentido, pero lo tenía.

Alina habría sabido de algún sistema para examinar rápidamente los índices informatizados e ir directamente a lo que le interesaba, pero yo soy una de esas personas que necesitan ir mirando los letreritos al final de los pasillos. Pasé mi primera media hora en la biblioteca sacando de los estantes libros sobre arqueología e historia y llevándolos a una mesa en un rincón. Dediqué la hora siguiente a hojearlos. En mi defensa, puedo decir que utilicé los índices finales, y cuando iba por la mitad de mi segunda pila de libros lo encontré.

Sinsar Dubh;[1] una de las Consagraciones Oscuras[2] pertenecientes a la raza mitológica de los tuatha dé danaan. Escrito en una lengua conocida únicamente por los más viejos de la especie, se dice que sus páginas cifradas contienen la más mortífera de todas las magias. Traído a Irlanda por los tuatha dé durante las invasiones narradas en el texto seudo histórico *Leabhar Gabhåla*,[3] fue robado junto con las otras Consagraciones Oscuras y se rumorea que ha acabado llegando al mundo del hombre.

Parpadeé. Luego fui al final de la página para examinar las notas al pie.

[1] Entre ciertos nuevos ricos que se dedican al coleccionismo, ha surgido recientemente un nuevo interés por las reliquias mitológicas y algunos aseguran haber llegado a ver una fotocopia que contenía una o dos páginas de este «tomo maldito». El *Sinsar Dubh* no es más real que la criatura mítica a la que se dice corresponde su autoría hace más de un millón de años, el «Rey Oscuro» de los tuatha dé danaan. Supuestamente escrito en un código indescifrable, en una lengua muerta, a este autor le gustaría saber cómo algún coleccionista puede mantener con visos de seriedad que ha identificado cualquier parte de él.

[2] Se decía que los tuatha dé danaan poseían ocho antiguas reliquias que se hallaban dotadas de un inmenso poder: cuatro Luminosas y cuatro Oscuras. Las Consagraciones Lumi-

nosas eran la piedra, la lanza, la espada y el caldero. Las Oscuras eran el espejo, la caja, el amuleto y el libro (*Sinsar Dubh*).

³*Leabhar Gabhåla* (El Libro de las Invasiones) sitúa a los tuatha dé danaan treinta y siete años después del Fir Bolg (que siguió a Cesair, la nieta de Noé, los partolonianos y los nemedios) y doscientos noventa y siete años antes de los milesios o pueblo q-celta goidélico. No obstante, diversas fuentes anteriores y posteriores contradicen tanto la verdadera naturaleza de los tuatha dé como su fecha de llegada tal como las relaciona este texto escrito en el siglo XII.

¿Raza mitológica? ¿Rey Oscuro? ¿Magia? ¿Sería que todo aquello sólo era alguna clase de broma?

Alina era tan poco aficionada a todas esas fruslerías sobrenaturales como yo. A ambas nos encantaba leer y ver una película de vez en cuando, pero siempre nos decantábamos por los misterios corrientes, las historias de suspense o las comedias románticas, nunca por las extravagancias de lo paranormal.

¿Vampiros? ¡Puaj! Muertos, y con eso ya está dicho todo. ¿Viajar a través del tiempo? Ja, yo prefiero las comodidades domésticas a tener que andar por ahí con un highlander que parece un armario ropero y tiene los modales de un cavernícola. ¿Hombres lobo? Oh, por favor, ¡qué memez! ¿Qué mujer va a querer enrollarse con un hombre que está regido por su perro interior? Como si todos los hombres no lo estuvieran de todas formas, incluso sin el gen licantrópico.

No gracias, a mí siempre me ha bastado con la realidad. Nunca he sentido el deseo de escapar de ella. Alina era igual. O eso había pensado yo. Porque ahora estaba empezando a preguntarme si realmente había conocido a mi hermana tan bien como creía.

El caso es que no veía que todo aquello tuviera ningún sentido. ¿Por qué se le había podido ocurrir a Alina dejarme un mensaje diciéndome que tenía que encontrar un libro sobre magia que, según aseguraba T. A. Murtough en *Una guía definitiva*, ni siquiera existía?

Abrí el libro y volví a leer la primera nota a pie de página. ¿Era posible que hubiera gente en el mundo que creía en un libro de magia escrito hacía un millón de años, y que a mi hermana la hubieran matado porque se cruzó en el camino de su frenética búsqueda?

Jericho Barrons creía que ese libro era real.

Dediqué un par de minutos a reflexionar sobre ello. Entonces es que estaba como una cabra, decidí finalmente con un encogimiento de hombros. Por muy bien que lo hubieran encuadernado, cualquier libro habría empezado a caerse a trocitos al cabo de unos cuantos millares de años. Un libro que tuviera un millón de años llevaría unos cuantos eones reducido a polvo. Además, si nadie podía leerlo, ¿por qué alguien iba a querer hacerse con él?

Perpleja y sin entender nada, seguí leyendo, abriéndome paso a través de la segunda pila de libros y adentrándome en la tercera. Media hora después había encontrado la respuesta a esa pregunta también, en un libro sobre los mitos y las leyendas irlandesas.

Según la leyenda, la clave para descifrar la antigua lengua y romper el código del *Sinsar Dubh* fue escondida en cuatro piedras místicas. El cuatro es un número sagrado para los tuatha dé: cuatro casas reales, cuatro Consagraciones, cuatro piedras. En manos de un druida consumado, una de dichas piedras puede ser empleada para arrojar luz sobre una pequeña porción del texto, pero sólo si las cuatro son recompuestas en una sola piedra será revelado el verdadero texto en su totalidad.

Estupendo. Así que ahora el mejunje también incluía a los druidas. Lo siguiente que hice fue buscarlos en el texto.

En la sociedad celta anterior al cristianismo, un druida presidía las ceremonias del culto divino, todas las cuestiones de índole legislativa y judicial, la filosofía, y la educación de los jóvenes pertenecientes a la élite con vistas al ingreso en su orden.

Eso ya sonaba un poco mejor. Continué leyendo. La cosa enseguida empezó a ir cuesta abajo.

Los druidas celebraban sacrificios humanos y se preparaban para profetizar comiendo las piñas de los robles. Creían que el día seguía a la noche, y profesaban un credo basado en la metempsicosis en el que el alma humana no muere sino que va renaciendo bajo distintas formas. Se creía que los druidas eran partícipes de los secretos de los dioses, incluidas cuestiones relativas a la manipulación de la materia física, el espacio e incluso el tiempo. De hecho, la antigua palabra irlandesa «drui» significa mago, hechicero, adivinador...

Bueno, hasta ahí podíamos llegar. Cerré el libro y decidí que ya estaba bien por aquel día. Mi credulidad había quedado seriamente minada. Ésa no era mi hermana. Nada de todo aquello pegaba con Alina. Y sólo había una explicación para ello.

Jericho Barrons me había mentido. Y ahora probablemente estaría sentado cómodamente en esa suntuosa librería suya, vestido con su elegante traje de cinco mil dólares mientras se carcajeaba de mí.

Me había dado gato por liebre, y además había echado mano del primer felino que encontró tirado en un callejón. Había intentado hacerme perder el rastro de lo que quiera que fuese que

Alina realmente quería que encontrara yo con un montón de necedades sobre un estúpido libro mítico de magia negra. Como buen mentiroso que era, había adornado su engaño con un poco de verdad: fuera lo que fuera esa cosa, Barrons realmente quería hacerse con ella, de ahí el engaño. Divertido por mi ingenuidad, probablemente ni siquiera se había molestado en cambiar demasiado el deletreo de lo que dijo Alina. «*Shi sadu.*» Pronuncié las sílabas en voz alta, preguntándome cómo se escribiría realmente aquella palabra. Yo era muy crédula. Podía ser que sólo hubiera una diferencia de dos o tres letras entre lo que Alina había dicho en gaélico, y lo que Barrons había pretendido que significaba, y esas pocas letras representaban la diferencia entre un objeto de pura fantasía y algún objeto perfectamente tangible y real que me permitiría arrojar luz sobre la muerte de mi hermana. Eso suponiendo que Barrons no estuviera mintiendo cuando dijo que era una palabra gaélica. No podía confiar en nada de lo que él me había dicho.

Por si fuera poco, había intentado asustarme con amenazas para que saliese corriendo del país. Y me había dejado llena de cardenales.

Sentí que me iba poniendo furiosa por momentos.

Salí de la biblioteca y entré en un supermercado para comprar las cuatro cosas que me hacían falta, y luego eché a andar por la concurrida zona de Temple Bar de regreso a The Clarin House. Las calles estaban llenas de gente. Los pubs estaban brillantemente iluminados, con las puertas abiertas para dejar entrar el templado anochecer de julio y la música se propagaba a las aceras. Había tíos buenos por todas partes, y me gané más de unos cuantos silbidos y piropos. Siendo camarera, mujer joven soltera y amante de la música, me encontraba en mi elemento. Esto era *craic*.

Pero nada de ello me hacía disfrutar.

Cuando me enfado mantengo conversaciones imaginarias dentro de mi cabeza..., ya sabéis, el tipo de conversación en el que dices eso realmente inteligente que siempre deseas que se te hubiera ocurrido en «aquel» momento pero nunca te viene a la lengua. A veces llego a estar tan absorta en mis pequeños chateos mentales que acabo sin darme cuenta de lo que hay a mi alrededor.

Así fue como me encontré deteniéndome ante la entrada de Barrons Libros y Objetos de regalo en vez de ante la puerta de The Clarin House. No es que pretendiera ir allí. Mis pies sencillamente me llevaron al sitio en el que quería estar mi boca. Pasaban veinte minutos de las nueve, pero lo que era por mí el estúpido horario de cierre del señor Barrons podía irse a tomar por un ramillete de margaritas.

Lancé una rápida mirada hacia la izquierda, en dirección a esa parte desierta de la ciudad en la que me había extraviado el otro día. Con sus cuatro pisos de ladrillo, madera y piedra renovada, Barrons Libros y Objetos de regalo parecía interponerse como un bastión entre la parte buena y la parte mala de la ciudad. A mi derecha, las farolas derramaban una cálida luz ambarina, y la gente se saludaba alegremente, riendo y hablando. A mi izquierda, las escasas farolas que aún funcionaban proyectaban un enfermizo resplandor amarillo y el silencio era roto únicamente por el estruendo ocasional de una puerta que el viento hacía oscilar sobre sus bisagras medio desprendidas.

Decidí no prestar atención a aquel barrio tan desagradable. Era con Barrons con quien tenía un asunto pendiente. El letrero de abierto en la ventana de la librería estaba apagado. El horario anunciado en la puerta era de mediodía hasta a las ocho de la noche y dentro sólo había encendidas unas cuantas luces tenues, pero aquella motocicleta tan lujosa estaba aparcada frente a la librería en el mismo sitio que ayer. No podía imaginar a Fiona montando a horcajadas sobre esa bestia negra y cromo, como

82

tampoco podía imaginar a Barrons al volante del elegante sedán gris de clase media alta. Lo que significaba que él estaba allí, en alguna parte.

Cerré el puño y aporreé la puerta. Estaba de un humor de perros, sin duda porque tenía la sensación de que todas las personas que había conocido en Dublín hasta entonces habían abusado de mí de una manera u otra. Desde mi llegada, pocas me habían mostrado un mínimo de educación, ninguna había estado simpática, y varias se habían comportado de forma claramente grosera. Y luego dicen que los estadounidenses no sabemos ir por el mundo. Volví a aporrear la puerta. Esperé veinte segundos, volví a aporrearla. Mamá dice que tengo tanto genio que debería ser pelirroja, pero yo he conocido a unas cuantas pelirrojas en mi vida y me parece que exagera un poco. Lo que pasa es que cuando algo se me atraganta soy incapaz de quedarme cruzada de brazos. Por eso había ido a Dublín, y no pararía hasta que la policía volviera a abrir el caso.

—Barrons, sé que está ahí dentro. ¡Abra! —grité. Luego repetí los golpes en la puerta y el gritar durante unos cuantos minutos. Cuando estaba empezando a pensar que quizás él no estaba allí después de todo, una voz muy grave surgió de la oscuridad a mi izquierda, distinguida por ese acento imposible de situar que sugería largas estancias en climas exóticos. Como sitios con harenes y fumaderos de opio.

—¿Intenta dejarme claro que es usted tonta de remate?

Escudriñé la penumbra. Hacia la mitad de la manzana había un punto más denso en la oscuridad que supuse era Barrons. Era imposible distinguir su silueta, pero ese retazo de oscuridad parecía contener más sustancia, más potencia que las sombras que había a su alrededor. También hacía que me estremeciera levemente al mirarlo. Sí, estaba claro que tenía que ser él.

—No soy tan tonta como usted cree, Barrons. No soy tan tonta como para haberme tragado su ridícula historia.

—Una ovejita en una ciudad de lobos. Me pregunto cuál de esos lobos acabará con usted —dijo él.

—Ovejita, una petu..., una mierda. No le tengo miedo, Barrons.

—¿Ah, sí? Ya veo que es tonta de remate.

—Sé que me ha mentido. Bueno, Barrons, ¿qué es realmente ese... *shi sadu?* —Aunque yo no había pretendido dar ningún énfasis particular a aquella palabra completamente nueva para mí, las sílabas parecieron rebotar en los edificios circundantes con el seco estruendo de un disparo. O eso o, por un momento extrañamente suspendido en el tiempo, un silencio total cayó sobre la noche, como una de esas inesperadas pausas en la conversación que siempre tienen lugar justo cuando tú estabas diciendo algo como «¿Sabes lo último que ha hecho Fulana de Tal, la muy zorra?», y resulta que Fulana de Tal está a un par de metros de distancia en la habitación súbitamente silenciosa, y querrías que te tragara la tierra—. Mejor me lo cuenta, porque no me iré de aquí hasta que lo haya hecho.

Barrons estuvo allí antes de que yo pudiera pestañear. Aquel hombre tenía unos reflejos increíbles. Supongo que también ayudó bastante que no estuviera donde yo creía que estaba. Se separó de las sombras a tres metros de mí y me empujó contra la puerta.

—¡Maldita estúpida, no hable de esas cosas en la calle durante la noche! —Manteniéndome aprisionada contra la puerta, estiró el brazo hacia la cerradura.

—Hablaré de lo que me dé... —No llegué a terminar la frase, porque entonces se me ocurrió mirar más allá de él. El retazo de oscuridad que en un primer momento yo había tomado por Barrons había empezado a moverse. Y ahora había un segundo manchón oscuro fluyendo a lo largo de uno de los edificios, un poco más abajo, una construcción imposiblemente alta. Volví la mirada hacia el otro lado de la calle, para ver a qué idiota se le podía haber ocurrido salir a tomar el fresco de la noche en ese barrio tan poco recomendable, proyectando la sombra.

No había nadie.

Volví a mirar las dos oscuridades. Venían hacia nosotros. Muy deprisa.

Alcé la mirada hacia Barrons. Estaba inmóvil, sin apartar los ojos de mi rostro. Se volvió y miró por encima del hombro hacia donde había estado mirando yo, y luego me volvió a mirar.

Entonces abrió la puerta de un manotazo, me metió dentro de un empujón, cerró y echó tres gruesos cerrojos detrás de nosotros.

6

—Explíquese —gruñó mientras me empujaba hacia el interior de la habitación, lejos de la puerta. Después me dio la espalda y se puso a accionar interruptores en la pared, uno detrás de otro. Hilera tras hilera de fluorescentes incrustados en el techo y pequeños apliques murales se encendieron en el interior de la librería. Fuera, las luces de la fachada inundaron la noche con un frío resplandor blanco.

—¿Explicarme? ¿Qué quiere que le explique? Explíquese usted. ¿Por qué me mintió? ¡Dios, esto es increíble! Alina hablaba de Dublín como si fuera una ciudad maravillosa en la que todo el mundo era educadísimo y todo era la mar de bonito, pero aquí todo es horrible y todos son unos maleducados y juro que le daré de tortas al próximo imbécil que me diga que me vaya a casa.

—Como si pudiera hacerlo. Podría romperse una uña. —La mirada que me lanzó por encima del hombro no podía estar más llena de desdén.

—Está usted muy equivocado conmigo, Barrons. —La mirada que le lancé a mi vez fue igual de desdeñosa. Él acabó de encender la última de las luces y se dio la vuelta. No pude evitar dar un respingo en cuanto lo vi bajo aquella iluminación tan intensa. Supuse que no tenía que haberme fijado mucho en él el día anterior porque Barrons no era sólo masculino y sexual, era carnal de un modo que te daba dentera; casi daba miedo. Ahora se lo veía distinto. Parecía más alto, más delgado, todavía más peligroso, la piel más apretada sobre su cuerpo, los rasgos tallados con un cincel todavía más afilado; y sus pómulos ya me habían parecido tan cortantes como un par de navajas en la fría arrogancia de aquel rostro surgido de tan improbable combinación de genes—. ¿Cuál es su ascendencia, de todas formas? —dije irritada, dando un paso atrás para interponer un poco más de distancia entre nosotros.

Él me miró con algo parecido a la perplejidad, como si lo sorprendiera aquella pregunta tan personal y careciese de un marco de referencia adecuado. Me miró en silencio como debatiendo consigo mismo si debía responder y luego, pasados unos instantes, se encogió de hombros.

—Vasca y celta. Picta, para ser exactos, señorita Lane, pero dudo de que usted esté familiarizada con la distinción.

Yo estaba bastante al día en historia. Había asistido a varios cursos universitarios. Estaba familiarizada con las dos culturas que acababa de mencionar Barrons, y eso explicaba muchas cosas. Criminales y bárbaros. Ahora entendía el sesgo ligeramente exótico de sus ojos oscuros, la piel dorada, los aires que se daba con la gente. Dudaba que ningún emparejamiento de genes pudiera dar un resultado todavía más primitivo.

No supe que había expresado ese último pensamiento en voz alta hasta que él dijo fríamente:

—Ahora me dirá qué es lo que ha visto ahí fuera, señorita Lane.

—No he visto nada —mentí. Lo cierto era que ni yo misma podía explicarme lo que creía haber visto, y no estaba de humor para discutir el tema. Me encontraba rendida y obviamente el pescado que me habían servido con la cena no estaba en buenas condiciones. Además de los efectos de la intoxicación alimentaria, hacía poco que había perdido a un ser muy querido, y eso siempre te afecta la mente.

Él hizo un sonido de impaciencia.

—No soporto que me mientan, señorita Lane...

—*Quid pro quo*, Barrons. —Poder cortarlo de aquella manera cuando estaba hablando me puso tan contenta que hubiese dado saltos de alegría. La expresión del rostro de Barrons lo decía todo; a él nadie lo interrumpía cuando había tomado la palabra. Fui a una de las pequeñas áreas de conversación de la librería, puse mi bolsa de compras del supermercado y mi bolso Juicy Couture encima de la mesa, y me dejé caer en un sofá de cuero color camello. Me dije que mejor me ponía cómoda porque no pensaba irme de allí hasta que hubiera obtenido unas cuantas respuestas, y con lo terco y tiránico que era Jericho Barrons, podíamos tirarnos toda la noche en la librería. Apoyé mis bonitas sandalias plateadas en la mesita para tomar el café y crucé los pies por los tobillos. Mamá me habría echado una bronca si me hubiera visto sentarme de aquella manera, pero mamá no estaba allí—. Usted me cuenta algo y yo le contaré algo. Pero esta vez tendrá que demostrar lo que dice antes de que yo le dé nada a cambio.

Lo tuve encima antes de que mi cerebro pudiera procesar el hecho de que Barrons venía a por mí. Era la tercera vez que me sorprendía con aquel truquito suyo, y empezaba a parecerme un poco sobado. Aquel hombre era o un corredor olímpico o, porque nunca me habían atacado antes, sería que yo no lograba hacerme a la idea de la celeridad con que se produce el ataque. Las acometidas de Barrons eran mucho más veloces que mis instintos a la hora de reaccionar.

Con los labios apretados y el rostro fruncido en una mueca de furia, me levantó del sofá agarrándome del pelo con una mano, me sujetó por el cuello con la otra y empezó a arrastrarme hacia la pared.

—Oh, adelante —masculle—. Máteme y acabemos de una vez. ¡Ponga fin a mi miseria! —Echar de menos a Alina era peor que padecer una enfermedad terminal. Al menos cuando eres una paciente terminal sabes que el dolor se acabará tarde o temprano. Pero no había ninguna luz al final de mi túnel. La pena me roería por dentro, del día a la noche, de la noche al día, y aunque yo pudiera tener la sensación de que acabaría muriendo de pena, incluso pudiera desear que eso ocurriera, nunca sucedería. Tendría que ir por el mundo con un agujero en el corazón durante el resto de mis días. La pena por haber perdido a mi hermana me acompañaría hasta el día en que muriera. Si no sabéis a qué me refiero o si os parece que estoy siendo demasiado melodramática, entonces es que nunca habéis querido de verdad a alguien.

—No habla en serio —dijo.

—Ya le he dicho que usted no me conoce.

Barrons rio.

—Mírese las manos.

Lo hice. Vi que las había cerrado en torno a su antebrazo. Mis uñas color rosa de puntas glaseadas por la última sesión de manicura estaban clavadas como garras en la manga del refinado traje de Barrons, tratando de aflojar la presa con que me aprisionaba él. Yo ni siquiera me había dado cuenta de que las hubiera levantado.

—Conozco a la gente, señorita Lane. Muchas personas creen que quieren morir, a veces incluso dicen que quieren morir. Pero el caso es que nunca hablan en serio. En el último segundo chillan como cerdos y se resisten como posesos. —Había una sombra de amargura en su voz, como si lo supiera por experiencia. De pronto ya no estuve tan segura de que Jericho Barrons no era un asesino.

Me arrinconó contra la pared y me mantuvo atrapada allí,

una mano sobre mi cuello mientras su oscura mirada me recorría el rostro, el cuello, el rápido subir y bajar de mis pechos bajo la blusa de encaje. Sobre todo los pechos. Yo habría podido soltar un resoplido si hubiera dispuesto del oxígeno suficiente para hacerlo. Me dije que Jericho Barrons no podía estar pensando que él fuese mi tipo. No podíamos ser más opuestos. Si Barrons era la Antártida, yo era el Sahara. ¿A qué podía venir aquello? ¿Sería alguna nueva táctica con la que iba a amenazarme, violación en lugar de asesinato? ¿O pensaba recurrir a ambas cosas?

—Se lo preguntaré una vez más, señorita Lane, y le sugiero que no intente jugar conmigo. Esta noche ando muy escaso de paciencia. Tengo asuntos mucho más urgentes que usted de los que ocuparme. ¿Qué vio ahí fuera?

Cerré los ojos y consideré mis opciones. Tengo un cierto problema con el orgullo. Mamá dice que es mi pequeño reto especial. Como en un primer momento había adoptado una postura de lo más desafiante, ahora cualquier muestra de cooperación por mi parte equivaldría a tirar la toalla. Abrí los ojos.

—Nada.

—Qué pena —dijo él—. Si no vio nada, entonces su presencia aquí no me es de ninguna utilidad. Si vio algo, podría serme de cierta utilidad. Si no vio nada, su vida no significa nada. Si vio algo, su vida...

—Ya lo he captado —rechiné—. Tampoco hay necesidad de ponerse redundante.

—¿Y bien? ¿Qué vio?

—Suélteme la garganta. —Necesitaba obtener algo.

Él me soltó y me tambaleé. No me había dado cuenta de que al agarrarme por el cuello me había obligado a ponerme de puntillas hasta que descubrí que mis talones no tocaban el suelo y necesitaban entrar en contacto con él. Me froté el cuello y dije, en un tono bastante irritado:

—Sombras, Barrons. Eso fue todo lo que vi.

—Descríbame esas sombras.

Lo hice, y él me escuchó atentamente hasta que hube acabado de hablar, su oscura mirada clavada en mi rostro.

—¿Había visto algo parecido anteriormente? —quiso saber en cuanto me callé.

—No.

—¿Nunca?

Me encogí de hombros.

—Yo diría que no. —Hice una pausa, y añadí—: La otra noche me pasó algo un poco raro en un pub.

—Cuéntemelo —ordenó él.

Yo aún estaba de pie entre su cuerpo y la pared y necesitaba más espacio. La proximidad física de Barrons era inquietante, como estar al lado de un campo magnético súper cargado. Pasé junto a él, asegurándome de que no lo tocaba en ningún momento, algo que Barrons pareció encontrar muy divertido, y fui hacia el sofá. Empecé a contarle la extraña visión dual que había tenido en el pub, mi encuentro con aquella anciana tan hostil, lo que me había dicho ella. Barrons me hizo muchas preguntas, queriendo saber hasta el último detalle. Yo era mucho menos observadora que él, y fui incapaz de responder a la mitad de las cosas que me preguntó. Barrons no intentó ocultar su disgusto ante mi incapacidad a la hora de indagar acerca de la extraña visión o la anciana. Cuando concluyó su interrogatorio, soltó una seca carcajada de incredulidad.

—Nunca se me había ocurrido pensar que pudiera haber alguien como usted suelto por ahí. Que no está al corriente, que no ha recibido la instrucción adecuada. Increíble. No tiene ni idea de lo que es usted, ¿verdad?

—¿Una turista tonta de remate? —dije, tratando de tomármelo a broma.

Él sacudió la cabeza y dio un paso hacia mí. Cuando yo retrocedí instintivamente, se detuvo, una tenue sonrisa en los labios.

—¿Me tiene miedo, señorita Lane?

—¡Qué va! Es sólo que no me gusta que me llenen de cardenales.

—Los cardenales se curan. Le aseguro que en la noche hay cosas mucho peores que yo.

Abrí la boca para responderle con algún comentario subido de tono, pero él me hizo callar con un ademán.

—Ahórreme las bravatas, señorita Lane. Veo a través de ellas. No, usted no es tonta y no ha venido aquí a hacer turismo. Sin embargo, no cabe duda de que es una nulidad andante. No entiendo cómo es que aún está viva. Sospecho que habrá vivido en un pueblecito tan provinciano y tan poco interesante que nunca se ha topado con uno de ellos. Tiene que ser una pequeña comunidad tan poco atractiva y tan recluida en sí misma que ellos nunca la han visitado y nunca lo harán.

Yo no tenía ni idea de quiénes eran esos «ellos» que nunca nos habían visitado y nunca irían a hacerlo, pero el caso era que no podía evitar estar de acuerdo con todo lo demás. Ashford figuraba en los registros oficiales del estado de Georgia dentro de la «P» de provinciana, y dudaba de que nuestra gran barbacoa anual a base de pollo frito o nuestra cabalgata navideña, que lucía año tras año la misma media docena de carrozas de antes de la guerra, pudiera distinguirnos de cualquier otra pequeña ciudad del Profundo Sur.

—Sí, vale —dije poniéndome a la defensiva. Yo había nacido en Ashford, y le tenía mucho cariño—. ¿Y eso a qué viene?

—A que usted, señorita Lane, es una *sidhe* vidente.

—¿Eh?

—Una *sidhe* vidente. Ve a las criaturas mágicas.

Me eché a reír.

—No es para tomárselo a risa —dijo él tajantemente—. Es una cuestión de vida o muerte, imbécil.

Reí más fuerte.

—¿Qué pasa, es que algún duendecillo travieso va a venir a por mí si no tengo cuidado? —pregunté como una tonta.

Él me miró con los ojos entornados.

—¿Qué cree usted que eran esas sombras exactamente, señorita Lane?

—Sombras —repliqué, ya no tan divertida como antes. Empezaba a estar francamente furiosa. Decidí que no iba a dejar que él siguiera tomándome el pelo. Aquellas formas oscuras no podían haber tenido ninguna sustancia. Los duendecillos no existían, la gente no los veía, y no existía ningún libro sobre magia que hubiera sido escrito hacía un millón de años.

—Los Oscuros se habrían dado un banquete con usted, y en cuanto hubiesen acabado sólo dejarían un pellejo vacío que resbalaría sobre la acera arrastrado por la brisa nocturna —dijo él sin inmutarse—. No habría quedado ningún cuerpo que sus padres pudieran reclamar. Nunca sabrían qué había sido de usted. Una turista más que ha desaparecido en el extranjero sin dejar rastro.

—Sí, claro —masculle—. ¿Y cuántas chorradas más quiere hacerme tragar? ¿Que el *shi sadu* realmente es un libro de magia negra? ¿Que realmente fue escrito hace un millón de años por no sé qué Rey Oscuro? ¿Tan tonta me cree? Yo sólo quería saber el significado de esa palabra porque pensaba que así a lo mejor podría ayudar a la policía a que descubra quién mató a mi hermana...

—¿Cómo murió su hermana, señorita Lane? —Barrons hizo la pregunta en un tono suave como la seda, pero sentí como si me hubieran golpeado con un mazo de picar piedra.

Apreté las mandíbulas y me di la vuelta. Pasado un instante dije:

—No quiero hablar de ese tema. No es asunto suyo.

—¿Hubo algo en su muerte que se saliera de lo corriente? ¿Algo particularmente horripilante, quizá? Dígame, ¿parecía como si unas bestias de presa se hubieran ensañado con su cuerpo?

Me encaré con él.

—Quesecallejoder... —siseé.

Un chispazo de impaciencia llameó en sus ojos.

—¿Quiere morir de la misma forma que ella?

Lo fulminé con la mirada. No iba a llorar delante de él. No pensaría en lo que había visto el día en que tuve que identificar el cuerpo de Alina. Ni en mis peores pesadillas querría morir así.

Él desprendió la respuesta de mi cara y la mitad de su boca descendió en una sonrisita burlona.

—Ya me imaginaba que no, señorita Lane. Escúcheme y aprenda y la ayudaré.

—¿Por qué iba a ayudarme? —me mofé—. No tiene usted pinta de buen samaritano, Barrons. De hecho, creo que la palabra «mercenario» viene acompañada por una foto suya en el diccionario. Y además no tengo dinero.

Esta vez los dos lados de su boca descendieron en una mueca feroz, antes de que recompusiera rápidamente su rostro en una fría máscara de urbanidad europea. Uf, estaba claro que ahora sí que había puesto el dedo en la llaga. Algo de lo que acababa de decir había logrado atravesar el durísimo pellejo de Barrons, y parecía haber sido la palabra «mercenario».

—No puedo dejar que muera de esa manera. Digamos que me remordería la conciencia.

—Usted no tiene conciencia, señor Barrons —afirmé con impertinencia.

—No sabe nada acerca de mí, señorita Lane.

—Y no pienso llegar a saberlo. Iré a hablar con la policía y les diré que reabran la investigación sobre la muerte de mi hermana. No volveré a verlo, como tampoco volveré a ver a ninguna de esas estúpidas sombras y ni siquiera le preguntaré qué es realmente el *shi sadu*, porque ya estoy harta de oírlo delirar. No se le ocurra acercárseme, Barrons, o cuando vaya a ver a la policía les hablaré de usted, de sus amenazas y de todos esos disparates que me ha contado. —Cogí mi bolso y mi bolsa del supermercado, y me encaminé hacia la puerta.

—Está cometiendo un inmenso error, señorita Lane.

Abrí la puerta de un tirón.

—El único error que he cometido desde que estoy aquí fue creer en lo que me dijo ayer. No volveré a cometerlo.

—No cruce ese umbral. Si sale por esa puerta morirá. Le doy tres días, en el mejor de los casos.

No me digné contestar. Dejé que el portazo con que cerré se encargara de responder a sus palabras

Creo que quizá me gritó algo a través de la puerta, otra de esas insensateces suyas como «no se aparte de las luces», pero no habría podido asegurar que fuera eso y en el fondo me daba igual.

Jericho Barrons y yo habíamos terminado.

O eso fue lo que pensé en aquel momento. Luego resultó que ésa era otra de las muchas cosas acerca de las que estaba equivocada. No tardaríamos en tener que vivir pendientes el uno del otro, tanto si nos gustaba como si no.

Y el caso era que no nos gustaba.

7

Más adelante pensaría en los días que siguieron a esa noche como los últimos momentos normales de mi existencia, aunque entonces me parecieron cualquier cosa salvo normales. Normal era comer tarta de melocotón y judías tiernas, servir mesas en el bar y convencer a mi coche de que se arrastrara hasta el garaje para que le pusieran otra de esas tiritas que salían a doscientos cincuenta dólares la unidad. Normal era no investigar el asesinato de mi hermana en Dublín.

Me pasé todo el miércoles en el campus de Trinity College. Hablé con el último nombre de mi lista de las personas que daban las asignaturas que estudiaba Alina, pero la profesora no tuvo nada nuevo que añadir a lo que ya me habían dicho. Hablé con docenas de los compañeros y compañeras de clase de mi hermana, cuando salían de las aulas. La historia que me contaron era tan idéntica en todos los casos que o todos formaban parte de una vasta conspiración salida de *Expediente X,* una serie que siempre odié por demasiado vaga y porque abusaba de los finales que no te concretan nada, y yo prefiero que no quede ningún cabo suelto, o realmente ésa era la persona que había sido mi hermana mientras estuvo allí.

Decían que durante los dos o tres primeros meses se mostró abierta, simpática, despierta, la clase de chica con la que querías relacionarte. Ésa era la Alina que yo conocía.

Entonces cambió de pronto. Empezó a faltar a las clases. Cuando no aparecía, si luego alguien le preguntaba dónde había estado, se comportaba de una forma muy rara, como si tuviera algún secreto que ocultar. Se la veía excitada y bastante preocupada, como si hubiera descubierto algo en lo que concentrarse..., mucho más interesante que sus estudios. Después, durante sus últimos meses de estancia allí, perdió peso y siempre parecía estar exhausta, como si saliera de juerga y a tomar copas todas las noches y eso estuviera empezando a pasarle factura. «Inquieta» y «nerviosa» eran dos palabras que yo nunca había asociado con mi hermana, pero sus compañeros de clase las usaban abundantemente a la hora de describirla.

Les pregunté si se había echado novio. Dos de las personas con las que hablé dijeron que sí, dos chicas que parecían haber conocido a Alina mejor que el resto. Decididamente se había echado novio, dijeron. Tenían la impresión de que era mayor que ella. Rico. Sofisticado y guapo, pero no, nunca habían llegado a verlo. Nadie lo había visto. Alina nunca se lo trajo a ninguna parte.

Hacia el final, en esos raros días en que se tomaba la molestia de ir a clase, parecía como si estuviera haciendo un desesperado esfuerzo por retomar el control de su vida, pero se la veía cansada y derrotada, como si supiera que era una batalla que ya había perdido.

Esa noche fui a un cibercafé y bajé nuevas canciones para mi iPod. ITunes ama mi Visa. Ya sé que debería llevar una vida más frugal, pero el caso es que siempre he tenido debilidad por los libros y la música y supongo que hay debilidades bastante peores. Tenía muchas ganas de hacerme con el cedé *Grandes éxitos* de Green Day (esa canción suya que dice «a veces me doy miedo, a veces la mente me gasta malas pasadas» no había dejado de rondarme por la cabeza últimamente) y resultó que estaba de oferta a 9,99 dólares, que era menos de lo que hubiese tenido que pagar por él en la tienda. Ahora ya sabéis cómo justifico mis adicciones: si me va a salir por menos de lo que pagaría en el híper, he de comprarlo.

Mandé un largo correo electrónico lo más animoso posible a mis padres y unos cuantos más cortos a algunas de mis amistades en casa. Georgia nunca había parecido estar más lejos.

Ya había oscurecido cuando volví a la pensión. Prefería pasar el menor tiempo posible en mi habitación. No tenía nada de cómoda o acogedora, así que traté de mantenerme ocupada hasta que me entraran ganas de acostarme. Hubo un par de momentos, mientras estaba yendo hacia allí, en los que tuve la extraña sensación de que me seguían, pero cuando en ambas ocasiones me di la vuelta, lo que había a mi espalda era un anochecer dublinés perfectamente normal en el barrio de Temple Bar. Brillantemente iluminado, invitador y lleno de vida, con montones de turistas y gente que iba a los pubs. Ahí atrás no había absolutamente nada que hubiese debido hacerme sentir un escalofrío premonitorio en la espalda.

A eso de las tres de la madrugada, desperté con los nervios extrañamente de punta. Aparté la cortina unos centímetros y miré fuera. Jericho Barrons estaba de pie en la acera de enfrente de The Clarin House, apoyado en una farola, con los brazos cruzados y los ojos clavados en la pensión. Vestía un largo abrigo oscuro que le llegaba casi hasta los tobillos, una camisa rojo sangre y pantalones oscuros. Todo él rezumaba elegancia y arrogancia europeas. Los cabellos le caían hacia delante justo hasta debajo de la mandíbula. No me había dado cuenta de que los tenía tan largos porque normalmente los llevaba peinados hacia atrás apartados de la cara. Tenía la clase de rostro con el que puedes permitirte llevar el pelo de esa manera; rasgos esculpidos, estructura ósea simétrica. Por la mañana, decidí que lo había soñado.

El jueves vi al inspector O'Duffy, que se estaba quedando calvo, pesaba unos cuantos kilos de más y parecía un poco sonrojado, con el cinturón de los pantalones tenso bajo un estómago que ponía a prueba los botones de su camisa. Era británico, no irlandés, cosa que agradecí porque significaba que no tendría que vérmelas con su acento.

Desgraciadamente, la entrevista resultó ser más deprimente de lo que había sido hacerles preguntas a los compañeros de clase de Alina. Al principio, las cosas parecieron ir bien. Aunque el inspector O'Duffy me explicó que el público no podía tener acceso a las notas personales sobre el caso, me hizo (otra) copia del informe oficial, y volvió a contarme pacientemente todo lo que ya le había contado a mi padre. Sí, habían hablado con los profesores y los compañeros de clase de mi hermana. No, nadie tenía ni idea de qué podía haberle sucedido. Sí, algunos mencionaron la existencia de un novio, pero dijeron que nunca habían podido llegar a descubrir nada acerca de él. Rico, mayor que Alina, sofisticado, no irlandés, eso era todo lo que habían podido llegar a averiguar.

Le puse el frenético mensaje telefónico de mi hermana. El inspector lo escuchó dos veces, y luego se recostó en su asiento y entrelazó los dedos debajo de su barbilla.

—¿Su hermana llevaba mucho tiempo tomando drogas, señorita Lane?

Parpadeé.

—¿Drogas? No, señor, Alina no tomaba ninguna clase de drogas.

El inspector me lanzó la clase de mirada a la que recurren las personas maduras cuando piensan que te están diciendo algo por tu propio bien e intentan ser lo más suaves posible. Esa mirada siempre me pone a cien cuando la persona en cuestión está tan obviamente equivocada. Pero cuando estas personas han decidido que van a hacer algo no hay forma de hablar con ellos.

—El declive descrito por sus compañeros de clase sigue la clásica espiral hacia abajo de una persona que toma drogas. —Cogió su expediente y empezó a leer de él—. «La sujeto se mostraba cada vez más agitada, susceptible, nerviosa, casi paranoica. La sujeto perdió peso, siempre parecía estar exhausta.» —Luego me dirigió esa mirada tan irritante que viene acompañada por un levantar las cejas y una expresión expectante de «pero si está más claro que el agua» que utilizan algunas personas, como si pensaran que pueden obtener la respuesta adecuada por tu parte mediante ella.

Lo miré sin mover un músculo de la cara, profundamente disgustada por haber tenido que oír la palabra «sujeto» aplicada a mi hermana.

—Eso no significa que Alina estuviera tomando drogas. Significa que estaba en peligro.

—¿Y sin embargo nunca les habló de ese peligro a usted o a sus padres? ¿Durante meses? Usted misma ha dicho que son una familia muy unida. ¿Me está diciendo que si la vida de su hermana hubiese corrido peligro ella no se lo habría contado? Lo siento, señorita Lane, pero es mucho más probable que estuviera ocultando que tomaba drogas que el que su vida corriera peligro y nunca le hablase de ello a nadie.

—Mi hermana dijo que estaba intentando protegerme —le recordé secamente—. Que por eso no podía decir nada.

—¿Protegerla de qué?

—¡No lo sé! Eso es lo que necesitamos averiguar. ¿No puede volver a abrir el caso y tratar de descubrir quién era ese novio? ¡Alguien tiene que haber visto a ese hombre en alguna parte! En el mensaje, sonaba como si mi hermana se estuviera escondiendo de alguien. Dijo que estaba yendo hacia ella. Dijo que no creía que fuera a dejarla salir del país. ¡Es obvio que alguien la estaba amenazando!

Me estudió en silencio un momento, y luego suspiró pesadamente.

—Señorita Lane, los brazos de su hermana estaban llenos de agujeritos. La clase de agujeritos que hacen las agujas de las jeringuillas.

Me levanté de golpe, completamente lívida.

—¡Todo el cuerpo de mi hermana estaba lleno de agujeritos, inspector! ¡No sólo sus brazos! ¡El forense dijo que parecían señales de dientes! —No de ninguna persona o animal que le hubiera sido posible identificar, sin embargo—. ¡Y otras partes de ella estaban sencillamente hechas pedazos! —Toda yo estaba temblando. Odiaba tener que recordarlo. Me revolvía el estómago. Esperaba que Alina ya estuviera muerta cuando sucedió. Pero estaba bastante segura de que no había sido así. Ver el estado en que se hallaba su cuerpo hundió a mis padres en la desesperación. A mí me pasó lo mismo, pero yo había regresado de ese hoyo infernal porque alguien tenía que hacerlo.

—La examinamos personalmente, señorita Lane. Esas señales no fueron hechas por los dientes de ningún animal o ser humano.

—Tampoco fueron hechas por agujas de jeringuillas —dije furiosamente.

—Si procura calmarse un poco...

—¿Va a reabrir su caso sí o no? —quise saber.

Él levantó las manos, las palmas vueltas hacia arriba.

—Mire, no puedo permitirme mandar hombres a que investiguen casos sobre los que no tenemos absolutamente ninguna pista cuando estamos hasta las cejas de casos sobre los que sí las tenemos. El porcentaje de homicidios y desapariciones ha aumentado muchísimo durante las últimas semanas. —Parecía disgustado—. Es como si la mitad de esta maldita ciudad se hubiera vuelto loca. En estos momentos ya andamos escasos de personal. No puedo justificar ante mis superiores el que ponga a trabajar a unos hombres en el caso de su hermana cuando no tenemos nada en lo que basarnos. Siento la pérdida que ha sufrido, señorita Lane. Sé lo que es perder a un ser querido. Pero no puedo hacer nada más por usted. Le sugiero que vuelva a casa y ayude a su familia a tratar de superarlo.

Y eso puso punto final a nuestra entrevista.

Sintiéndome fracasada como persona y necesitando hacer algo que diera algún resultado tangible, volví a la pensión y eché mano de la escoba, las bolsas de basura y las cajas de cartón, y luego cogí un taxi porque no había forma humana de que pudiera llevar todo aquello hasta el apartamento de Alina yendo a pie. Ya que al parecer no era capaz de hacer nada más a derechas, decidí que al menos podía recoger la basura. Lo hacía cada noche cuando cerraba en El Patio y siempre se me había dado la mar de bien.

No dejé de llorar ni un instante durante todo el rato que estuve barriendo. Sentía pena por Alina, por mí misma, por el estado de un mundo en el que una persona como mi hermana podía ser asesinada de una forma tan brutal.

Cuando hube acabado de barrer y llorar, me senté en el suelo con las piernas cruzadas y empecé a llenar las cajas. No podía decidirme a tirar nada, ni siquiera aquello que sabía hubiese debido ir a parar al cubo de la basura, como ropa hecha jirones y adornitos rotos. Cada cosa fue guardada con mucho cuidado. Algún día, dentro de unos años, sacaría las cajas de cartón del desván de casa en Georgia y examinaría su contenido sin tantas prisas para decidir qué hacía con ello. Por el momento, debería conformarme pensando en que ojos que no ven corazón que no siente.

Pasé la tarde allí y me cundió bastante. Tardaría unos cuantos días más en acabar de recogerlo todo, limpiar el apartamento y ver si había algún daño que no fuera a cubrir el depósito entregado por Alina cuando lo alquiló. Cuando me fui, el cielo se había llenado de nubes y llovía. No había ni un solo taxi a la vista. Como no tenía paraguas y estaba muerta de hambre, fui caminando a través de los charcos y entré en el primer pub que se me puso a tiro.

No lo sabía, pero acababa de pasar página a las últimas horas normales de mi existencia.

Él estaba sentado a una mesa a unos metros del reservado que había ocupado yo, frente a una treintañera menudita a la que el pelo de un castaño mate le llegaba justo al cuello de la blusa.

No era muy atractiva, que fue la razón por la que reparé en ellos, porque él estaba buenísimo. Quiero decir, buenísimo al estilo «cierra los ojos y sueña con que ese tío que está para comérselo te va a mirar». No es raro que veas el caso contrario, un pedazo de tía que va con un Jack Popeye.

Alto y corpulento, con un cuerpo musculoso y bronceado por el sol bajo una camiseta blanca y unos tejanos lavados a la piedra, sus largos cabellos rubios brillaban como el oro. Tenía cara de modelo masculino, sus ojos eran de un castaño muy sexy, sus labios generosos y sensuales. Absolutamente todo en él era magnífico. Se lo veía elegante pero terrenal, grácil pero lleno de fuerza, y se las arreglaba para parecer tan rico como Creso incluso llevando unos vaqueros.

Admito que yo estaba fascinada. Aunque su acompañante vestía faldita corta y una blusa de seda, complementadas por unos accesorios muy elegantes y una impecable sesión de manicura francesa en las uñas de los pies, lo más generoso que se podía decir de ella era que no estaba mal, y sin embargo él parecía estar pendiente de cada uno de sus gestos y sus palabras. No podía dejar de tocarla.

Entonces empecé a tener una de esas estúpidas dobles visiones. Acababa de dar buena cuenta de mi hamburguesa con queso y estaba repantigada en mi reservado, tomándome mi tiempo con las patatas fritas (me encantan las patatas fritas, dicho sea de paso, o me encantaban, en todo caso; siempre echaba una buena cantidad de sal y pimienta en el ketchup, y luego las iba mojando en la mezcla y me las iba comiendo muy despacio, una por una, después de que todo lo demás hubiera desaparecido), cuando de pronto los gestos del hombre parecieron más untuosos que encantadores, y su rostro más macilento que esculpido.

Entonces, abruptamente, el hombre ya no estaba allí y durante una fracción de segundo otra cosa ocupó su asiento. Sucedió tan deprisa que no hubiese sabido decir qué había ocupado su lugar, sólo que por un momento no fue él.

Cerré los ojos, me los froté y luego volví a abrirlos. El dios rubio del sexo volvía a estar allí, acariciando la mandíbula de su acompañante con la mano, pasándole los dedos por los labios... ¡Rozándoselos con las garras amarillentas que sobresalían de una mano que hacía pensar en una delgada capa de piel gris medio podrida tensada sobre los huesos de un cadáver!

Sacudí la cabeza, me cubrí la cara con las manos y volví a frotarme los ojos, esta vez lo bastante a conciencia para correrme el rímel. Me había tomado dos cervezas con la comida, y aunque normalmente puedo aguantar tres o cuatro antes de que empiece a notar que me zumban los oídos, la Guinness negra es más fuerte que la cerveza que tomo en casa. «Cuando abra los ojos —me dije a mí misma—, veré lo que hay allí realmente.» Queriendo decir que vería un hombre, no una alucinación.

Supongo que tendría que haber especificado esa última parte en voz alta, porque cuando volví a abrir los ojos casi grité. El dios del sexo ya no estaba y la mujer tenía los labios apretados contra la palma de un monstruo salido de una película de terror, y la estaba besando.

Macilenta, tan flaca que parecía un cadáver, la criatura era alta; y cuando digo que era alta me refiero a que medía más de dos metros. Gris y leprosa de pies a cabeza, estaba cubierta de llagas supurantes. Era más o menos humana, con lo que quiero decir que tenía las partes básicas: brazos, piernas, cabeza. Pero todo parecido se acababa ahí. Su rostro era el doble de alto que una cabeza humana y parecía como si se lo hubieran aplastado, porque no era más ancho que la palma de mi mano. Sus ojos eran completamente negros, sin ningún vestigio de blanco o iris. Cuando habló, pude ver que su boca, que ocupaba toda la mitad inferior de su horrenda cara, por dentro no era rosada; tenía una lengua y unas encías del mismo color gris que el resto de su carne putrefacta, y estaban cubiertas por las mismas llagas infectadas. Carecía de labios y tenía largas hileras dobles de dientes tan afilados como los de un tiburón. Era, en una palabra, pútrido.

El dios rubio del sexo había vuelto. Y me estaba mirando. Fijamente. Ya no estaba conversando con la mujer, sino que me miraba a la cara. No parecía demasiado contento.

Parpadeé. Todavía no sé cómo supe lo que supe en ese momento; fue como si de alguna manera lo llevase programado dentro de mí a un nivel celular. Mi mente quedó dividida en tres compartimientos separados. El primero no dejaba de insistir en que lo que acababa de ver no era real. El segundo exigía que me pusiera de pie, agarrara mi bolso, echase un poco de dinero sobre la mesa y saliera pitando por la puerta del pub. Tanto el compartimiento uno como el dos sonaban levemente histéricos, incluso para mí.

El tercero permanecía frío, impasible, controlado. E insistía gélidamente en que debía empezar a hacer lo que hiciese falta para convencer a lo que fuese que estaba sentado en esa mesa, haciéndose pasar por un ser humano, de que en realidad yo no podía ver el aspecto que ocultaba bajo su fachada..., o ya podía darme por muerta.

Ésa fue la voz a la que obedecí sin pensármelo dos veces. Me obligué a sonreírle a aquella cosa/pedazo de tío y luego bajé la cabeza como si me sintiera avergonzada por estar siendo objeto de la atención de semejante dios del sexo.

Cuando volví a levantar la vista, la cosa leprosa y gris había vuelto. Su cabeza quedaba mucho más arriba de lo que habría estado la del dios del sexo, y tuve que apelar a toda mi fuerza de voluntad para centrar la mirada en el ombligo de la cosa..., con lo que descubrí que no tenía ombligo, lo cual quedaba más o menos a la altura en que hubiese estado la cabeza del dios del sexo si yo aún lo estuviera viendo. Pude sentir su mirada llena de suspicacia posada en mí. Dirigí a su región del ombligo lo que esperaba que pareciese otra sonrisa de jovencita avergonzada que intenta pasar inadvertida, y luego volví a concentrar la atención en mis patatas fritas.

No he vuelto a comer patatas fritas desde aquella noche. Me obligué a quedarme sentada en el reservado y me comí el plato entero, una por una. Me obligué a fingir que aquel monstruo putrefacto era un tío guapísimo. Hasta el día de hoy, creo que fue sólo porque no me moví de allí por lo que conseguí embaucar a la criatura. Todavía me entran ganas de vomitar cada vez que veo un plato de patatas fritas.

Se estaba alimentando de la mujer cada vez que la tocaba. Robando un poco más de su belleza a través de las llagas abiertas en sus manos. Mientras me comía las patatas fritas, vi cómo el pelo de la mujer se volvía cada vez más opaco, su cutis más grasiento, y toda ella se hacía un poco más fea, gris e insignificante cada vez que era tocada por la criatura. Me pregunté qué quedaría de la mujer cuando aquella cosa hubiera acabado. Me pregunté si despertaría a la mañana siguiente, se miraría en el espejo y gritaría. Me pregunté si sus amistades y su familia la reconocerían, si sabrían quién había sido antes.

Se fueron antes que yo, la menudita poco atractiva y el monstruo que medía dos metros. Me quedé sentada en el reservado durante un buen rato después de que ellos dos hubieran salido, sin apartar los ojos de una tercera cerveza.

Cuando por fin pagué la cuenta y me levanté de mi asiento, fui directamente en busca de Jericho Barrons.

8

No eran más que las siete y media de la tarde, pero la lluvia que no paraba de caer le había abierto la puerta al anochecer mientras yo estaba sentada dentro del pub. Las calles estaban oscuras y casi desiertas, con unos cuantos turistas que estaban lo bastante sedientos para afrontar el aguacero en busca de una pinta de cerveza cuando el bar de su hotel habría podido atenderlos igual de bien. Los camareros de los pubs no iban a hacerse con muchas propinas aquella noche.

Un periódico empapado que alguien había doblado se me pegó a la cabeza. Chapoteé a través de los charcos. Me alegré de haber cambiado el bonito traje de lino amarillo que había llevado para mi entrevista con el inspector O'Duffy por unos vaqueros, una camiseta verde claro con cuello de pico y unos zapatos planos para ir a limpiar el apartamento de Alina, aunque pensé que ojalá hubiera sido lo bastante previsora como para coger una chaqueta. La temperatura había bajado bastante con aquella lluvia tan fría que estaba cayendo. Julio en esa parte de Irlanda no era realmente cálido en todo caso, sobre todo para una chica acostumbrada a los veranos sofocantes del sur de Georgia. La máxima habitual en los veranos dublineses era de veinte grados y la mínima podía caer hasta los diez. Aquella noche apenas llegaba a eso.

Me alivió ver que la librería seguía estando llena de luz. Yo aún no lo sabía, pero acababa de cruzar otra de aquellas líneas invisibles de demarcación en mi vida. Antes necesitaba que mi dormitorio estuviera completamente a oscuras para poder conciliar el sueño, con ningún hilillo de luz infiltrándose a través de las persianas, ningún brillo azulado de neón proyectado por el estéreo o el ordenador portátil. En el futuro nunca volvería a dormir sin nada de luz.

Barrons no estaba allí, pero sí Fiona. Su mirada fue más allá de los clientes que hacían cola frente al mostrador hasta posarse en mí, y dijo:

—Vaya, querida, hola de nuevo. ¡Pero si está usted empapada! ¿Le apetece refrescarse un poco? Enseguida estoy con ustedes —les dijo a los clientes. Sin dejar de sonreír, me agarró por el codo y prácticamente me arrastró hasta unos lavabos que había al fondo del establecimiento.

Cuando vi mi reflejo en el espejo sobre la pileta, entendí la reacción de Fiona. Yo también me hubiese apresurado a hacerme desaparecer de allí. Porque el caso es que estaba que daba pena. Mis ojos eran enormes, mi expresión como si acabara de salir de un bombardeo. El rímel y la sombra de ojos se me habían acumulado alrededor de las cuencas en dos oscuros círculos de mapache. Estaba blanca como el papel, me había comido todo el pintalabios salvo por una pequeña franja a cada lado de la boca, y un chorrete de ketchup me bajaba por la mejilla derecha. Estaba empapada, y la cola de caballo en la que me había recogido la mata de pelo aquella mañana después de levantarme de la cama me colgaba patéticamente detrás de la oreja izquierda. Era un auténtico desastre.

Me tomé mi tiempo para refrescarme. Primero me quité la camiseta y la escurrí en la pileta, y luego me sequé lo mejor que pude el sujetador con unas cuantas toallitas de papel antes de volver a ponerme la camiseta. Los cardenales de las costillas todavía estaban oscuros, pero ya me dolían mucho menos. Me arreglé el pelo y luego humedecí más toallitas de papel y me las pasé por la cara, quitando con mucho cuidado las manchas de rímel en la delicada piel de alrededor de los ojos. Saqué del bolso mi neceser para las emergencias cosméticas, una especie de estuchito de costura que mamá había comprado para mi hermana y para mí las Navidades pasadas, en el que guardaba diminutas cantidades de todos los artículos básicos que una auténtica belleza sureña siempre debe tener a mano. Me humedecí y me empolvé, me puse un poco de brillo y algo de sombra de ojos, y luego volví a pintarme los labios con Rosa plateado por la Luna.

Abrí la puerta de los lavabos, salí, choqué con el pecho de Jericho Barrons y grité. No lo pude evitar. Era el grito que había estado conteniendo desde que había visto aquella cosa tan horrenda en el pub, y se había mantenido presente dentro de mí todo el tiempo.

Barrons me agarró por los hombros, creo que para que no perdiera el equilibrio. Le pegué. No tengo ni idea de por qué lo hice. Quizás estaba histérica. O puede que sencillamente estuviera furiosa porque había empezado a comprender que algo no funcionaba como es debido en mi interior, y no quería estar averiada. Cuando las cosas que carecen de lógica empiezan a encajar en pautas perfectamente sensatas alrededor de ti, sabes que tienes problemas. La culpa era de Barrons. Fue él quien me dijo todas aquellas cosas imposibles para empezar. Le di de puñetazos. Barrons no movió un músculo y aguantó el castigo sin pestañear, las manos encima de mis hombros, sus oscuros ojos fijos en mi rostro. Tampoco estoy diciendo que se lo tomara como si tal cosa, porque se lo veía muy cabreado. Pero aun así dejó que yo le diera de golpes. Y no me los devolvió. Sospecho que era toda una concesión viniendo de Jericho Barrons.

—¿Qué es lo que ha visto? —quiso saber cuando por fin dejé de pegarle. No me molesté en preguntarle cómo sabía que yo había visto algo. Ambos sabíamos que sólo habría acudido nuevamente a él si necesitaba algo que no podía conseguir en ningún otro sitio, como por ejemplo las respuestas que él se había negado a darme la última vez que estuve allí. Y esto significaba que tenía que haber ocurrido algo para que yo cambiase de parecer.

Sus manos seguían sobre mis hombros. Ahora, la proximidad a él era distinta, pero no menos inquietante. No sé si habréis bajado alguna vez de vuestro coche cerca de unos cables eléctricos que han caído junto a la carretera durante una tormenta, yo sí lo he hecho. Puedes sentir la energía que silba y chisporrotea en el aire mientras los cables se retuercen en el suelo, y sabes que estás a sólo unos pasos de un poder en estado puro que podría revolverse contra ti con una fuerza asesina en cualquier momento. Sentí como si todo mi cuerpo se hiciera más pequeño bajo la presa de Barrons.

—Suélteme.

Él apartó las manos.

—Fue usted la que vino a mí. Recuérdelo.

Nunca permitió que yo llegara a olvidarlo. «Fue usted la que eligió —me recordaría después—. Podría haberse vuelto a casa.»

—Me parece que voy a vomitar —dije.

—Ya verá que no. Quiere hacerlo, pero no lo hará. Con el tiempo, se acostumbrará a la sensación.

Tenía razón. Aquella noche no vomité, pero nunca dejé de sentir que en cualquier momento podía empezar a arrojar patatas fritas untadas de ketchup.

—Venga conmigo. —Me llevó de regreso a la parte del establecimiento abierta al público y me escoltó hasta el mismo sofá color camello que yo había ocupado hacía unas noches. Extendió una manta encima del cuero para protegerlo de mis vaqueros empapados por la lluvia. En el Sur, un sofá nunca es más importante que la persona que está sentada en él; es una pequeña manía nuestra a la que llamamos hospitalidad. Era imposible no darse cuenta de cómo temblaba yo, y luego tampoco había que olvidar la pequeña cuestión de la camiseta mojada y el problema de pezones endurecidos por el frío que me había sobrevenido. Le lancé una mirada asesina a Barrons y me envolví en la manta. Con esos reflejos rápidos como el rayo que tenía, él agarró otra manta de lana y se las arregló para extenderla por debajo de mi trasero antes de que éste entrara en contacto con el sofá. Luego ocupó un asiento situado frente a mí. Fiona se había ido y el letrero de la ventana estaba apagado. Barrons Libros y Objetos de regalo había cerrado sus puertas por aquella noche—. Cuéntemelo —dijo.

Le relaté lo que había visto. Igual que la otra vez, él me hizo muchas preguntas, queriendo conocer hasta los menores detalles. Esta vez se mostró un poco más complacido con mis dotes de observación. Hasta yo sentí que habían demostrado ser bastante agudas, pero cuando ves a la muerte por primera vez, la impresión es de aúpa.

—No era la muerte —me dijo Barrons—. Acaba de ver al hombre gris.

—¿El hombre gris?

—No sabía que anduviera por aquí —murmuró Barrons—. No tenía ni idea de que las cosas hubieran llegado tan lejos. —Se frotó la mandíbula, pareciendo bastante disgustado por aquel nuevo giro de los acontecimientos.

Lo miré con los ojos entornados.

—¿Qué es eso que tiene en la mano, Barrons? ¿Sangre?

Dio un respingo, me miró, y luego se miró la mano.

—Ah, sí —dijo, como si se acabara de acordar—. Salí a dar un paseo. Había un perro malherido en la calle. Lo llevé a la tienda de su dueño para que muriera allí.

—Oh. —Eso sí que era increíble. Barrons parecía más bien la

clase de hombre que habría puesto fin a los sufrimientos del pobre perro sin moverlo del sitio, quizá con una brusca rotación aplicada al cuello o mediante una patada bien asestada, sin tomar en consideración el factor piedad. Luego descubriría que mis instintos no iban tan desencaminados; no había habido ningún perro aquella noche. La sangre en su mano era humana—. Bueno, ¿qué es ese hombre gris?

—Exactamente lo que usted pensó que era. El hombre gris selecciona a los humanos más hermosos que puede encontrar, y luego les va robando su belleza trocito a trocito hasta que no queda nada de ella.

—¿Por qué?

Barrons se encogió de hombros.

—¿Y por qué no? El hombre gris es un invisible. Ellos no necesitan razones para hacer las cosas. Son los oscuros. Las viejas historias cuentan que el hombre gris es tan feo que incluso los de su raza lo desprecian y se ríen de él. Roba la belleza de los demás movido por la envidia y el odio que lo corroen por dentro. Como la mayoría de las criaturas mágicas oscuras, destruye porque puede hacerlo.

—¿Qué les ocurre a las mujeres cuando decide que ya no le interesan?

—Sospecho que la mayoría de ellas se quitan la vida. Las mujeres hermosas rara vez tienen suficiente carácter para sobrevivir sin sus preciosas plumas —dijo secamente—. Se las quitas y se desmoronan. —La mirada que me lanzó era de juez, jurado y verdugo a la vez.

No me molesté en tratar de evitar que mi voz se llenara de sarcasmo.

—Aunque me halaga que me incluya usted entre la gente hermosa, Barrons, permítame observar que todavía estoy viva. Acabo de encontrarme con el hombre gris y todavía sigo aquí, tan guapa como siempre, so gilipollas.

Él levantó una ceja.

—Su encuentro con el hombre gris sólo fue lo que debería ir acostumbrándose a llamar un avistamiento.

Me sentí bastante disgustada. Yo nunca llamo «gilipollas» a nadie. Oh, bueno. Había tenido un día muy duro.

—¿Qué me pasa? Y no lo interprete como una invitación para que empiece a detallar los múltiples defectos que usted percibe en mi carácter, Barrons.

Él sonrió levemente.

—Ya se lo expliqué la otra noche. Usted es una *sidhe* vidente, señorita Lane. Ve a las criaturas mágicas. Aunque es capaz de ver tanto la Luz como la Oscuridad, parece que de momento sólo se ha tropezado con la mitad desagradable de esa raza. Esperemos que la cosa continúe así, al menos durante un tiempo, hasta que yo haya acabado de instruirla. Los visibles, o criaturas mágicas de la luz, son tan desconcertantemente hermosos como insoportablemente repugnantes son sus parientes oscuros.

Sacudí la cabeza.

—Eso no puede ser.

—Usted ha acudido a mí, señorita Lane, porque sabe que sí puede ser. Puede echar mano de su amplio surtido de autoengaños para que le proporcione alguna manera de negar lo que ha visto esta noche, o puede tratar de encontrar alguna manera de sobrevivir a ello. ¿Se acuerda de lo que le dije sobre las víctimas andantes? Usted acaba de ver cómo una criatura mágica hacía presa en una de ellas esta noche. ¿Qué quiere ser, señorita Lane? ¿Una superviviente o una víctima? Francamente, ni siquiera estoy seguro de que pueda llegar a hacer una superviviente de usted, teniendo en cuenta el material con el que me veré obligado a trabajar, pero al parecer soy la única persona que está dispuesta a intentarlo.

—Oh, es usted un mierda.

Él se encogió de hombros.

—Sólo digo lo que veo. Vaya acostumbrándose. Quédese aquí el tiempo suficiente y puede que acabe agradeciéndomelo. —Se levantó y echó a andar hacia el fondo del establecimiento.

—¿Adónde va?

—Al cuarto de baño. Para lavarme las manos. ¿Tiene miedo de quedarse sola, señorita Lane?

—No —mentí.

Barrons estuvo ausente un rato lo bastante largo para que yo empezara a lanzar miradas hacia los rincones de la habitación, asegurándome de que todas las sombras eran proyectadas por objetos y estaban obedeciendo las leyes conocidas de la física.

—De acuerdo —le dije a Barrons cuando volvió—, hagamos como que me creo la historia que me ha contado. ¿Dónde han estado metidos esos monstruos durante toda mi vida? ¿O es que ya daban vueltas por ahí y nunca he reparado en ellos antes?

Barrons me arrojó un lío de prendas. Me dio de lleno en el pecho.

—Quítese toda esa ropa mojada. No soy ninguna niñera. Si pilla un catarro, tendrá que arreglárselas por su cuenta.

Aunque agradecí la ropa, estaba claro que Jericho Barrons necesitaba que alguien le enseñara modales.

—Encuentro conmovedor que se preocupe usted tanto por mí, Barrons. —Prácticamente corrí al cuarto de baño para cambiarme de ropa. Estaba muerta de frío y no paraba de temblar, y no quería ni pensar en que tuviese que guardar cama en mi mísera habitación de aquella pensión dublinesa sin la sopa casera de pollo con fideos que hacía mamá y un poco de televisión por cable.

El suéter color marfil que me había suministrado Barrons combinaba la seda con la lana hilada a mano, y me llegaba hasta la mitad del muslo. Tuve que enrollarme las mangas cuatro veces para que se me vieran las manos. Los pantalones negros de lino eran puro chiste. Yo tenía sesenta centímetros de cintura. Jericho Barrons tendría noventa y sus piernas eran sus buenos veinte centímetros más largas que las mías. Me subí las perneras, quité el cinturón de las presillas de mis vaqueros, y apreté todo lo que pude la cintura de los pantalones de Barrons. Me daba igual el aspecto que pudiera tener. Estaba seca y ya empezaba a entrar en calor.

—¿Y bien? —Él había quitado la manta mojada del sofá y la había sacudido enérgicamente hasta secarla, y yo me senté, con las piernas cruzadas, en los mullidos cojines y reanudé nuestra conversación sin mayores preámbulos.

—Ya se lo dije la otra noche. Tiene que haber crecido usted en una población tan pequeña y desprovista de interés que nunca ha llegado a ser visitada por ninguna criatura mágica. No ha viajado mucho, ¿verdad, señorita Lane?

Sacudí la cabeza. Yo era tan provinciana como mi ciudad.

—Además, esos monstruos, como los llama usted, han aparecido hace poco. Antes, sólo los visibles eran capaces de desplazarse libremente entre los reinos. Los invisibles llegaron a este planeta ya atrapados en una prisión. Los pocos que disfrutaban de cortos permisos lo hacían únicamente por decisión expresa de la reina de los visibles o de su gran consejo.

Yo me había quedado encallada en una frase.

—¿Llegaron a este planeta? Así que en realidad esos monstruos son alienígenas que han viajado a través del espacio, ¿eh? No entiendo cómo no había caído en ello, tonta de mí. ¿También pueden viajar a través del tiempo, Barrons?

—No pensaría que eran nativos de este planeta, ¿verdad? —Se las arregló para que su tono sonara todavía un poco más seco de lo que había sonado el mío, una proeza que yo jamás hubiera creído posible—. En cuanto al aspecto de viajar por el tiempo, señorita Lane, la respuesta sería «no, por el momento no». Últimamente han ocurrido cosas. Cosas inexplicables. Nadie sabe a ciencia cierta qué es lo que está pasando, ni siquiera quién ostenta el poder en estos momentos, pero se dice que las criaturas mágicas ya no son capaces de desplazarse a través del tiempo. Que por primera vez en eones se encuentran tan atrapadas en el presente como usted y yo.

Me quedé mirándolo. Lo de preguntarle si podían viajar a través del tiempo sólo había sido una broma, para dejarle claro que yo no me creía nada de todo lo que me estaba diciendo. Reí, con una carcajada que tuvo bastante de resoplido.

—Oh, Dios mío, está hablando en serio, ¿verdad? Quiero decir, realmente cree que...

Él se levantó del asiento en un solo y fluido movimiento.

—¿Qué fue lo que vio en ese pub, señorita Lane? —inquirió—. ¿Es que ya lo ha olvidado? ¿O debo entender que lo que acaba de decirme sólo es una muestra de lo rápida que puede ser a la hora de inventar una pequeña mentira que la tranquilice?

Yo me levanté, también; las manos en la cintura, el mentón bien alto.

—Quizás es que tuve una alucinación, Barrons. Quizás he pillado un catarro y tenga fiebre y ahora mismo esté acostada en mi habitación de la pensión, soñando. ¡Quizás he perdido el juicio! —grité la última palabra con tal vehemencia que me tembló todo el cuerpo.

Él apartó de una patada la mesa que se interponía entre nosotros, con lo que los libros que había encima de ella salieran volando por los aires, y se encaró conmigo.

—¿A cuántos de ellos necesitará ver para que llegue a creerlo, señorita Lane? ¿Uno cada día? Tampoco sería tan complicado de organizar. O quizá necesita que le refresquen la memoria ahora mismo. Venga conmigo. Saldremos a dar un paseo. —Me agarró del brazo y empezó a tirar de mí en dirección a la puerta. Yo intenté plantarme en el sitio, pero me había dejado los zapatos en el cuarto de baño y los pies descalzos me resbalaron sobre el reluciente suelo de madera.

—¡No! ¡Suélteme! ¡No quiero ir! —Le pegué en el brazo, en el hombro. No estaba dispuesta a volver a salir ahí fuera.

—¿Por qué no? Sólo son sombras, señorita Lane. ¿Recuerda? Usted misma me lo dijo. ¿Quiere que la lleve al barrio abandonado y la deje allí un rato con esas sombras? ¿Me creerá entonces?

Ya estábamos en la puerta. Barrons había empezado a descorrer los cerrojos de seguridad.

—¿Por qué me hace esto? —chillé.

La mano de Barrons se detuvo sobre el tercer cerrojo.

—Porque todavía le queda una pequeña posibilidad de sobrevivir, señorita Lane. Tiene que creer y tiene que temer, o me está haciendo perder el tiempo. A la mierda usted y su «vamos a hacer como que me creo su historia». Si no es capaz de responderme con «cuéntemelo, enséñeme todo lo que necesito aprender, quiero vivir», entonces ya puede largarse de aquí con viento fresco.

Me entraron ganas de llorar. Me entraron ganas de tirarme al suelo enfrente de la puerta y gimotear: «Por favor, haga que todo esto no haya sucedido. Quiero que mi hermana vuelva a estar conmigo y quiero ir a casa y olvidar que vine aquí. Quiero que usted y yo no nos hayamos conocido nunca, Barrons. Quiero volver a tener mi vida tal como era antes.»

—A veces, señorita Lane —dijo—, uno tiene que romper con el pasado para abrazar el futuro. Eso nunca resulta fácil. Pero es una de las características que distinguen a los supervivientes de las víctimas. Dejar de aferrarse a lo que era, para sobrevivir a lo que es. —Descorrió el último cerrojo y abrió la puerta de un tirón.

Cerré los ojos. Aunque yo sabía que había visto lo que había visto esa noche, una parte de mí continuaba negándolo. La mente se empeña en rechazar todo lo que va en contra de sus convicciones fundamentales, y el que existieran criaturas mágicas llegadas del espacio iba profundamente en contra de las mías. Una crece pensando que todas las cosas tienen sentido y da igual que tú no entiendas las leyes que rigen el universo, porque sabes que en algún lugar del mundo hay unos cuantos científicos que sí que las entienden y eso siempre te consuela.

Sabía que no había un solo científico vivo que fuera a creer mi historia, y no había ni pizca de consuelo en eso. Claro que pensándolo bien, morir de la forma en que había muerto Alina sería todavía menos reconfortante.

No podía decirle sinceramente a Barrons que me lo contara, que me enseñara todo lo que yo necesitaba aprender, cuando lo que realmente quería hacer era taparme los oídos con las manos y canturrear «No te ooooigo», como si volviera a ser niña.

Pero lo que sí podía decir con toda la sinceridad del mundo era que quería vivir.

—De acuerdo, Barrons —dije con voz desfallecida—. Cierre la puerta. Lo escucho.

9

Criaturas mágicas: también conocidas como los tuatha dé danaan. Se encuentran divididas en dos cortes: los visibles o Corte de la Luz, y los invisibles o Corte de la Oscuridad. Ambas cortes se componen de distintas castas de criaturas mágicas, con las cuatro casas reales ocupando la casta más alta de cada una. La reina visible y su consorte elegido mandan sobre la Corte de la Luz. El rey invisible y su concubina actual gobiernan la Oscuridad.

Observé lo que acababa de escribir en mi diario e hice un gesto de incredulidad. Me encontraba en un pub, el cuadragésimo que visitaba ese día. Me había pasado horas y horas visitando locales donde me quedaba mirando a la gente con el propósito de tener otra doble visión. Todo había sido en vano, y cuanto más tiempo pasaba sin conseguirlo, más borrosos e improbables se me antojaban los sucesos de la noche anterior. Al igual que la locura que estaba escribiendo en esas páginas.

Sombras: una de las castas de más bajo nivel entre los invisibles. Prácticamente carentes de inteligencia. Cuando sienten hambre, se alimentan. No soportan la luz directa y sólo cazan de noche. Roban vida de la misma manera en que el hombre gris roba belleza, consumiendo a sus víctimas con vampírica celeridad. Evaluación como amenaza: matan.

Jericho Barrons me había contado muchas cosas antes de meterme en un taxi con rumbo a The Clarin House. Decidí ponerlas por escrito, consciente de que parecían sacadas de una peliculita de ciencia ficción terrorífica cuyo guión hubiera sido escrito en una convención de fans durante una noche de copas.

Cazadores reales: una casta de nivel mediano de los invisibles. Fieramente inteligentes, se parecen mucho a la representación clásica del diablo, con pezuñas hendidas, cuernos y largas caras de sátiro. De entre dos y tres metros de alto, son capaces de moverse extraordinariamente deprisa tanto con las pezuñas como con las alas. Su función básica: exterminadores de *sidhe* videntes. Evaluación como amenaza: matan.

Lo que venía a continuación era el no va más:

Sidhe vidente: dícese de aquella persona que al no ser afectada por la magia de los visibles o los invisibles, es capaz de ver más allá de las ilusiones o «glamur» proyectadas por las criaturas mágicas y percibir la verdadera naturaleza de lo que se esconde bajo ellas. Algunas también pueden ver los *tabb'rs*, o portales ocultos entre los reinos. Otras pueden percibir la presencia de los objetos de poder, tanto visibles como invisibles. Cada *sidhe* vidente es diferente, presentando diversos grados de resistencia a las criaturas mágicas. En algunos casos el don es limitado, pero en otros su presencia confiere múltiples «poderes especiales» a la persona que lo posee.

Solté un bufido. Poderes especiales. Alguien había estado viendo demasiadas películas de superhéroes y no era yo. Además, se suponía que yo misma era una de esas cosas. Según Barrons, ese don de la clarividencia o «visión verdadera» se transmitía a través de la estirpe. Él creía que Alina debía de haberla poseído, también, y que había sido asesinada por una de las criaturas mágicas que había visto.

Cerré mi diario. Ya había llenado las dos terceras partes de él. Pronto iba a necesitar un cuaderno nuevo. La primera mitad contenía una explosión de pena en la que había intercalados recuerdos dispersos de mi hermana. Las treinta páginas siguientes estaban ocupadas por listas e ideas para seguirle la pista a su asesino.

Y ahora la última novedad: yo estaba llenando página tras página con un montón de disparates. Mamá y papá me encerrarían en un manicomio y me harían medicar si llegaban a echar mano de este diario alguna vez. «No sabemos qué ha podido ocurrir, doctor —podía oírle decir a papá mientras le entregaba mi diario al psiquiatra—. Fue a Dublín y sencillamente se volvió loca.» De pronto entendí por qué mi hermana siempre había tenido escondido el suyo.

Parpadeé y luego me lo repetí mentalmente. Sí, mi hermana siempre había tenido escondido el suyo.

Claro, ¿cómo se me podía haber olvidado?

Alina había llevado un diario toda su vida. Desde que éramos pequeñas, nunca dejó pasar un solo día sin escribir en él. Yo solía mirarla desde el otro extremo del pasillo, antes de que cerráramos las puertas de nuestros respectivos dormitorios para dormir, mientras ella estaba tumbada en su cama, escribiendo como una loca. «Algún día te lo dejaré leer, Junior», me decía. Había empezado a llamarme Pequeña Mac (por oposición a Gran Mac, que era ella) cuando éramos niñas, y luego decidió sustituirlo por Junior en cuanto fui creciendo. «Cuando hayamos cumplido los ochenta, y ya sea demasiado tarde para que cojas malas costumbres.» Entonces se reía y yo me reía, también, porque Alina no tenía ninguna mala costumbre, y eso las dos lo sabíamos. Su diario había sido su confidente, su mejor amigo. Alina le había contado cosas que nunca había llegado a contarme a mí. Yo lo sabía, porque había encontrado más de unos cuantos de sus cuadernos. Conforme iba madurando dejé de ir a la caza de los diarios de mi hermana, pero ella no había dejado de esconderlos. Aunque había guardado los que escribió en sus años más jóvenes dentro de un baúl cerrado con llave en el desván, nunca dejó de tomarme el pelo insistiendo en que jamás podría dar con su último grandioso escondite.

—Oh sí, daré con él. —Juré que lo encontraría aunque para eso tuviera que desmantelar todo el apartamento, pieza por pieza. No podía creer que no se me hubiera ocurrido pensar en ello antes. En algún lugar, allí en Dublín, había un registro de todo lo que le había sucedido a mi hermana desde su llegada, incluido todo lo que había que saber acerca de ese hombre misterioso al que había estado viendo, pero sólo podía pensar en la *Gardai*, en recoger las pertenencias personales de Alina y en todas esas cosas tan raras que yo había estado viendo últimamente.

De pronto me entró miedo... ¿Era por eso por lo que el apartamento de Alina había sido saqueado? ¿Porque el hombre con el que había estado manteniendo una relación amorosa sabía que mi hermana llevaba un diario y lo había buscado también? De ser así, ¿llegaba yo demasiado tarde?

Había tardado demasiado en ocurrírseme buscarlo. No iba a perder ni un segundo más. Arrojé unos cuantos billetes sobre la mesa del cibercafé, cogí mi diario y el bolso y corrí hacia la puerta.

Cuando doblé la esquina como una exhalación, la cosa estaba de pie allí, sencillamente de pie en la oscuridad, ¿cómo diablos se suponía que iba a saberlo yo?

Había echado a correr en mi urgencia por llegar al apartamento de Alina para encontrar su diario y demostrarme a mí misma que era un hombre perfectamente normal, si bien un maníaco homicida, el que la había matado, no algún monstruo mítico. Si hubiera doblado la esquina y hubiese chocado con una persona, ya me habría llevado un buen susto. Pero me di de narices con algo que hacía que el hombre gris pareciese alguien a quien podía haberle pedido que me acompañara al baile de fin de curso en el instituto. Mi doble visión duró menos de un abrir y cerrar de ojos, desde el instante en que vi a la criatura hasta el momento en que choqué con ella.

Traté de esquivarla, pero no reaccioné lo bastante deprisa. Mi hombro chocó con ella, rebotó y salí despedida contra la pared de un edificio. Aturdida por el impacto, acabé a cuatro patas sobre la acera. Me quedé acurrucada en el suelo y alcé la mirada hacia la criatura para contemplarla con ojos llenos de horror. La ilusión mágica que proyectaba era tan tenue que atravesarla no requirió esfuerzo alguno por mi parte. Pensé que no sería capaz de engañar a nadie.

Al igual que el hombre gris, aquella cosa también disponía de casi todas las partes adecuadas. A diferencia del hombre gris, también tenía unas cuantas partes extra. Algunas estaban como subdesarrolladas, y otras estaban horriblemente hipertrofiadas. Su cabeza era enorme, carecía de pelo y estaba cubierta por docenas de ojos. Tenía más bocas de las que yo podía contar..., al menos eso es lo que creo que eran todas aquellas húmedas ventosas rosadas con aspecto de sanguijuelas esparcidas sobre su cabeza deforme y su estómago. Podía ver el brillo de unos dientes muy afilados cada vez que las ventosas se expandían y se contraían en la piel gris llena de arrugas con lo que me pareció que era hambre.

Cuatro brazos extrañamente nervudos colgaban de su cuerpo en forma de barril, dos más que apenas habían llegado a desarrollarse colgaban flácidamente a sus costados. Se sostenía sobre piernas tan gruesas como troncos de árbol y su órgano sexual masculino era grotescamente inmenso e hinchado. Quiero decir que, bueno, tenía el grosor de un bate de béisbol y le llegaba hasta más abajo de las rodillas.

Para mi consternación, me di cuenta de que la cosa me estaba observando ávidamente; con cada uno de aquellos ojos y con todas aquellas bocas. Para mi inmenso horror, entonces bajó las manos y empezó a acariciarse el sexo enérgicamente.

Yo no podía moverme. Es algo de lo que todavía me avergüenzo ahora. Siempre te preguntas cómo harás frente a un momento de crisis; si tienes lo que hay que tener para luchar o si sencillamente te has estado mintiendo a ti misma todo el tiempo diciéndote que hay acero bajo la magnolia escondido en algún rincón de tu ser. Ahora sé la verdad. No lo había. Toda yo era pétalos y polen. Buena para atraer a los procreadores que podían asegurar la supervivencia de nuestra especie, pero no una superviviente propiamente dicha. Era una Barbie después de todo.

Apenas conseguí soltar un gritito de nada cuando la cosa extendió las manos hacia mí.

10

—Esto se está convirtiendo en una costumbre, señorita Lane
—dijo Barrons secamente, levantando por un instante la vista del
libro que había estado examinando cuando irrumpí en la librería.

—Barrons...

Cerré dando un portazo y empecé a echar los cerrojos.

Volvió a levantar la cabeza ante el sonido de los pistones metálicos entrando en sus huecos y dejó caer el libro sobre una mesa.

—¿Le ocurre algo?

—Creo que voy a vomitar. —Necesitaba lavarme. Con agua
hirviendo y lejía. Quizás un centenar de duchas bastarían.

—No, no lo hará. Concéntrese. El impulso pasará. —Me pregunté si realmente estaba tan seguro de eso, o si sólo estaba tratando de condicionarme a base de continuas negativas, para evitar que vomitara sobre su querido sofá o una de sus inestimables
alfombras—. ¿Qué ha pasado? Está blanca como el papel. —Miré a Fiona detrás de la caja registradora—. Puede hablar con toda libertad delante de ella —agregó Barrons.

Fui al mostrador y me apoyé en él para no caer al suelo. Me
temblaban las piernas, y sentía flojas las rodillas.

—He visto a otra —le dije.

Barrons se había girado conmigo en cuanto me moví. Ahora se detuvo con la espalda pegada al final de un mueble estantería de madera tallada.

—¿Y? Ya le dije que las vería. ¿Tan horrible era? ¿Es por eso por lo que se encuentra tan alterada? ¿La asustó?

Respiré hondo, intentando contener las lágrimas.

—La criatura sabe que la vi.

Barrons se quedó boquiabierto. Me miró en silencio por unos instantes. Luego se dio la vuelta y descargó tal puñetazo sobre el mueble estantería que los libros cayeron al suelo, estante tras estante. Cuando volvió a encararse conmigo, su rostro estaba convulsionado por la furia.

—¡Por todos los diablos! —estalló—. ¡No me lo puedo creer! ¡Usted, señorita Lane, es una amenaza para todos los que la rodean! ¡Una auténtica catástrofe andante que habla y a la que le gusta ir vestida de rosa! —Si las miradas pudieran abrasar, la suya me hubiese incinerado allí mismo—. ¿Es que no oyó ni una sola palabra de todo lo que le conté anoche? ¿Me estaba usted escuchando?

—Escuché hasta la última palabra de todo lo que me dijo —respondí envaradamente—. Y quiero que conste en acta que no siempre visto de rosa. También suelo llevar tonos lavanda o melocotón. Usted me preparó para otro hombre gris, cazador o sombra. No me preparó para esto.

—¿Cuánto peor puede haber sido? —preguntó él al tiempo que me miraba con incredulidad.

—Muchísimo —dije yo—. No tiene usted ni idea.

—Descríbame a la criatura.

Lo hice, lo más sucintamente que pude y liándome un poco en cuanto llegué a las proporciones. Volvieron a entrarme náuseas sólo de contar lo grotesca que era. Cuando hube acabado, dije:

—¿Qué era? —Lo que realmente quería saber era cómo mataba. Me daba igual los nombres que tuvieran las criaturas mágicas. No quería ni verlas. Pero estaba empezando a desarrollar una creciente obsesión por las distintas formas que pudiera tener mi muerte. Sobre todo teniendo en cuenta cuáles habían parecido ser las intenciones de la cosa. Hubiese preferido que quien acabara conmigo fuera el hombre gris, o alguna de las sombras. Quiero decir que, en serio, ya puestos mejor entregadme a los cazadores reales, por favor. Que me arranquen la piel a tiras y claven mi cuerpo al suelo con unas cuantas estacas como había dicho Barrons que hicieron en una ocasión.

—Ni idea. ¿Estaba sola o iba en compañía de otras?

—Estaba sola.

—¿Está absolutamente segura de que la criatura sabía que usted podía verla? ¿Podría ser que estuviera usted confundida?

—Oh, no. De eso no hay duda. Me tocó. —El recuerdo me hizo estremecer.

Él rio, un sonido hueco y desprovisto de humor.

—Qué raro, señorita Lane. Ahora cuénteme qué ocurrió realmente.

—Acabo de hacerlo. La criatura me tocó.

—Imposible —dijo él—. Si lo hubiera hecho, ahora no estaría usted aquí.

—Le estoy diciendo la verdad, Barrons. ¿Qué razón podría tener yo para mentir? La cosa me agarró. —Y necesitaba desesperadamente restregarme con jabón para limpiarme, especialmente las manos, porque yo la había agarrado a mi vez, intentando quitármela de encima. La piel de la criatura era extrañamente viscosa, como de reptil, y había podido ver demasiado de cerca todas aquellas bocas tan asquerosas que se convulsionaban dispuestas a chupar.

—¿Y luego qué? Dijo: «Oh, no sabe usted cómo lo siento, señorita Lane, no pretendía arrugarle esa blusita tan mona que lleva. ¿Quiere que se la planche?» ¿O quizás usted la dejó señalada con una de sus bonitas uñas pintadas de rosa?

Empezaba a preguntarme por qué tendría él aquella especie de fijación con el color rosa, pero fui incapaz de enfadarme por el sarcasmo que impregnaba su voz. Yo tampoco entendía lo que había sucedido a continuación, y eso que llevaba más de media hora sin dejar de darle vueltas en la cabeza. Ciertamente no había sido lo que me esperaba.

—Francamente —dije—, a mí también me pareció extraño. La criatura me agarró y luego se quedó plantada allí pareciendo..., bueno, si hubiera sido humana yo habría dicho que confusa.

—¿Confusa? —repitió él—. ¿Me está diciendo que un invisible se quedó plantado allí mirándola, confuso? ¿En el sentido a que nos referimos cuando decimos que alguien estaba atónito, perplejo, desconcertado, consternado?

Asentí con la cabeza.

Detrás de mí, Fiona dijo:

—Jericho, eso no tiene ningún sentido.

—Ya lo sé, Fio. —El tono de Barrons cambió cuando se dirigió a ella, suavizándose perceptiblemente. Luego volvió a ser tan cortante como un cuchillo cuando reanudó el interrogatorio al que me estaba sometiendo—. Así que la criatura parecía estar confusa. Y entonces ¿qué pasó, señorita Lane?

Me encogí de hombros. Mientras la cosa estaba plantada allí como si no supiese qué hacer, finalmente, un poco de acero asomó de debajo de la magnolia.

—Le di un puñetazo en el estómago y eché a correr. La criatura me persiguió, pero no inmediatamente. Creo que estuvo lo menos un minuto sin moverse del sitio. El tiempo suficiente para que yo pudiese parar un taxi y marcharme de allí. Hice que el taxista diese vueltas durante un rato, para asegurarme de que la había despistado. —También para rumiar lo que acababa de suceder. La muerte me había agarrado, pero luego se me había concedido un respiro, y yo no tenía ni idea de por qué. Sólo se me ocurría una persona que quizá pudiera entenderlo—. Entonces vine aquí para hablar con usted.

—Al menos hizo bien una cosa y enredó el rastro antes de venir aquí —murmuró él. Se acercó y me miró como si yo fuese una rara especie nueva que nunca hubiera visto antes—. ¿Qué demonios es usted, señorita Lane?

—No sé a qué se refiere. —«Ni siquiera sabes lo que eres», había dicho Alina en su mensaje. «Si no puedes agachar la cabeza y hacer honor a tu linaje... búscate otro sitio donde morir»..., había siseado la anciana del pub. Y ahora Barrons quería saber qué era yo—. Sirvo mesas en un bar. Me gusta la música. Mi hermana fue asesinada hace poco. Parece que desde entonces me he vuelto loca... —Esto último lo añadí en el mismo tono que si hubiera estado hablando del tiempo.

Él miró más allá de mí, a Fiona.

—Mira a ver si consigues encontrar algún registro, por oscuro que sea, de esa clase de acontecimiento.

—No hace falta que te lo busque, Jericho —dijo ella—. Tú ya sabes que existe.

Él sacudió la cabeza.

—La señorita Lane no puede ser una nulificadora, Fio. Sólo son una leyenda.

Fiona rio con una carcajada musical.

—Si tú lo dices... Igual que otras tantas cosas. ¿No es así, Jericho?

—¿Qué es una nulificadora? —pregunté.

Barrons hizo como si no hubiera oído mi pregunta.

—Descríbale otra vez ese invisible a Fiona, con el mayor detalle posible. Puede que ella sea capaz de identificarlo. —A Fiona, le dijo—: Cuando hayáis acabado de hablar, acompaña a la señorita Lane a una de las habitaciones. Mañana, compra unas tijeras y un surtido de tintes de pelo para que ella pueda escoger el color que más le guste.

—¿Una habitación? —exclamó Fiona.

—¿Tijeras? ¿Tintes de pelo? —exclamé yo. Mis manos volaron hacia mi pelo. Ya abordaría lo de la habitación dentro de unos minutos. Una tenía sus prioridades.

—¿No quiere ni pensar en que quizá tenga que cortarse su precioso plumaje, señorita Lane? ¿Qué esperaba? La criatura sabe que usted la vio. No dejará de buscarla hasta que usted esté muerta..., o lo esté ella. Y créame, no mueren fácilmente, eso si es que mueren. Ahora la pregunta es si alertará a los cazadores, o si irá a por usted ella misma. Con un poco de suerte, en eso se parecerá al hombre gris. Las castas inferiores prefieren cazar por su cuenta.

—¿Quiere decir que no se lo contará a los demás? —Sentí renacer mis esperanzas. Un invisible era algo a lo que quizá sería capaz de sobrevivir, pero pensar que podía llegar a verme acosada por una multitud de monstruos era como para hacerme tirar la toalla antes de que hubiese dado el primer paso. Ya podía imaginar a una horda de criaturas horrendas persiguiéndome a través de la noche de Dublín. Sabía que acabaría cayendo desplomada para morir de un infarto antes de que hubieran tenido tiempo de alcanzarme.

—Existen tantas facciones distintas entre ellos como ocurre con los humanos —dijo Barrons—. Las criaturas mágicas, particularmente los invisibles, confían las unas en las otras aproximadamente lo mismo que confiaría usted en un león hambriento con el que se viera obligada a compartir la jaula.

O en un Jericho Barrons, estaba pensando yo un cuarto de hora después, cuando Fiona me llevó a una habitación. Eso fue exactamente lo que sentí cuando me dispuse a pasar la noche en Barrons Libros y Objetos de regalo, como si hubiera decidido establecer mi residencia en la guarida del león. «Saltar de la sartén para caer en las brasas.» Ésa era yo. Pero opté por no tener un ataque de nervios, porque si mis opciones se reducían a pasar la noche en la pensión estando sola o alojarme aquí, prefería quedarme aquí, aunque sólo fuese para reducir al mínimo mis probabilidades de morir sola y que mi cuerpo no fuese encontrado hasta dentro de varios días como le había ocurrido a mi hermana.

La librería se extendía bastante más hacia atrás desde la calle de lo que me había imaginado en un principio. La mitad posterior no formaba parte del establecimiento, sino que se utilizaba como vivienda. Fiona abrió una puerta cerrada con llave, me llevó por un corto pasillo y luego abrió una segunda puerta cerrada con llave y entramos en la residencia privada de Barrons. Tuve una fugaz impresión de riqueza que evitaba hacerse notar mientras Fiona me conducía rápidamente a través de una antesala, por un corredor y directamente al hueco de una escalera.

—¿Usted también las ve? —pregunté mientras subíamos un tramo de escalones tras otro hasta llegar al último piso.

—Todos los mitos contienen una pizca de verdad, señorita Lane. Por mis manos han pasado libros y artefactos que nunca acabarán en un museo o una biblioteca, cosas a las que ningún arqueólogo o historiador podría encontrarles ninguna clase de sentido. Lo que llamamos nuestra realidad contiene otras muchas realidades. La mayoría de las personas sólo tiene ojos para sus vidas y nunca ve más allá de la punta de la nariz. Algunos de nosotros sí.

Lo que no me decía nada acerca de ella, en realidad, pero tampoco era que me estuviese enviando vibraciones amistosas, así que preferí no insistir. Después de que Barrons se hubiera ido dejándome sola con Fiona, le había descrito nuevamente a la cosa. Ella había ido tomando notas con una brusca eficiencia, la mayor parte del tiempo sin mirarme directamente. Tenía la misma expresión de labios fruncidos que ponía mi madre cuando desaprobaba vigorosamente algo. Yo estaba bastante segura de que el algo en cuestión era yo, pero no se me ocurría cuál podía ser la causa de su desaprobación.

Nos detuvimos delante de una puerta al final del corredor.

—Tenga. —Fiona me puso una llave en la mano, y luego se dio la vuelta para regresar al hueco de la escalera—. Oh, señorita Lane —dijo por encima del hombro—: yo me encerraría con llave si fuera usted.

Lo habría hecho de todas formas aunque ella no me lo hubiera aconsejado. Encajé una silla debajo del pomo de la puerta, además. También pensé en improvisar una barricada con la cómoda, pero pesaba demasiado para moverla.

Las ventanas del dormitorio quedaban a cuatro pisos por encima de un callejón detrás de la librería. El callejón desaparecía en la oscuridad a la izquierda y en la semioscuridad a la derecha, después de atravesar los estrechos pasajes adoquinados que corrían a lo largo de cada lado del edificio. Cruzando el callejón había una estructura de un solo piso que parecía ser un almacén o un enorme garaje donde los paneles de cristal de las ventanas habían sido pintados de negro, con lo que no podías ver nada de lo que hubiera tras ellas. Unos focos inundaban directamente de blancura el área entre los edificios, iluminando una especie de pasarela que iba de una puerta a otra. Dublín se extendía debajo de mí, un mar de tejados que se confundían con la negrura del cielo. A mi izquierda, eran tan pocas las luces que perforaban la oscuridad que parecía como si toda aquella parte de la ciudad estuviera completamente muerta. Me alivió ver que no había ninguna escalera de incendios en la parte de atrás del edificio. No creía que ningún invisible fuera capaz de escalar aquella pared de ladrillos. Me negué a pensar en los cazadores alados.

Me aseguré de que todos los cerrojos estuvieran echados y corrí las cortinas.

Luego saqué el cepillo del bolso, me senté en la cama y empecé a cepillarme el pelo. Estuve ocupada en ello un buen rato, hasta que brilló como seda rubia.

Lo echaría de menos.

«No salga de la librería hasta que yo vuelva», decía la nota que me habían pasado por debajo de la puerta en algún momento durante la noche.

La estrujé, irritada. ¿Qué se suponía que iba a comer yo? Eran las diez. Había dormido hasta tarde y tenía un hambre canina. Soy una de esas personas que necesitan comer en cuanto se despiertan.

Aparté la silla de debajo del pomo de la puerta y quité el cerrojo. Aunque mi educación de sureña como es debido hacía que me intimidara la idea de entrometerme en la vida privada de alguien en cuya casa estaba sin haber sido invitada a hacer como si estuviera en la mía, no veía otra elección que ir en busca de la cocina de Barrons. Sabía que me entraría dolor de cabeza si tenía que aguantar demasiado rato sin comer. Mamá dice que eso es porque tengo el metabolismo muy rápido.

Cuando abrí la puerta, descubrí que alguien había estado muy ocupado mientras yo dormía. Una bolsa de la panadería, un café con leche para llevar y mi equipaje esperaban frente a la puerta. Allá en el Sur, encontrar comida comprada en la tienda ante la puerta de tu dormitorio no es un regalo: es un insulto. Pese a la presencia de mis pertenencias personales, Barrons no podía haberme dicho más claramente que no debía hacer como si estuviera en mi casa. «No se le ocurra entrar en mi cocina —decía la bolsa—, y no vaya metiendo las narices por ahí.» En el Sur significaba: «Váyase antes del almuerzo, preferiblemente ahora mismo.»

Comí dos bollos, bebí el café con leche, me vestí y desanduve lo andado la noche anterior directamente de regreso a la librería. Evité mirar a los lados mientras iba hacia allí. Mi orgullo estaba antes que cualquier curiosidad que pudiera inspirarme Barrons. Él no me quería allí, perfecto; yo no quería estar allí. De hecho, no tenía muy claro por qué estaba allí. Quiero decir que sabía por qué me había quedado, pero no tenía ni idea de por qué él había dejado que me quedara. No era tan idiota como para pensar que Jericho Barrons fuese un caballero; estaba claro que las damiselas en apuros no eran lo suyo.

—¿Por qué me está ayudando? —le pregunté aquella noche, cuando volvió al establecimiento. Me pregunté dónde habría estado. Yo seguía allí donde había pasado la totalidad del día; en el área de conversación al fondo de la librería, la que quedaba casi oculta a la vista, junto al cuarto de baño y las puertas que daban a los alojamientos privados de Barrons. Había fingido que estaba leyendo mientras en realidad trataba de encontrarle algún sentido a mi vida y consideraba los distintos tonos de tinte para el pelo que Fiona trajo consigo cuando llegó para abrir el establecimiento al mediodía. Había ignorado mis esfuerzos por entablar conversación y no me había dirigido la palabra en todo el día salvo para ofrecerme un bocadillo a la hora del almuerzo. A las ocho y diez, cerró el establecimiento y se fue. Barrons había aparecido unos minutos después.

Se dejó caer en un asiento situado enfrente de mí: elegancia y arrogancia en pantalones negros hechos a medida, botas negras, y una camisa de seda blanca que no se había molestado en meterse dentro de los pantalones. La blancura de la tela contrastaba con el color de su tez, intensificando el negro azabache de su pelo peinado hacia atrás, sus ojos de obsidiana, su piel de bronce. Se había subido las mangas; un poderoso antebrazo lucía un reloj de platino y diamantes, el otro una gruesa pulsera de plata repujada que tenía todo el aspecto de ser muy antigua y muy celta. Alto, oscuro y abyectamente sexual de un modo que, supuse, algunas mujeres podrían encontrar irresistiblemente atractivo, Barrons exudaba su inquietante vitalidad habitual.

—No la estoy ayudando, señorita Lane. Estoy considerando la posibilidad de que usted pueda serme útil. En el caso de que así fuera, la necesito con vida.

—¿De qué forma podría serle útil?

—Quiero el *Sinsar Dubh*.

Yo también lo quería. Pero no me parecía que mis probabilidades de llegar a conseguirlo fueran mayores que las suyas. De hecho, teniendo en cuenta las cosas que me habían ocurrido últimamente, no me parecía que tuviera ninguna probabilidad de llegar a hacerme con aquella maldita cosa. ¿Para qué podía necesitarme Barrons?

—¿Piensa que puedo ayudarle a encontrarlo de alguna manera?

—Quizá. ¿Cómo es que todavía no ha alterado su apariencia, señorita Lane? ¿Fiona no le ha proporcionado los artículos necesarios?

—He estado pensando que quizá podría llevar una gorra.

La mirada de él fue de mi cara a mis pies y luego volvió a subir de un modo que me dijo que acababa de tomarme la medida y no estaba nada satisfecho.

—Podría recogerme la melena y calarme la gorra —dije—. Ya lo he hecho antes, en casa esos días en que te levantas de la cama con el pelo hecho un asco. Si además llevo puestas unas gafas de sol, apenas se me vería. Podría funcionar —dije a la defensiva.

Él cruzó los brazos. Negó con la cabeza, girándola primero unos centímetros hacia la izquierda y luego otros tantos hacia la derecha.

—Cuando haya acabado de cortarse y teñirse el pelo, venga a verme. Corto y oscuro, señorita Lane. Pierda de una vez ese aspecto de Barbie que tiene.

No lloré cuando lo hice. Lo que sí hice, no obstante —maldito sea Jericho Barrons por hacer lo que me hizo a continuación—, fue vomitar sobre su alfombra persa en la parte de atrás del establecimiento cuando volví a bajar.

Cuando pensé en ello más tarde, me di cuenta de que empecé a notarlo mientras estaba arriba lavándome el pelo en el cuarto de baño que comunicaba con mi habitación. De pronto me entraron náuseas, pero pensé que serían una reacción emocional a aquel cambio tan drástico en mi apariencia. Ya había empezado a preguntarme quién era yo y qué me estaba pasando; ahora, además, cuando me mirara al espejo tendría que preguntarme qué le había pasado a mi pelo.

La sensación se intensificó mientras bajaba la escalera, y se volvió todavía más fuerte mientras iba hacia la librería. Supongo que debería haberle prestado más atención, pero estaba demasiado concentrada en apiadarme de mí misma.

Para cuando pasé por la segunda de las puertas que separaban los dominios personal y profesional de Barrons, estaba sudando y temblando al mismo tiempo, tenía las manos pegajosas, y mi estómago parecía un tiovivo. Nunca en mi vida había pasado de encontrarme estupendamente a encontrarme fatal con semejante rapidez.

Barrons estaba sentado en el sofá que había estado ocupando yo, los brazos extendidos a lo largo de la parte de arriba y las piernas estiradas, tan relajado como un león que se toma un descanso después de haber cazado la presa. Su mirada, sin embargo, era tan aguda como la de un halcón. Me estudió con voraz interés en cuanto entré por la puerta. Esparcidos a su lado sobre el sofá había unos cuantos papeles cuyo significado yo aún tenía que entender.

Cerré la puerta, e inmediatamente me doblé en dos y vomité lo que me quedaba del almuerzo. Casi todos los daños que sufrió la preciosa alfombra de Barrons fueron causados por el agua que había bebido. Soy partidaria de beber grandes cantidades de agua. Hidratarse la piel desde dentro hacia fuera es todavía más importante que usar un buen humidificador sobre la superficie. Me dejé llevar por las arcadas hasta que no me quedó nada más que expulsar, y luego tuve unas cuantas arcadas más. Volví a encontrarme a cuatro patas en el suelo, por segunda vez en otros tantos días, y no me gustó ni pizca. Me pasé la manga por los labios y levanté la vista hacia Barrons para fulminarlo con la mirada. Odiaba mi pelo y odiaba mi vida, y podía sentir todo ese odio llameando en mis ojos.

Él, en cambio, parecía estar la mar de contento.

—¿Qué ha pasado, Barrons? ¿Qué me ha hecho usted? —lo acusé. Por improbable que pudiese parecer, estaba segura de que él había sido el causante de mi súbito malestar.

Barrons rio, se puso en pie y bajó la vista hacia mí.

—Usted, señorita Lane, puede percibir el *Sinsar Dubh*. Y acaba de volverse muy útil para mí.

11

—No las quiero —repetí mientras daba un paso atrás—.
¡Lléveselas!

—No le harán ningún daño, señorita Lane. Al menos no en
esta forma —volvió a decir Barrons.

A mí me resultaba tan imposible creer lo que le estaba oyendo decir por quinta vez como me lo había sido la primera vez que
lo dijo. Extendí el brazo por detrás de mí, señalando la alfombra
todavía húmeda debido a mis esfuerzos por limpiarla.

—¿Qué nombre le da usted a eso? Si todavía me quedara algo
dentro del estómago, ahora mismo estaría a cuatro patas encima
de la alfombra. No sé cómo lo llamará usted, pero yo lo llamo
episodio de vómitos sin motivo. —Por no hablar de la intensa
sensación de miedo que seguía sin poder sacudirme de encima.
Tenía hasta el último pelito del cuerpo tan erizado como si acabara de recibir una descarga de alto voltaje. Quería interponer la
mayor distancia posible entre «eso» y mi persona.

—Se acostumbrará a ello...

—Si usted lo dice —musité.

—... Y sus reacciones irán aminorándose con el paso de los
días.

—No tengo intención de pasar tanto tiempo cerca de eso.

—«Eso» era el fajo de fotocopias de dos páginas supuestamente arrancadas del *Sinsar Dubh*. Focotocopias, ni siquiera el original, que Barrons insistía en ponerme delante. Unos meros facsímiles me mantenían apretujada contra la pared en mis frenéticos esfuerzos por rehuirlas. Sentí aproximarse uno de esos momentos de súper heroína con poderes arácnidos. Si Barrons no se apartaba ahora mismo, me pondría a escalar las paredes usando únicamente mis uñas manicuradas como clavos propulsores, y tenía serias dudas de que eso fuera a llevarme muy lejos.

—Respire lenta y profundamente —dijo Barrons—. Puede controlarlo. Concéntrese, señorita Lane.

Tragué aire. No me ayudó.

—Ahhhh...

—Le he dicho que respire, no que imite a un pez atrapado fuera del agua.

Lo miré fríamente, inhalé y contuve la respiración. Después de un instante que se me hizo muy largo, Barrons asintió con la cabeza y exhalé lentamente.

—Eso ya está mejor —dijo él.

—¿Por qué me está pasando esto? —pregunté.

—Forma parte de lo que es usted, señorita Lane. Hace miles de años, cuando las criaturas mágicas todavía practicaban la caza salvaje, aniquilando a todo lo que se cruzara en su camino, esto era lo que sentía una *sidhe* vidente cuando los jinetes tuatha dé se aproximaban en masa. La avisaba de que debía llevar a su gente a un lugar seguro.

—No lo sentí cuando vi a ninguno de los invisibles —le hice notar. Pero cuando me puse a pensar en esas primeras ocasiones, caí en la cuenta de que me había sentido bastante rara, y una inexplicable sensación general de temor había precedido a mis «visiones» las dos veces. Yo no la había reconocido por lo que era realmente porque no había sido capaz de atribuirla a nada en concreto. Con el último monstruo, había estado tan obsesionada por llegar al apartamento de Alina y había chocado con él yendo a tales velocidades que no habría sabido decir si sentí algo con antelación o no.

—He dicho en masa —dijo él—. Solos, o en parejas, su impacto no es tan grande. Es posible que sólo el *Sinsar Dubh* llegue a afectarla tanto..., o un millar de invisibles viniendo hacia usted. El Libro Oscuro es la más poderosa de todas las Consagraciones de las criaturas mágicas. Así como también la más letal.

—No se me acerque —masculleé. Barrons se había aproximado hasta estar a menos de un metro de mí, sosteniendo aquellas terribles páginas. Dio otro paso adelante y yo traté de confundirme con el papel de pared, muy amarillo y muy asustado.

—No se deje dominar por el miedo, señorita Lane. Son meras copias de las páginas reales. Sólo las páginas del Libro Oscuro podrían causarle un daño permanente.

—¿Podrían? —No cabía duda de que eso complicaba las cosas—. ¿Quiere decir que aunque logremos encontrar ese libro, no voy a poder tocarlo?

Los labios de Barrons se curvaron pero sus ojos siguieron tan fríos como antes.

—Podría hacerlo. Pero no estoy seguro de si le gustaría verse en el espejo después de hacerlo.

—¿Por qué no me...? —Me callé y sacudí la cabeza—. Olvídelo, no quiero saberlo. Me conformo con que mantenga alejadas de mí esas páginas.

—¿Me está diciendo que renuncia a su empeño de descubrir al asesino de su hermana, señorita Lane? Creía que ella le había suplicado que encontrara el *Sinsar Dubh*. Creía que le había dicho que todo dependía de ello.

Cerré los ojos y me dejé ir contra la pared. Durante unos minutos me había olvidado completamente de Alina.

—¿Por qué? —susurré como si ella aún estuviera ahí para

oírme—. ¿Por qué no me explicaste nada de todo esto? Podríamos habernos ayudado mutuamente. Quizá podríamos habernos mantenido con vida la una a la otra. —Y ésa era la parte más amarga de todo el asunto, el cómo podrían haber salido las cosas sólo con que mi hermana hubiera confiado en mí.

—Dudo que usted la hubiese creído, aunque ella lo hubiera hecho. Veo que es la típica clienta que no quiere dar su brazo a torcer, señorita Lane. Con todo lo que ha visto y oído, todavía intenta negarlo.

Ahora su voz sonaba mucho más próxima. Barrons se había movido. Abrí los ojos. Lo tenía justo enfrente de mí, y sin embargo mi malestar no se había intensificado..., porque no lo había visto venir. Barrons tenía razón; mi reacción tenía tanto de mental como de física, lo que quería decir que al menos una parte de ella era controlable. Podía dejarlo correr, ir a casa y tratar de olvidar todo lo que me había ocurrido desde que llegué a Dublín, o podía tratar de entenderlo y pensar en cómo seguir adelante. Me llevé la mano a los cortos rizos oscuros. No había hecho picadillo por nada mi hermoso pelo rubio.

—Usted también ve a las criaturas mágicas, Barrons, y sin embargo no tiene ningún problema para sostener esas páginas.

—La repetición embota incluso los sentidos más agudos, señorita Lane. ¿Está lista para empezar?

Dos horas después, Barrons decidió que ya me había hecho practicar bastante. Yo aún no podía decidirme a tocar las páginas fotocopiadas, pero al menos su proximidad ya no hacía que me dieran arcadas. Había descubierto una forma de cerrar la garganta contra el impulso involuntario de vomitar. La proximidad de las páginas aún hacía que me sintiera fatal, pero podía imponerme a la sensación y mantener una máscara presentable.

—Servirá —dijo él—. Vístase. Vamos a ir a un sitio.

—Estoy vestida.

Barrons se volvió hacia la entrada del establecimiento y miró la noche por la ventana.

—Póngase algo un poco más..., adulto..., señorita Lane.

—¿Eh? —Yo llevaba un capri blanco, unas sandalias muy monas y una blusa rosa sin mangas encima de un top ribeteado de encajes. Creía tener un aspecto perfectamente adulto. Di un giro delante de él—. ¿Qué pegas le encuentra a esto?

Barrons me lanzó una breve mirada.

—Póngase algo más... propio de una mujer.

Con el tipo que tenía yo, nadie podría acusarme jamás de no parecer femenina. A veces soy un poco lenta de entendederas, pero al final lo acabo entendiendo. Hombres. Llévalos a una tienda de lencería elegante y te garantizo que encontrarán lo único que está hecho de cuero negro y cadenas. Entorné los ojos.

—Algo con lo que parezca una fulana —dije.

—Me refería a algo que la haga parecer la clase de mujer con la que están acostumbrados a verme. Una mujer adulta, señorita Lane, suponiendo que se vea capaz de llegar a tanto. Ir de negro podría hacer que pareciese lo bastante mayor para haberse sacado el permiso de conducir. El cambio de pelo le queda... mejor. Pero procure hacer algo con ello. Intente darle el aspecto que tenía la noche en que fui a verla a la pensión.

—¿Quiere que parezca como si acabara de levantarme de la cama?

—Si es así como lo llama usted, sí. ¿Tendrá suficiente con una hora?

Una hora daba a entender que me haría falta un montón de ayuda.

—Veré lo que puedo hacer —dije con mi tono más gélido.

Estuve lista en veinte minutos.

Mis sospechas acerca del edificio que había detrás de la librería no tardaron en verse confirmadas; sí, era un garaje, y Jericho Barrons era un hombre muy rico. Pensé que la venta de libros y objetos de regalo tenía que ser una actividad muy lucrativa.

De la impresionante colección de coches que había en su garaje, Barrons escogió un Porsche 911 Turbo negro, relativamente modesto en comparación con los otros, cuya garganta de quinientos quince caballos de potencia, un auténtico prodigio de la ingeniería, cobró vida con un rugido cuando su dueño puso la llave del encendido en el lado opuesto al del volante y le dio la vuelta. Sí, entiendo de coches. Me encantan los modelos bonitos que corren mucho y la sutil clase de aquel Porsche era toda una tentación para cada uno de los huesecitos de mi cuerpo de veintidós años.

Barrons había bajado la capota y conducía demasiado deprisa, pero con la experta agresividad que exige cualquier vehículo cuyas prestaciones incluyen el ser capaz de pasar de los cero kilómetros por hora a los doscientos en pocos segundos. Un barrio fue reemplazado por otro mientras Barrons le sacaba jugo al motor, cambiando de marchas en el tráfico de parar y avanzar de la ciudad. En cuanto hubimos salido del extrarradio de Dublín, lo puso al máximo. Bajo una luna casi llena, le echamos una carrera al viento. El aire era cálido, el cielo estaba tachonado de estrellas, y en otras circunstancias yo habría disfrutado enormemente del trayecto.

Miré a Barrons. Dejando aparte todas las otras cosas que pudiera ser —obviamente él también era un *sidhe* vidente y un auténtico grano en el jac... culo la mayor parte del tiempo—, ahora sólo era un hombre, absorto en el placer del momento, de la máquina perfectamente diseñada que tenía en las manos, de la carretera desierta y la noche que parecía no tener límites.

—¿Adónde vamos? —Tuve que gritar para hacerme oír por encima del doble rugido del viento y el motor.

Sin apartar la vista de la carretera, cosa que le agradecí inmensamente a ciento ochenta por hora, Barrons dijo:

—Hay tres personajes fundamentales en la ciudad que también han estado buscando el libro. Quiero saber si han encontrado algo. Usted, señorita Lane, es mi sabueso —gritó.

Consulté el reloj del salpicadero.

—Son las dos de la mañana, Barrons. ¿Qué vamos a hacer, forzar la entrada y recorrer sus casas sigilosamente mientras están dormidos? —Lo que me dio una idea más clara de lo surrealista que se había vuelto mi vida fue el hecho de que, si Barrons replicaba de manera afirmativa, sospeché que lo primero que saldría de mi boca sería no una protesta sino una queja porque gracias a él iba demasiado arreglada para robar en una casa. Tacones y una falda corta ciertamente me dificultarían bastante huir de la policía o de unos furiosos propietarios armados.

Él redujo un poco la velocidad para que pudiera oírlo mejor.

—No, son gente muy noctámbula, señorita Lane. Estarán levantados y dispuestos a verme, como lo estoy yo a verlos a ellos. Nos gusta estar al corriente de nuestras actividades. Ellos, sin embargo, no la tienen a usted. —Una lenta sonrisa le curvó los labios. Estaba muy complacido con la nueva arma secreta que tenía en mí. De pronto tuve una visión de mi futuro que no podía ser más deprimente, en la que se me llevaba continuamente de un lado a otro y se me preguntaba a cada momento, como en esos anuncios de pastillas para el mareo: «¿Le están entrando ganas de vomitar?»

Barrons volvió a acelerar y condujo en silencio durante unos diez minutos, hasta que salió de la carretera para detener el coche ante la entrada de una propiedad rodeada por un muro. Después de haber sido autorizados a pasar por un par de guardias de seguridad fríamente eficientes y uniformados de blanco que, tras una discreta llamada telefónica, hicieron retirarse una enorme puerta de acero, rodamos por una larga avenida llena de curvas, flanqueada por unos árboles enormes que parecían tener muchos años.

La casa al final de la avenida desentonaba con su entorno, el cual parecía sugerir que en el pasado se había alzado allí una imponente mansión solariega que fue derribada para sustituirla por esa fría, nada acogedora y bastante aparatosa estructura de acero y cristal que no hubiera desentonado en un episodio de *Los Supersónicos*. Airosas escaleras acristaladas conectaban cinco niveles que se extendían siguiendo ángulos ligeramente inclinados hacia arriba, y terrazas enmarcadas en metal lucían un mobiliario *New age* que parecía sentirse claramente a disgusto en aquel ambiente. Lo admito; mis gustos tienden a lo anticuado. A mí que me den una buena veranda que vaya alrededor de toda la casa con muebles de mimbre blanco, balancines en cada extremo, ventiladores de techo cuyas aspas giran muy despacio, pérgolas cubiertas de hiedra y macetas colgantes llenas de helecho, a la sombra de los magnolios en flor. Ese sitio era demasiado sofisticado y ni la mitad de lo bastante acogedor para mí.

Mientras bajábamos del coche, Barrons dijo:

—Manténgase alerta e intente no tocar nada que no parezca humano, señorita Lane.

Me entró una risa nerviosa, y poco faltó para que me atragantara. ¿Qué había sido de los consejos al viejo estilo como «No te separes de los demás, ve siempre cogida de la mano y mira a ambos lados antes de cruzar la calle»? Alcé la mirada hacia Barrons.

—No es que vaya a querer hacerlo, pero ¿por qué no debería tocarlo?

—Sospecho que Fiona tiene razón —dijo— y usted es una nulificadora, lo que significa que nos delatará si toca a cualquier criatura mágica con sus manos.

Me miré las manos, las bonitas uñas rosadas que no complementaban tan bien mi nuevo aspecto. Unos tonos ligeramente más atrevidos hubieran realzado mejor el color oscuro de mi pelo. Tendría que hacerme con un nuevo vestuario y modificar los accesorios para adaptarlos a los cambios.

—¿Una nulificadora? —Con los zapatos de tacón, tuve que apretar el paso para mantenerme a la altura de Barrons mientras cruzábamos rápidamente el camino cubierto por una capa reluciente de cuarzo machacado.

—Las antiguas leyendas hablan de *sidhe* videntes que eran capaces de dejar paralizada a una criatura mágica tocándola con las manos. Eso la dejaba inmovilizada durante unos minutos, impidiendo que pudiera moverse o incluso saltar a otro sitio a través del espacio.

—¿Transportarse a otro sitio?

—Luego. ¿Se acuerda de lo que tiene que hacer, señorita Lane? Contemplé la casa. Parecía como si hubiera una fiesta. Las terrazas estaban llenas de gente; las risas, la música y el tintineo del hielo en los vasos flotaban en el aire hasta llegar a donde estábamos nosotros.

—Si empiezo a tener náuseas debería pedir que me dejen usar el baño. Usted me acompañará hasta allí.

—Muy bien. Y otra cosa, señorita Lane... —Le lancé una mirada inquisitiva—. Intente comportarse como si yo le gustara.

Cuando me pasó el brazo por los hombros y me atrajo hacia él, un escalofrío me corrió por todo el cuerpo hasta los dedos de los pies.

La casa estaba decorada absolutamente en blanco y negro. La gente, también. Si por mí fuese, siempre llevaría conmigo una buena brocha y esparciría color por todas partes, decorando el mundo con tonos malva y melocotón, rosa y lavanda, naranja y aguamarina. Aquellas personas parecían pensar que el mundo se veía más chic si le habías quitado todos los colores. Decidí que tenían que estar deprimidísimos.

—Jericho —ronroneó con voz sensual una mujer impresionante de pelo negro azabache que llevaba un traje de noche bastante escotado y muchos diamantes. Pero su sonrisa era todo dientes y pura malignidad, y no iba dirigida a mí sino a él—. Casi no te he reconocido. No estoy segura de que nos hayamos visto nunca con la ropa puesta.

—Marilyn. —Él respondió a su saludo con una breve inclinación de cabeza que pareció cabrear enormemente a la mujer mientras pasábamos junto a ella.

—¿Quién es tu amiguita, Barrons? —preguntó un hombre tan flaco que parecía anoréxico y tenía una cantidad espantosa de pelo blanco. Me entraron ganas de llevármelo a un rincón y darle el amable consejo de que vestir todo de negro sólo servía para que tuviera un aspecto todavía más delgado y enfermizo, pero me pareció que no era un buen momento.

—No metas tus putas narices en mis asuntos —dijo Barrons.

—Ah, veo que seguimos tan encantadores como siempre, ¿verdad? —dijo el hombre con una sonrisita burlona.

—Al decir «seguimos» estás dando a entender que tú y yo tenemos el mismo perfil genético, Ellis. Y no es así.

—Cabrón arrogante —musitó el hombre a nuestras espaldas.

—Veo que tiene usted muchos amigos aquí —observé secamente.

—Nadie tiene amigos en esta casa, señorita Lane. En Casa Blanc sólo hay usuarios y aquellos que son usados.

—Salvo por mí. —Un nombre muy raro para una casa todavía más rara.

Barrons me dirigió una rápida mirada.

—Ya aprenderá. Si vive el tiempo suficiente.

Aunque viviera hasta los noventa, yo nunca llegaría a ser como la gente que había en aquella casa. Los murmullos de saludo continuaron mientras íbamos atravesando las habitaciones, algunos llenos de un ávido anhelo, casi todos procedentes de mujeres, y otros, casi todos procedentes de hombres, condenatorios. Era una gente horrible. De pronto me sobrevino un acceso de nostalgia, y eché terriblemente de menos a mamá y papá.

No vi nada que no fuera humano hasta que llegamos a esa última habitación, al fondo de la casa en el quinto piso. Tuvimos que pasar tres dotaciones de guardias de seguridad armados para llegar allí.

Chequeo de realidad: estaba en una fiesta con guardias de seguridad armados e iba toda vestida de negro. Aquello no podía ser mi realidad. Yo no era esa clase de persona. Desgraciadamente, pese a la falda corta que dejaba al descubierto hasta por encima de la mitad del muslo mis piernas atractivamente bronceadas, comparada con el resto de las mujeres en Casa Blanc, parecía una quinceañera. Yo creía haber convertido mi pelo, negro y cortado de manera que me llegase justo a los hombros, en algo atrevido y sexy, pero obviamente no conocía el significado de esas palabras. Tampoco sabía maquillarme con un mínimo de ingenio.

—Estese quieta —dijo Barrons.

Respiré hondo y conté hasta tres antes de exhalar.

—La próxima vez quizá no estaría de más que me explicara con un poco de detalle cómo es el sitio al que vamos a ir.

—Eche una buena mirada a su alrededor, señorita Lane, y la próxima vez no necesitará que le den explicaciones.

Pasamos por un par de enormes puertas blancas al interior de una gran habitación blanco sobre blanco: paredes blancas, alfombra blanca, vitrinas acristaladas de metal blanco entre las que se intercalaban columnas blancas sobre las que había colocados *objets d'art* de valor incalculable. Me quedé rígida, enfrentada a toda una serie de dobles visiones. Ahora que sabía que existían tales monstruos, ya no me costaba tanto divisarlos. Decidí que aquellos dos no podían estar esforzándose demasiado en la ilusión mágica que estaban proyectando o que cada vez se me daba mejor lo de atravesarla, porque en cuanto vi más allá de sus proyecciones de apuestos seguratas rubios de discoteca, no oscilaron entre una y otra forma, sino que continuaron siendo dos criaturas mágicas de la variedad invisible.

—Tranquila —murmuró Barrons, percibiendo mi tensión. Al hombre sentado en el sillón blanco absurdamente parecido a un trono que había ante nosotros, como si estuviera dando audiencia a sus súbditos, le dijo con voz aburrida—: McCabe.

—Barrons.

Normalmente no suelen gustarme los hombres de huesos grandes, constitución fornida y pelo castaño rojizo, y me sorprendió descubrir que McCabe me resultaba atractivo, con su apariencia de tosco irlandés nacido en el campo que nunca podría llegar a dárselas de refinado cualquiera que fuese la cantidad de riqueza que lograra acumular o los tesoros de los que decidiera rodearse. Pero los dos invisibles que lo flanqueaban, a izquierda y derecha, no tenían nada de atractivos. Eran unas cosas enormes, feísimas y de piel grisácea que me recordaron a los rinocerontes con sus frentes desproporcionadamente grandes y llenas de bultos, ojillos minúsculos, labios inferiores protuberantes y hendiduras desprovistas de labios por bocas. Sus corpachones en forma de barril tensaban las costuras de unos trajes blancos que a duras penas podían contenerlos. Tenían los brazos y las piernas extrañamente cortos y hacían un ruidito constante de sorberse los mocos, como cerdos que olisquearan el barro en busca de lo que sea que buscan los cerdos cuando olisquean el barro. No eran aterradores; eran meramente feos. Me concentré en no concentrarme en ellos. Aparte de un leve ardor de estómago y una sensación de que estaba más nerviosa de lo habitual, ya casi no me afectaban. Naturalmente, el impacto de cualquier criatura mágica palidecería ahora y siempre bajo la oscura sombra del *Sinsar Dubh*.

—¿Qué te trae a Casa Blanc? —dijo McCabe, poniéndose

bien la corbata blanca sobre la camisa blanca bajo la chaqueta de su traje blanco. No pude evitar preguntarme por qué se molestaba en hacerlo. Las corbatas entraban en la categoría de los accesorios, y por definición un accesorio sirve para acentuar o realzar la forma en que has combinado el color, la textura y el estilo. ¿Es que nadie había oído pronunciar nunca la palabra «color» allí dentro? A aquel tipo sólo le faltaba pintarse de blanco a sí mismo.

Barrons se encogió de hombros.

—Hace una noche preciosa para conducir.

—Ya casi es luna llena, Barrons. Las cosas pueden ponerse peligrosas ahí fuera.

—Las cosas pueden ponerse peligrosas en cualquier sitio, McCabe.

McCabe rió, exhibiendo unos dientes tan blancos como los de una estrella de cine. Luego me escrutó con la mirada.

—¿Has decidido probar algo un poco diferente, Barrons? ¿Quién es la jovencita?

«No hable, diga lo que diga nadie», me había dicho Barrons mientras íbamos hacia allí. «Me da igual lo furiosa que pueda llegar a sentirse. Tráguese la ira.» Con aquel «jovencita» tan despectivo todavía resonando en mis oídos, me mordí la lengua y no dije ni una palabra.

—No es más que mi último modelo de culo, McCabe.

Esta vez no necesité morderme la lengua. Me había quedado sin habla.

McCabe rio.

—¿Sabe hablar?

—No, a menos que yo le diga que lo haga. Habitualmente tiene la boca demasiado ocupada en otras tareas.

Sentí que me ardían las mejillas.

McCabe volvió a reír.

—Pásamela en cuanto haya crecido un poco, ¿de acuerdo? —Luego me sometió a un concienzudo examen visual en el curso del cual sus gélidos ojos azules se detuvieron sobre mis senos y mi trasero, y cuando hubo terminado de repasarme a conciencia, sentí como si no sólo me hubiera visto desnuda, sino que además ahora supiese de alguna manera que yo tenía un diminuto lunar en forma de corazón en la nalga izquierda, y otro en el pecho derecho, justo debajo del pezón. Entonces su expresión cambió súbitamente, los agujeros de su nariz se dilataron, sus ojos se entornaron—. Aunque pensándolo bien —murmuró—, mejor no esperemos a que se haga demasiado mayor. ¿Qué querrías por ella ahora?

Barrons le dirigió una sonrisa burlona.

—Hay un libro en el que quizá podría estar interesado.

McCabe resopló desdeñosamente, juntó el índice con el pulgar y se sacudió una mota de borra imaginaria de la manga de la chaqueta.

—Ninguna zorra puede ser tan buena. Existen las mujeres y existe el poder, que nunca se devalúa con el paso del tiempo. —Su expresión cambió de nuevo, sus labios se volvieron más delgados y sus ojos se hicieron aterradoramente vacíos.

Como si tal cosa, McCabe dejó de interesarse por mí, y entonces tuve la asombrosa revelación de que, para él, yo ni siquiera era humana. Era más bien como..., bueno, como el envoltorio de un condón..., algo de lo que él se serviría para luego arrojarlo bien lejos una vez que lo hubiera ensuciado; y si daba la casualidad de que en ese momento íbamos en un deportivo que corría a toda velocidad junto al cauce del río Audubon, o volábamos en un reactor que estaba cruzando el Atlántico, ¿qué más daba?

¿Alina había estado en este mundo? ¿Había conocido a este obsesivo compulsivo completamente vestido de blanco? No me costaba nada imaginármelo matando a mi hermana o, ya puestos, a cualquier otra persona. Pero ¿podía imaginarme a Alina convencida de que estaba enamorada de un hombre semejante?

De acuerdo, McCabe era rico, había visto mucho mundo y no dejaba de ser atractivo a su manera brutal y poderosa. Pero tanto el inspector O'Duffy como las dos estudiantes con las que había hablado yo tenían el convencimiento de que el novio de Alina no era nativo de la Isla Esmeralda, y McCabe, pese a todas sus enormes pretensiones, era irlandés hasta la médula.

—¿Has sabido algo acerca del libro? —Barrons también perdió todo interés por mí, y pasó a abordar otro tema. Sencillamente dos hombres que habían decidido ocuparse de sus negocios, teniendo el objeto sexual con tacones andante, parlante, o más bien mudo, a mano por si a alguno le apetecía servirse de él, sólo una bandeja llena de ostras convenientemente colocada sobre la mesa.

—No —dijo McCabe con voz átona—. ¿Y tú?

—No —replicó Barrons en una voz igual de átona.

McCabe asintió.

—Bueno, en ese caso no hay más que hablar. Déjala aquí y vete. O sencillamente iros. —Era evidente que le daba igual por cuál de las dos opciones acabara decantándose Barrons. De hecho, si se me hubiera dejado abandonada allí, sospecho que McCabe no habría vuelto a reparar en mí hasta unos días más tarde.

El Rey de Blanco acababa de echarnos de su presencia.

12

Glamur: ilusión proyectada por las criaturas mágicas para camuflar su verdadera apariencia. Cuanto más poderosa es la criatura mágica, más difícil de atravesar resulta su disfraz. Los humanos corrientes sólo ven aquello que la criatura mágica quiere que vean, y son repelidos sutilmente si chocan con ellas o las rozan en un pequeño perímetro de distorsión espacial que forma parte de la ilusión que proyecta la criatura.

Y ésa era la razón por la que aquel monstruo del callejón que tenía los genitales de un mulo y bocas como sanguijuelas ávidas de chupar había sabido inmediatamente qué era yo: no había podido evitar darme de narices con él.

Cualquier otra persona habría sido repelida nada más doblar la esquina, y hubiese dado un par de traspiés, rebotando en nada que pudiese ver. ¿Sabéis todas esas veces que dices: «Caray, vaya día que tengo; me parece que acabo de tropezar con mis propios pies.»? Pues a lo mejor no ha sido con eso con lo que has tropezado.

Según Barrons, McCabe no tenía ni idea de que sus «guardaespaldas» fueran un par de criaturas mágicas que se habían dirigido la una a la otra llamándose Yrg y Ob, mientras nos escoltaban desde la Sala del Trono, hablando en tonos guturales que tanto Barrons como yo habíamos fingido no oír. La plantilla de guardaespaldas habitual de McCabe había desaparecido hacía tres meses y había sido reemplazada por los chicos rinoceronte, una variedad de invisibles que Barrons creía pertenecían a una casta de matones de nivel entre bajo y medio, utilizada básicamente en calidad de perros guardianes para las criaturas mágicas de rango más alto.

Después de reflexionar sobre eso un instante y haber seguido el hilo del razonamiento hasta la conclusión lógica, yo había dicho:

—¿Eso significa que entre los que andan a la caza del *Sinsar Dubh* también hay un invisible?

—Así parece —replicó Barrons—. Y uno muy poderoso, además. No dejo de oír rumores acerca de alguien a quien los invisibles llaman el «Señor de los Señores», pero hasta el momento no he podido descubrir quién o qué es ese Señor de los Señores. Le dije, señorita Lane, que usted no tenía ni idea de en qué se estaba metiendo.

Los invisibles ya eran bastante aterradores. Yo no tenía ningunas ganas de toparme con lo que fuese aquello a lo que se dirigían llamándolo su señor.

—Bueno, puede que ahora sea un buen momento para que me distancie del asunto —le dije.

«Inténtelo», había dicho la mirada que me lanzó Barrons. Aunque lograse cerrar mi corazón y le diera la espalda al asesinato de mi hermana, Jericho Barrons no me dejaría marchar.

La triste verdad era que nos necesitábamos el uno al otro. Yo podía percibir el *Sinsar Dubh* y él tenía toda la información pertinente acerca del libro, incluidas unas cuantas ideas sobre dónde podía estar y quién más lo andaba buscando. Abandonada a mis propios recursos, yo nunca habría podido llegar a saber que había fiestas como la celebrada en Casa Blanc y hacer que me invitaran allí. Abandonado a sus propios recursos, Barrons nunca llegaría a saber si el libro se encontraba cerca, quizás en la misma habitación en la que estaba él. Habría podido tenerlo al lado y no se hubiera dado cuenta.

Yo me había formado una idea bastante clara de lo importante que había sido mi presencia para él la noche pasada. Si el libro estaba hecho de metal, entonces yo era el último grito en detector de metales particular de Jericho Barrons. Después de que Yrg y Ob hubieran vuelto con McCabe, Barrons me había conducido a través de un piso tras otro de la residencia parcamente decorada. Cuando yo no percibí nada, me llevó por todos los cuidadísimos jardines, las edificaciones anexas incluidas. Había insistido tanto en que visitáramos hasta el último rincón de la propiedad que no llegué a mi dormitorio prestado hasta que sólo faltaban unos instantes para que amaneciera. Aunque no tenía ningunas ganas de volver a experimentar algo tan horrible, casi me había sentido defraudada cuando mi recién descubierto sentido arácnido no captó el menor hormigueo en ninguna parte.

Con todo, para mí, en realidad no se trataba del Libro Oscuro. De lo que se trataba ahora era de sacar a la luz los detalles de la vida secreta de mi hermana. Yo no quería hacerme con aquel objeto aterrador. Sólo quería saber quién o qué había matado a Alina, y quería que él o ello muriera. Luego quería volver a casa, a mi pequeña población agradablemente provinciana en el tórrido sur de Georgia y olvidar todo lo que me había sucedido mientras estaba en Dublín. ¿Que las criaturas mágicas no visitaban Ashford? Tanto mejor. Me casaría con un chico de allí que tuviera una camioneta Chevy con el motor trucado, a Toby Keith cantando *Who's Your Daddy?* en la radio y ocho orgullosas generaciones de antepasados honrados y trabajadores nacidos en Ashford adornando su árbol genealógico. Aparte de los desplazamientos esenciales hasta Atlanta para hacer las compras, nunca más me iría de casa.

Pero por ahora mi única opción era trabajar con Barrons. La gente a la que fuera conociendo durante nuestra búsqueda podían ser personas a las que Alina también había conocido. Y si era capaz de encontrar y reemprender el camino que había seguido mi hermana a través de aquel extraño mundo de cine de terror, debería conducirme directamente hasta su asesino.

No tardaría en tener serias dudas de que hubiera hecho bien al tomar esa decisión.

Cogí un rotulador de punta fina. Era domingo por la tarde y Barrons Libros y Objetos de regalo tenía cerradas sus puertas al público. Me había despertado desorientada y echando de menos a mamá, pero cuando llamé a casa, papá me había dicho que en aquellos momentos estaba acostada y no quería despertarla. Últimamente no había estado durmiendo bien, dijo, aunque ahora tomaba algo que se suponía debía ayudarla a conciliar el sueño. Mantuve unos minutos de penosa conversación unilateral con mi padre, pero él ponía tan poco entusiasmo en hablar que no tardé en darme por vencida. Como no se me ocurría otra manera de pasar el rato, al final eché mano de mi diario y bajé a la librería.

Ahora estaba tendida boca abajo en el cómodo sofá de la zona de conversación en la parte de atrás de la librería, con el cuaderno de notas apoyado en un cojín enfrente de mí.

«Saltar a través del espacio: un método de locomoción empleado por las criaturas mágicas», escribí.

Mordisqueé el capuchón de mi rotulador fucsia de punta fina e intenté imaginar cómo podía apuntar aquello. Cuando Barrons me lo había explicado, me quedé horrorizada.

—¿Me está diciendo que les basta con pensar que están en otro sitio y entonces sucede inmediatamente? ¿Que les basta con querer estar en otro sitio... y de pronto están allí? —Barrons asintió—. ¿Quiere decir que yo podría estar andando por la calle y uno de ellos podría aparecer de pronto junto a mí y llevarme consigo?

—Ah, pero en ese caso dispone usted de una tremenda ventaja sobre ella, señorita Lane. Agarre a la criatura mágica y ésta se quedará paralizada como le ocurrió a la que había en el callejón. Pero hágalo deprisa, antes de que la criatura salte a través del espacio llevándosela consigo a un sitio en el que le aseguro que usted no quiere estar.

—¿Y qué se supone que he de hacer después? —pregunté—. ¿Rebuscar en el surtido de armamento que llevo encima para matarla con algo mientras se encuentra paralizada? —Por muy horripilantes que fuesen los invisibles, la idea de cargarme a alguien que ni siquiera era capaz de moverse me resultaba aborrecible.

—Dudo que pudiera hacerlo —dijo Barrons—. Tanto los visibles como los invisibles son prácticamente indestructibles. Cuanto más alta es la casta, más difíciles son de matar.

—Estupendo —dije—. ¿Tiene alguna sugerencia sobre lo que debería hacer una vez que los haya convertido en estatuas temporales?

—Sí, señorita Lane —replicó él con esa oscura sonrisa sardónica suya—. Ponga pies en polvorosa.

Me rocé las puntas de las pestañas con un poquito de rímel negro azabache, y me pregunté qué había que ponerse para ir a ver a un vampiro.

El elegante suéter rojo que había traído de casa no sólo quedaba fatal con el nuevo color oscuro de mi pelo, sino que temía que el vampiro pudiera interpretarlo como una invitación a tirarme los tejos que acabaría dejándome cubierta de un rojo bastante más oscuro. Aquellos pendientes de plata tan monos en forma de crucecitas que me regaló la tía Sue en mi último cumpleaños sin duda también serían considerados provocativos. La indecisión sobre qué ponerme me estaba haciendo llegar tarde a mi cita de medianoche con Barrons. No iba a tener tiempo para correr a la iglesia que había al final de la calle y echarme un poco de agua bendita en las muñecas y detrás de las orejas; mi versión del «*Eau de ne me mordez pas*».

Me miré en el espejo. No habría podido parecerme a las mujeres que había visto en Casa Blanc ni queriendo, y además tampoco quería parecerme a ellas. Me gustaba mi yo tal como era. Me gustaban mis colores. Echaba tanto de menos mi pelo que me entraban ganas de echarme a llorar cada vez que pensaba en él.

Con un suspiro, bajé la cabeza, me esparcí una buena cantidad de laca por el pelo, y luego le administré una buena dosis de calor con el secador. Cuando volví a echar la cabeza hacia atrás y me atusé el pelo con los dedos, gracias a las Varillas Calor de la Señorita Clairol, obtuve un peinado a base de mechones enredados cuya intensa negrura me enmarcaba seductoramente la cara y hacía que el verde de mis ojos pareciera todavía más intenso que lo habitual. Ligeramente rasgados y con largas pestañas oscuras, los ojos son uno de los rasgos de mi apariencia de los que estoy más orgullosa, con un verde brillante como el de la hierba recién crecida en Pascua. Tengo un cutis muy claro que se broncea bien y va con prácticamente cualquier color. Pensé que, después de todo, el pelo oscuro tampoco me sentaba tan mal. Simplemente no parecía la de siempre. Se me veía más mayor, sobre todo con el pintalabios rojo pastel de manzana que había aplicado a mi boca, una pequeña concesión dirigida a Barrons porque estaba segura de que la indumentaria que yo había elegido no iba a ser de su agrado.

Mientras me ponía la ropa, recordé cómo Alina y yo solíamos burlarnos de las películas y las novelas de vampiros, y de toda esa nueva obsesión por las cosas paranormales en general que nos ha traído la creación de un chaval flaquito, paliducho y con gafas que vive debajo de las escaleras.

Eso era antes de que yo supiese que realmente había cosas que acechaban en la noche.

—¿Qué diablos lleva usted puesto, señorita Lane? —quiso saber Barrons.

Lo que llevaba puesto era una preciosa falda de gasa con prácticamente todos los tonos pastel de la paleta de colores que me realzaba los contornos de las caderas y se desplegaba elegantemente alrededor de mis tobillos, un suéter rosa ceñido al cuerpo con volantes de seda en las mangas y un atrevido escote ribeteado de seda que sacaba el máximo provecho posible de mi busto..., y unos bonitos zapatos de tacón de color rosa con una tira alrededor de los tobillos. Los colores combinaban admirablemente con mi piel besada por el sol y mis oscuros rizos. Se me veía femenina, suave y sexy a la manera juvenil, no a la manera Casa Blanc. Fui con paso decidido junto a las hileras de estanterías hasta el sitio donde Barrons esperaba impacientemente al lado de la entrada principal de la librería, y agité un dedo ante su rostro.

—Vuelva a tratarme como si fuera una de sus fulanas baratas, Barrons, y ya puede ir olvidándose de nuestro pequeño acuerdo. Usted me necesita tanto como yo a usted, así que debería tratarme como a una igual.

—Me parece que se equivoca.

—No, es usted el que se equivoca —dije en un tono tan seco como el suyo—. Procure encontrar otra manera de explicármelo. Pero como se le ocurra decirle a alguien que soy su último ejemplar de ramillete de margaritas o hacer comentarios que estén de más sobre mi boca y la práctica del sexo oral con usted, hemos terminado.

Él enarcó una ceja.

—¿Ramillete de margaritas, señorita Lane?

Fruncí el ceño.

—Culo, Barrons.

Él cruzó los brazos y su mirada bajó hacia mis relucientes labios rojos.

—¿Debo entender que sería posible hacer comentarios que no estuvieran de más sobre su boca y la práctica del sexo oral conmigo, señorita Lane? Porque si es así me gustaría escucharlos.

Con los ojos entornados, hice como que no había oído su ridículo sarcasmo.

—¿Ese Mallucé al que vamos a ver es un vampiro de verdad, Barrons?

Él se encogió de hombros.

—Mallucé asegura serlo. Está rodeado de gente que cree que lo es. —Me sometió a un concienzudo examen visual—. Anoche usted dijo que quería saber con qué se encontraría en el curso de nuestras visitas para poder seleccionar su atuendo adecuadamente. Le dije que íbamos a ir a ver a un vampiro que reside en una morada de lo más gótica. ¿Por qué, entonces, señorita Lane, parece usted un arco iris?

Me encogí de hombros como acababa de hacer él.

—Tómeme o déjeme, Barrons.

Me tomó. Tal como yo sabía que haría.

Hay unas cuantas cosas de las que un hombre que ha decidido ir de cacería no puede prescindir. Su sabueso es una de ellas.

McCabe vivía a veinte minutos al norte de la ciudad, en lo que era mi idea de una pesadilla modernista.

Mallucé vivía a diez minutos al sur de Dublín, sepultado en los suntuosos andrajos del pasado. La era victoriana, para ser exactos; esos sesenta y tres años desde 1837 hasta 1901 durante los que la reina Victoria gobernó Gran Bretaña y se hacía llamar emperatriz de la India, inmortalizada, quizás erróneamente, por una opulenta, sensual y a menudo asfixiante decoración hogareña que solía abusar de los cortinajes de terciopelo.

El punk victoriano era el tema de la noche en el hogar de Mallucé: indumentaria de la época con pequeñas variaciones, exagerada, distorsionada y fusionada con el gótico, los tachones y el punk a secas; aunque admito que a veces me cuesta captar los detalles sutiles que diferencian a las distintas tendencias del mundo de la moda oscura. Supongo que tienes que vivir en él para cogerle la onda.

Dejamos el Porsche con un chico rinoceronte que desempeñaba las funciones de ayuda de cámara en la entrada, y cuyo glamur me pareció simple punk muerto y sin barnices. Comparada con él, ciertamente yo parecía un arco iris.

La guarida de Mallucé era una monstruosa amalgama de piedra y ladrillo que combinaba distintos tipos de arquitectura victoriana, con una clara propensión por el ambiente gótico de *La familia Addams,* sobrecargada de torretas y pórticos, balaustradas de hierro forjado y baluartes, miradores, ventanas con montante, además de suficientes cornisas y soportes llenos de tallas como para marear la vista, por no hablar de aturdir el alma.

Cuatro pisos altísimos parecían haber sido amontonados al azar los unos encima de los otros, para luego ser rematados por un tejado cuyos tenebrosos contornos se perfilaban contra el cielo nocturno, y que saltaba caprichosamente de lo plano a lo peligrosamente empinado para luego hacerse plano de nuevo. Árboles de ramas esqueléticas, muy necesitados de que los podaran, arañaban las pizarras del tejado como clavos de roble hincados en la tapa de un féretro.

La casa ocupaba casi una hectárea de terreno y no me habría sorprendido que tuviera más de sesenta o setenta habitaciones. En el último piso, luces estroboscópicas parpadeaban tras los estrechos ventanales, al compás de una música bastante obsesiva. En los pisos inferiores el ambiente era otro: allí velas negras y rojas eran la iluminación elegida, y la música era suave, etérea y voluptuosa.

Barrons me había contado unas cuantas cosas acerca de nuestro inminente anfitrión mientras íbamos hacia allí. Mallucé había nacido hacía cosa de treinta años en el seno de una rica familia británica, siendo John Johnstone, Jr. Cuando los Johnstone murieron en un sospechoso accidente de coche, su único hijo heredó una fortuna que ascendía a varios cientos de millones de libras y se apresuró a dar la espalda al vasto imperio financiero de su padre, para lo que vendió una compañía tras otra y liquidó todos los activos. Luego se libró de aquel apellido tan incómodamente redundante, lo hizo cambiar legalmente por el mucho más romántico y singular de Mallucé, se vistió de la manera más tenebrosa posible, y se presentó a la sociedad gótica como un recién incorporado a las filas de los no muertos.

A lo largo de los años, varios cientos de millones de libras le habían granjeado un nutrido culto de verdaderos creyentes y fanáticos seguidores, y en ciertos círculos sociales, el nombre Mallucé había pasado a ser un sinónimo de Lestat.

Barrons nunca había llegado a hablar con él, pero lo había visto en varias ocasiones en los locales nocturnos más elegantes. Se había dedicado a seguirles la pista a los intereses y adquisiciones de Mallucé. Me había dicho:

—Va tras muchos de los mismos objetos que yo. La última vez que intentó pujar más alto que yo en una subasta muy exclusiva que se celebró en Internet; un londinense muy rico que llevaba una vida de recluso, Lucan Trevayne, había desaparecido, y al cabo de unos días una gran parte de su colección fue puesta a la venta en el mercado negro. Yo tenía preparado a un *hacker* que hizo que toda su red informática se colgara en el momento crucial. —Barrons había sonreído y sus oscuros ojos relucieron de placer, un depredador que rememora con satisfacción el instante en que se hizo con una de sus mejores presas. Pero la sonrisa se borró de sus labios en cuanto siguió hablando—. Desgraciadamente, lo que yo había tenido la esperanza de encontrar en la colección de Trevayne ya no estaba allí. Alguien se me había adelantado. En cualquier caso, Mallucé tuvo que enterarse de la existencia del *Sinsar Dubh* en los años anteriores a la muerte de su padre. El viejo Johnstone estaba bastante interesado en los libros y obras de arte y hace un tiempo hubo una considerable conmoción en el mundo de las antigüedades cuando páginas fotocopiadas de lo que casi todos creían era un mito, de hecho, un falso icono, aparecieron en el mercado negro. No tengo ni idea de cuántos juegos fotocopiados habrá en circulación, pero sé que Mallucé vio las páginas en algún momento. Ese cabrón de no muerto no ha dejado de interponerse en mi camino desde entonces. —Barrons dijo «cabrón de no muerto» como si deseara que Mallucé estuviera muerto, no como si creyera que era un no muerto.

—Usted no cree que él sea un vampiro —dije con un hilo de voz, mientras atravesábamos una habitación tras otra llena de personas repantigadas en divanes de terciopelo con expresiones pétreas, inconscientes en sillones tapizados de brocado, o tiradas en el suelo en distintos grados de desnudez. Buscábamos una entrada al subsótano, que era donde una chica con ojos de cierva vestida a la última moda gótica nos había dicho lánguidamente que estaría «el amo». Intenté no prestar demasiada atención a los gruñidos, gemidos y jadeos que llegaban a mis oídos mientras pasaba con todo el cuidado del mundo por encima de los amasijos de cuerpos que se acometían rítmicamente entre sí.

Barrons soltó una seca carcajada, un sonido hueco en el que no había el menor rastro de humor.

—Si lo es, quien lo convirtió en un no muerto debería ser ahogado en agua bendita y luego habría que arrancarle los colmillos, castrarlo, arrancarle la piel a tiras, atravesarlo con una estaca y dejarlo expuesto el sol para que pereciese con el cuerpo lleno de ampollas. —Se quedó callado un instante, y luego dijo—: ¿Siente usted algo, señorita Lane?

No creí que se estuviese refiriendo a si me sentía escandalizada por toda aquella actividad sexual sobre la que acababa de pasar, así que sacudí la cabeza.

Pasamos junto a media docena de invisibles más antes de que encontráramos el subsótano. Entremezcladas con la juventud gótica de piel muy blanca y uñas y labios pintados de negro, que lucía sus *piercings* y sus cadenas, las criaturas mágicas oscuras les estaban haciendo a sus víctimas involuntarias cosas que me obligaron a desviar la mirada. Aunque no vi a ninguno que fuese tan horripilante como el hombre gris o la cosa con muchas bocas, estaba empezando a darme cuenta de que no había ningún invisible al que se pudiera llamar atractivo.

—Se equivoca —dijo Barrons cuando se lo comenté—. La realeza invisible, los príncipes y las princesas de las cuatro casas, son tan inhumanamente hermosos como la realeza visible. De hecho, es prácticamente imposible distinguirlos de ella.

—¿Por qué hay tantos invisibles aquí?

—La morbosidad es su oxígeno, señorita Lane. Respiran a pleno pulmón en esta clase de lugares.

Llevábamos un rato recorriendo un tortuoso laberinto de corredores subterráneos. Entonces entramos en un largo corredor sumido en la penumbra que terminaba en una inmensa puerta cuadrada negra y reforzada con bandas de acero. Una docena de hombres montaban guardia allí para interponerse entre Mallucé y los fieles excesivamente fervientes, con los hombros bien provistos de cartucheras y empuñando armas automáticas.

Un hombretón con el cráneo afeitado se interpuso en nuestro camino, cortándonos el paso. Los imperdibles en sus orejas no me molestaron. Los que llevaba en los párpados sí.

—¿Adónde te crees que vas? —gruñó, volviendo su rifle hacia Barrons con una mano mientras apoyaba el canto de la otra en la culata de una pistola embutida bajo la cinturilla de sus pantalones de cuero negro.

—Informa a Mallucé de que está aquí Jericho Barrons.

—¿Por qué coño debería importarle eso al amo?

—Tengo algo que él quiere.

—¿Oh sí? ¿Como qué?

Barrons sonrió y por primera vez vi un destello de auténtico humor en sus oscuros ojos.

—Dile que intente acceder a cualquiera de sus muchas cuentas bancarias.

Diez minutos después la puerta del santasanctórum de Mallucé se abrió de golpe. El mensajero del cráneo afeitado salió por ella dando traspiés, con el rostro lívido y la camisa llena de sangre.

Fue seguido por dos chicos rinoceronte invisibles que nos clavaron los cañones de sus armas en los costados y nos llevaron a través del umbral y al interior de la guarida del vampiro. Las náuseas me convulsionaron el estómago y aferré mi bolso con las dos manos para no tocar por descuido a ninguno de nuestros feos escoltas.

La cámara que había al otro lado de la puerta reforzada con bandas de acero se hallaba tan suntuosamente decorada con satenes, gasas, brocados y terciopelos, y tan repleta de mobiliario neovictoriano que costaba localizar a nuestro anfitrión entre todo aquel amasijo. Tampoco ayudaba mucho el que su atuendo hiciera juego con lo que lo rodeaba, en una auténtica apoteosis del gótico romántico.

Por fin di con él. Inmóvil en un sofá de respaldo bajo lleno de molduras sobre el que había esparcidos cojines dorados y cobertores adornados con borlas, Mallucé llevaba unos pantalones a rayas negras y marrones cortados a medida y calzaba unas zapatillas italianas hechas a mano. Las chorreras de su camisa de lino blanco como una cáscara de huevo goteaban encajes sobre sus muñecas y su cuello, y sangre sobre su pecho. Llevaba una chaqueta de brocado y terciopelo en tonos ámbar, rojo oscuro y oro y, mientras yo lo miraba, sacó de un bolsillo en el forro de la chaqueta un pañuelo de nívea apariencia y se limpió delicadamente un poco de sangre de la barbilla, para luego lamer unas cuantas gotas que le habían quedado en los labios. Musculoso y flexible como un gato, era tan pálido y liso como un busto de mármol. Sus muertos ojos amarillos daban un aire de fiera a su rostro, demasiado blanco y de facciones muy marcadas. Largos cabellos rubios recogidos sobre la nuca en una anticuada cola de caballo sujetada por una cinta de abalorios de ámbar enfatizaban todavía más su palidez anormalmente rígida.

El vampiro se separó del sofá con un movimiento sinuoso y se puso de pie, con un ordenador portátil incongruentemente moderno en sus manos. Con un grácil vaivén de los dedos, cerró el estuche cromado, lo arrojó descuidadamente sobre una mesa cubierta de terciopelo, y luego se deslizó hacia delante hasta detenerse ante nosotros.

Mientras permanecía de pie allí en toda su inmovilidad de no muerto, frente a frente a toda la carnalidad masculina y la inquietante vitalidad de Jericho Barrons, me sorprendió descubrir que, aunque me hallaba en las entrañas de la guarida de un vampiro, rodeada por sus adoradores y sus monstruosos secuaces, si se me hubiera obligado a decidir cuál de los dos hombres que había ante mí era el más peligroso, no habría optado por Mallucé. Entornando los ojos, miré primero a uno y luego al otro. Algo me rondaba por la cabeza, algo que no acababa de definir. Era una cosa que sería estúpidamente incapaz de precisar hasta que fuese demasiado tarde. Dentro de poco, comprendería que aquella noche nada había sido lo que parecía, y la razón por la que Barrons hizo frente con tal impasibilidad al amo que chupaba la sangre era porque había entrado allí con la certeza de que, pasara lo que pasara, saldría vivo de su guarida, y no porque tuviese agarrado a Mallucé por las proverbiales pelotas fiscales.

—¿Qué has hecho con mi dinero? —inquirió el vampiro, su voz suave como la seda, incongruente con el brillo acerado que refulgía en sus extraños ojos color limón.

Barrons rio, un destello de dientes muy blancos en su oscuro rostro.

—Considéralo una póliza de seguros. Te lo devolveré cuando hayamos acabado, Johnstone.

El retroceso de los labios del vampiro reveló unos largos y afilados colmillos puntiagudos. Aún había sangre en ellos. Una expresión de rabia irracional cruzó por su gélido rostro.

—Me llamo Mallucé, gilipollas —siseó.

«Barrons acaba de anotarse el primer tanto», pensé. J. J. Jr. aún odiaba su nombre. Perder el control de una inmensa fortuna parecía disgustarlo mucho menos que una minucia como el que se dirigiesen a él llamándolo por el nombre con el que había sido bautizado.

Barrons paseó una mirada desdeñosa por el vampiro, desde los encajes manchados de sangre que cubrían la pechera de su camisa hasta las puntiagudas zapatillas de cuero con ribetes de seda que calzaba.

—Mallucé gilipollas —repitió—. Y yo que pensaba que tu segundo nombre era «pesadilla de un diseñador de modas».

Los inhumanos ojos amarillos de Mallucé se entornaron.

—¿Es que deseas morir, humano? —Se había recuperado rápidamente, su rostro volvía a estar vacío de toda expresión, su voz nuevamente controlada, tan suave y melodiosa que casi era una caricia verbal.

Barrons volvió a reír.

—Podría ser. Pero dudo que fueras a ayudarme a hacer realidad mi deseo. ¿Qué sabes acerca del *Sinsar Dubh*, Jr.?

Mallucé se encogió, casi imperceptiblemente, pero el gesto estuvo allí. Si yo no lo hubiera estado observando con tanta atención, no lo habría captado. Con ésta ya eran dos las veces que mostraba una emoción, algo que me hubiese jugado cualquier cosa a que rara vez hacía. Con una mirada a sus guardias, luego en dirección a la puerta, dijo:

—Fuera. Excepto tú. —Señaló a Barrons.

Barrons me pasó un brazo por los hombros y yo me estremecí de inmediato, igual que me había sucedido la noche anterior cuando me tocó. Aquel hombre tenía auténtica pegada, hasta tal punto que la notabas físicamente.

—Ella se queda conmigo —dijo Barrons.

Mallucé me lanzó una mirada despectiva. Despacio, muy despacio, sus labios se curvaron. La sonrisa no hacía juego con sus aterradores ojos muertos de animal.

—Alguien se ha tomado muy a pecho esa vieja canción de los Rolling Stones, ¿eh? —murmuró.

Todo el mundo se siente con derecho a ejercer de crítico en cuestiones de moda. Yo sabía a qué canción se refería el vampiro: *She's a Rainbow.* Cada vez que la escuchaba en mi iPod, cerraba los ojos y me ponía a dar vueltas, imaginándome que estaba en un claro lleno de sol, con los brazos extendidos y la cabeza inclinada hacia atrás, mientras todos los colores del espectro solar salían disparados de las puntas de mis dedos como de otros tantos pequeños aerógrafos y pintaban los árboles, los pájaros, las abejas y las flores, incluso el sol en el cielo, con una preciosa paleta de tonos. Yo adoraba esa canción. Cuando no le respondí, porque Barrons y yo podíamos haber llegado a un acuerdo sobre cuáles eran las formas de referirse a mi persona que yo encontraría aceptables por parte de él y cuáles no, pero yo seguía teniendo órdenes de no abrir la boca, Mallucé se volvió hacia sus guardaespaldas, que no se habían movido ni un milímetro, y siseó:

—He dicho fuera.

Los dos invisibles se miraron, y luego uno de ellos habló en una voz muy áspera:

—Pero ¡Oh, Gran No Muerto...!

—Me tomas el pelo, Jr. —musitó Barrons al tiempo que sacudía la cabeza—. ¿De verdad no se te ha ocurrido nada un poco más original?

—Ahora. —Cuando Mallucé les enseñó los colmillos, los guardaespaldas chicos rinoceronte se fueron. Pero no pareció gustarles nada tener que hacerlo.

13

—Bueno, eso ha sido una pura pérdida de tiempo —gruñó Barrons mientras desandábamos lo andado a través del mobiliario antiguo y los murales excesivamente modernos de la casa de Mallucé.

Yo no dije nada. Los chicos rinoceronte nos pisaban los talones, asegurándose de que nos íbamos. «El amo» estaba muy disgustado con nosotros.

En cuanto hubo despedido a sus guardaespaldas, Mallucé simplemente había fingido no saber de qué estaba hablando Barrons, comportándose como si nunca hubiera oído hablar del *Sinsar Dubh* anteriormente, pese a que hasta un ciego hubiese podido ver que no sólo había oído hablar de ese libro, sino que sabía algo acerca de él que lo inquietaba profundamente. Él y Barrons se enzarzaron en un campeonato de cabreo, intercambiando pullas e insultos, y en cuestión de segundos, se habían olvidado completamente de mí.

A los diez minutos de su pequeña guerra privada de testosterona, uno de los guardias de Mallucé (uno de los humanos) fue lo bastante idiota para atreverse a interrumpirlos, y entonces vi algo que me convenció de que J. J. Jr. realmente era lo que afir-

171

maba ser, o al menos era... algo sobrenatural. Porque el vampiro cerró una pálida mano alrededor del cuello de aquel matón que mediría sus buenos dos metros, lo levantó en vilo y lo lanzó a través de la cámara con una fuerza tal que su cuerpo chocó contra una pared, quedó hecho un fardo en el suelo y yació allí, la cabeza inclinada en un ángulo imposible con respecto al pecho mientras la sangre empezaba a manarle de la nariz y de los oídos. Mallucé no se había movido del sitio, un fulgor ultraterreno en sus ojos amarillos, y por un momento, temí que fuera a abalanzarse babeando sobre aquel bulto ensangrentado para darse un banquete con él.

«Hora de irse», pensé yo, al borde de la histeria. Pero entonces Barrons dijo algo desagradable y él y Mallucé volvieron a llamarse de todo, así que me quedé en el sitio y me apreté el cuerpo con los brazos porque de pronto hacía un frío terrible, mientras golpeaba nerviosamente el suelo con un pie e intentaba no vomitar.

Los chicos rinoceronte no nos dejaron en la puerta sino que nos escoltaron toda la distancia hasta el Porsche, y esperaron junto a él mientras subíamos. Aún estaban de pie allí con su colega ayuda de cámara cuando nos marchamos como una exhalación. No dejé de observarlos en el retrovisor de mi lado hasta que por fin se perdieron de vista, y entonces exhalé un inmenso suspiro de alivio. Había sido la experiencia más inquietante de mi vida, e incluso sobrepasaba mi encuentro con la horrenda cosa con muchas bocas.

—Dígame que nunca tendremos que volver ahí —le murmuré a Barrons mientras me frotaba las palmas sudorosas en la falda.

—Pero es que hemos de hacerlo, señorita Lane. No tuvimos ocasión de recorrer los jardines. Tendremos que volver dentro de uno o dos días para echar una mirada.

—En los jardines no hay nada —le dije.

Él me miró.

—No puede estar segura de eso. La propiedad de Mallucé abarca cientos de hectáreas.

Suspiré. No me cabía duda de que, si le dejaba hacer las cosas a su manera, Barrons me obligaría a recorrer hasta el último maldito centímetro de la propiedad, llevándome de un lado para otro como si fuera su infatigable cepillo psíquico contra la borra.

—En los jardines no hay nada, Barrons —repetí.

—Una vez más, señorita Lane, no puede estar segura de eso. No empezó a percibir las fotocopias del *Sinsar Dubh* hasta que las saqué de la bóveda tres pisos debajo del garaje y las traje a la librería.

Parpadeé.

—¿Hay tres pisos debajo del garaje? ¿Por qué?

Barrons apretó las mandíbulas, como si lamentara haberlo admitido. Pude ver que no conseguiría sacarle nada más acerca del tema así que decidí insistir en lo que realmente me importaba. No volvería a la guarida del vampiro; ni el día siguiente, ni siquiera la semana siguiente. Si me pillaban, me matarían, de eso estaba segura. Yo no había sido lo que se dice discreta.

—No estoy de acuerdo —dije—. Pienso que Mallucé guardaría cerca de él cualquier cosa que valorase mucho. Querría tenerla a mano, aunque sólo fuese para sacarla de vez en cuando y poder regodearse contemplándola.

Barrons me lanzó una mirada de soslayo.

—¿Así que ahora es usted una experta en Mallucé?

—Una experta no, pero creo que sé una o dos cosas —dije a la defensiva.

—¿Y a qué puede ser debido eso, señorita arco iris?

A veces podía ser un auténtico capullo. Hice como que no lo había oído, porque de esa manera lo que iba a venir a continuación me resultaría todavía más delicioso. Haber tenido que dejar el neceser de cosméticos para las emergencias que me había regalado mamá, el cepillo del pelo, mi rosa de uñas favorito y dos barritas de caramelo sobre una mesa en la guarida del vampiro casi valió la pena cuando abrí la cremallera de mi bolso, saqué de él una cajita de esmalte negro y la agité ante Barrons.

—Porque ahí era donde estaba esto —dije con una sonrisita de satisfacción—. Lo más a mano posible.

Barrons redujo la velocidad, y pisó los frenos tan fuerte que los neumáticos chirriaron y las zapatas echaron humo.

—No lo he hecho tan mal. Venga, Barrons, dígalo —lo animé—. No lo he hecho tan mal, ¿verdad? —No sólo podía percibir el *Sinsar Dubh*, sino que aparentemente también podía percibir la presencia de todos los objetos de poder de las criaturas mágicas, y estaba muy orgullosa de la limpieza con que había sabido sustraer el primero de ellos que se me había puesto a tiro.

Habíamos cubierto el trayecto de vuelta a la librería a sólo una pizca por debajo de la velocidad de la luz y ahora estábamos sentados en el área de conversación de la parte de atrás, donde Barrons estaba examinando los despojos de mi primera presa.

—Dejando aparte que se olvidó el equivalente de su tarjeta de visita sobre la mesa para que todos pudieran verla, señorita Lane —dijo mientras hacía girar la elaborada cajita en las manos—, lo que fue una inmensa estupidez por su parte, supongo que se podría admitir que al menos no se ha hecho matar. Todavía.

Resoplé. Pero sospechaba que ese tipo de tenue elogio condenatorio probablemente era lo mejor que podías llegar a recibir de Jericho Barrons. Cuando nos detuvimos con los neumáticos echando humo en mitad de la carretera, no lo bastante lejos de la guarida de Mallucé para lo que me hubiera gustado a mí, y confesé que había dejado olvidados unos cuantos objetos personales, él volvió a poner en marcha el Porsche y regresamos a la ciudad como si tuviéramos que adelantar a la luna.

—No me quedó más remedio —dije por enésima vez—. Ya le he explicado que era la única forma de que me cupiese en el bolso. —Le lancé una mirada de reproche, pero Barrons sólo tenía ojos para el objeto de poder, que estaba intentando averiguar cómo abrir—. La próxima vez recordaré que no he de meter las narices donde no me llaman y lo dejaré en el sitio —dije con voz malhumorada—. Supongo que así estará usted más contento, ¿eh?

Alzó la mirada, sus oscuros ojos rezumando gélida altivez europea.

—No era eso lo que yo quería decir, señorita Lane, y usted lo sabe.

Imité su expresión y se la arrojé a la cara.

—Pues entonces no me riña por haber hecho algo de la única forma en que podía hacerse, Barrons. No se me ocurrió ninguna manera de sacarla de allí escondida bajo mi falda, y es evidente que no podía metérmela en el sujetador.

Él desvió la mirada hacia mis pechos y la mantuvo allí unos instantes.

Cuando volvió a centrar su atención en la cajita, contuve la respiración y me quedé mirando su oscura coronilla. Barrons acababa de dedicarme la mirada más carnal, sexualmente cargada y llena de deseo que había visto en mi vida, y habría podido jurar que él ni siquiera sabía que lo hubiese hecho. De pronto sentí un extraño calor en los pechos y noté la boca incómodamente reseca. Jericho Barrons podía ser sólo siete u ocho años mayor que yo, y podía ser lo que la mayoría de las mujeres considerarían extremadamente atractivo a su manera oscura e imponente, pero él y yo proveníamos de mundos diferentes..., no veíamos la vida de la misma forma. Las gacelas no se acuestan con los leones. Después de un largo momento de perplejidad, sacudí la cabeza, me esforcé por borrar de mis pensamientos aquella mirada tan inexplicable, porque no había cabida para ella en mi realidad, y recurrí a un rápido cambio de tema.

—Bueno, ¿qué es? ¿Alguna idea? —La sensación que extraía de ella no era la misma que me habían producido las fotocopias del *Sinsar Dubh*. Aunque había empezado a tener náuseas apenas entré en la cámara, el malestar nunca llegó a ser lo bastante intenso para dejarme incapacitada, ni siquiera cuando localicé la cosa y me quedé de pie junto a ella. Había sabido aprovechar el ridículo cruce de fanfarronadas entre Barrons y Mallucé, y pude hacerme con la cajita. Tenerla en las manos no había sido agradable, pero fui capaz de vérmelas con mi nervioso estómago.

—Si es lo que pienso —replicó Barrons—, entonces es casi tan importante como el Libro Oscuro, indispensable para nosotros. Ah —dijo con satisfacción—, ya lo tengo. —Con una serie de tenues chasquidos metálicos, la cajita se abrió.

Me incliné hacia delante y miré en el interior. Ahí, depositada sobre un lecho de terciopelo negro, había una piedra traslúcida de un negro azulado que parecía haber sido separada de otra mucho más grande mediante una serie de cortes. Tanto las lisas superficies exteriores como las más rugosas caras interiores se encontraban cubiertas por lo que parecían ser runas. La piedra emitía un extraño resplandor azulino que se oscurecía hasta un negro carbón en los bordes exteriores. Sentí que me entraban escalofríos con sólo mirarla.

—Ah sí, señorita Lane —murmuró Barrons—, no cabe duda de que hay que felicitarla. Torpeza de métodos aparte, ahora tenemos dos de las cuatro piedras sagradas necesarias para desentrañar los secretos del *Sinsar Dubh*.

—Yo sólo veo una —dije.

—Tengo a su compañera dentro de mi bóveda —dijo Barrons, al tiempo que pasaba los dedos por la superficie elevada de la piedra que zumbaba suavemente.

—¿Por qué hace ese ruido? —Empezaba a sentir mucha curiosidad sobre las cosas que podían estar guardadas bajo el garaje de Barrons.

—Tiene que percibir la proximidad de su homóloga. Se dice que si las cuatro vuelven a quedar unidas, cantarán una Canción del Hacer.

—¿Quiere decir que crearán algo? —pregunté.

Barrons se encogió de hombros.

—El lenguaje de las criaturas mágicas carece de palabras equivalentes a «crear» o «destruir». Sólo existe el Hacer, que también incluye el deshacer una cosa.

—Qué raro —dije—. Han de tener un lenguaje muy limitado.

—Lo que tienen, señorita Lane, es un lenguaje muy preciso. Si piensa en ello un momento, enseguida verá que tiene su lógica; por ejemplo, cuando usted hace algo que tiene sentido, acaba de deshacer la confusión.

—¿Eh? —Mi confusión no había quedado deshecha. De hecho, podía sentirla crecer.

—Para hacer algo, señorita Lane, primero tiene que deshacer lo que es en el proceso. Si empieza con nada, incluso la nada queda deshecha cuando es reemplazada por algo. Para los tuatha dé no hay diferencia alguna entre el crear y el destruir. Sólo existen el éxtasis y el cambio.

Soy una chica sencilla. Sudé lo mío para aprobar los cursos de filosofía de la universidad. Cuando intenté leer *El ser y la nada* de Jean Paul Sartre, me sobrevenían episodios de narcolepsia cada dos o tres párrafos, al final de los cuales terminaba cayendo en un sueño tan profundo que parecía haber entrado en coma. Lo único que recuerdo de *La metamorfosis* de Kafka es aquella horrible manzana que se estrellaba contra la espalda del bicho, y lo único que saqué en claro de ese cuento tan estúpido sobre el avatar y la tortuga que escribió Borges fue que me gustaba mucho más *El conejito Chuchú*; rima y puedes saltar a la comba mientras lo cantas.

A mi modo de ver, lo que me acababa de explicar Barrons se reducía a esto: a una criatura mágica no sólo le daba igual si yo vivía o moría, sino que además ni siquiera llegaría a enterarse de que había muerto. Para ella la única diferencia sería que antes yo podía caminar y hablar y cambiarme de ropa solita, mientras que después ya no sería capaz de hacer nada de todo eso, como si alguien me hubiera sacado las pilas.

No pude evitar pensar que sería fácil aprender a odiar a las criaturas mágicas.

Con una disculpa musitada a mamá, cogí una almohada hecha jirones, la arrojé a través del dormitorio saqueado y chillé:

—¡Maldición, maldición y maldición! ¿Dónde diablos lo pusiste, Alina?

Una lluvia de plumas se esparció por la habitación. Lo poco que quedaba intacto de la almohada rasgada se estrelló contra el cuadro enmarcado de una casita con techumbre de paja junto al mar que colgaba sobre la cabecera de la cama, una de las pocas cosas del apartamento de mi hermana que no habían tocado, e hizo que cayese de la pared. Por suerte, aterrizó sobre la cama y el cristal no se rompió. Por desgracia, la caída no reveló la existencia de ningún agujerito que pudiera servir como escondite.

Me senté en el suelo, apoyé la espalda en la pared y alcé la mirada hacia el techo, esperando a que me viniese la inspiración. No vino. Se me habían acabado las ideas. Había examinado cada uno de los lugares en los que sabía que Alina había escondido un diario cuando vivíamos en casa y luego unos cuantos sitios posibles más, sin suerte. No sólo no había encontrado el diario de mi hermana, sino que había descubierto que también faltaban unas cuantas cosas más: sus álbumes de fotos y su planificador Franklin con motivos florales en las páginas. Alina llevaba al día su planificador con la misma regularidad que empleaba para escribir en su diario, y yo sabía que tenía dos álbumes de fotos en Dublín: uno de nuestra familia y nuestro hogar en Ashford para enseñárselo a sus nuevas amistades, y uno vacío para ir llenándolo mientras estuviera allí.

No había podido dar con ninguno de los dos. Y eso que había registrado a fondo el apartamento.

Había llegado al extremo de entrar en una ferretería de camino al apartamento y comprar un martillo, para poder arrancar las tablas del suelo en el armario del dormitorio de mi hermana. Acabé usando las orejas del martillo para arrancar todas las molduras y los zócalos del apartamento, en busca de algún escondite. Di golpecitos en todos los rincones de la chimenea para averiguar si sonaban a hueco. Martillé las tablas del suelo, aguzando el oído en busca del mismo sonido. Examiné hasta el último mueble, por arriba, por abajo y por los lados, e incluso miré dentro, así como debajo, de la cisterna del retrete.

No encontré nada.

Si su diario estaba escondido en algún lugar del apartamento, esta vez Alina me había ganado. Lo único que me quedaba por probar era llevar a cabo una demolición completa del sitio: echar abajo las paredes, arrancar los armarios de la cocina, levantar los suelos, y una vez que hubiera llegado a ese punto, tendría que comprar el maldito edificio sólo para pagar todos los daños que había causado y yo no andaba lo bastante bien de dinero para eso.

Contuve la respiración. Pero Barrons sí. Y podía ofrecerle un buen incentivo para que quisiera encontrar el cuaderno de notas de Alina. Quería hacerme con el diario de mi hermana por todas las pistas que podía contener acerca de la identidad de su asesino, pero había una buena posibilidad de que también contuviese información acerca del paradero del *Sinsar Dubh*. Después de todo, lo último que había dicho mi hermana en su mensaje era «ahora sé lo que es, y sé dónde»..., antes de que sus palabras hubieran terminado abruptamente. Había muchas probabilidades de que hubiera escrito algo acerca de ello en su diario.

La pregunta era: ¿podía confiar yo en Jericho Barrons, y de ser así, hasta dónde?

Con la mirada perdida en el vacío, me pregunté qué sabía realmente acerca de él. Poco. Mitad vasco mitad picto o celta y oscuramente exótico, Barrons era un misterio celosamente custodiado que yo estaba segura él siempre mantendría oculto a los ojos del mundo. Tal vez Fiona supiera una o dos cosas sobre su jefe, pero ella misma era otro misterio.

Una cosa sí que sabía, y era que cuando volviera a ver a Barrons sin duda lo encontraría de un humor de perros. Lo último que me había dicho, con su altanería habitual, antes de que yo fuera a acostarme cuando apenas podía tenerme en pie ya bien entrada la madrugada, fue: «Mañana tengo cosas que hacer, señorita Lane. No se moverá de la librería hasta mi regreso. Fiona le traerá cualquier cosa que pueda necesitar.»

Yo había hecho caso omiso de sus órdenes y, poco después de despertarme a las dos y media de la tarde, había salido por la puerta de atrás para ir por el callejón que había detrás del establecimiento. No, no estaba siendo estúpida y no tenía ningún deseo de morir. Lo que tenía era una misión, y no podía permitirme el lujo de dejar que el miedo me paralizara, porque para eso más valía que reservara el primer asiento disponible en el próximo vuelo a Georgia, para correr a casa con el rabo entre las piernas y esperar que papá y mamá cuidaran de mí.

Sí, ya sabía que la cosa con muchas bocas rondaba por ahí fuera buscando a la versión más rubia y caserita de mi persona. Sí, no me cabía duda de que mientras Mallucé pasaba las horas de luz dormitando dentro de un aparatoso ataúd romántico gótico oculto en alguna parte, los encajes de su camisa manchados de sangre seca, sus hombres ya estarían peinando Dublín en busca de la ladrona señorita Arco Iris.

Pero nadie estaría buscando a este nuevo yo. Ahora iba de incógnito.

Me había recogido el pelo oscuro en una corta cola de caballo que remetí bajo una gorra de béisbol, calada hasta las cejas. Me había puesto mis vaqueros descoloridos favoritos, una camiseta de una talla superior a la mía y cuyas costuras empezaban a deshilacharse, que le mangué a papá antes de irme de casa y a la que cien lavados habían despojado de su negrura inicial, y unas zapatillas de tenis llenas de arañazos. No llevaba ni un solo accesorio y había cogido una bolsa de papel marrón para usarla de bolso. No me había puesto maquillaje; nada, cero, ni siquiera pintalabios, aunque notaba la boca un poco rara sin él. Soy bastante adicta a los humidificadores. Supongo que será porque siempre he vivido en el calor sureño. Hasta el mejor cutis necesita unos cuantos cuidados extra allí abajo. Pero la auténtica joya de mi disfraz era un espanto de gafas con cristales graduados que había comprado en una farmacia por el camino, y que ahora llevaba colgadas del cuello de mi deprimente camiseta.

Quizás estéis pensando que no era gran cosa como disfraz, pero servir mesas me ha dado ocasión de descubrir unas cuantas cosas sobre la gente. Sólo se fija en las mujeres jóvenes y guapas que van bien vestidas. Y hace todo lo que está en su mano para no ver a las poco atractivas que van vestidas de cualquier manera. Si eres lo bastante desastre, como mucho recibes esa mirada desde mil metros que resbala sobre tu persona. No cabía duda de que yo nunca había tenido peor aspecto. Tampoco es que estuviera orgullosa de ello, pero al mismo tiempo sí que lo estaba. Nunca conseguiría ser fea, pero al menos podía rayar en lo invisible.

Consulté el reloj y me puse en pie. Había pasado horas registrando el apartamento de Alina; ya eran casi las siete. Barrons parecía tener el hábito de presentarse en la librería poco después de las ocho, y yo quería estar de vuelta allí antes de que él llegara. Sabía que Fiona se chivaría de todas formas, pero yo me había dicho que Barrons no se mostraría ni la mitad de enfadado si su detector personal de objetos de poder ya estaba de vuelta sano y salvo para cuando apareciera él que si lo dejaba cocerse un buen rato en la posibilidad de que lo hubiese perdido para siempre.

Recogí mi bolso, volví a calarme el horrendo par de gafas, me bajé la gorra todo lo que daba de sí mi cabeza, apagué las luces y cerré con llave.

El aire era cálido y las franjas anaranjadas y carmesíes de una magnífica puesta de sol surcaban el cielo cuando salí del edificio. Iba a hacer una preciosa noche de mediados de verano en Dublín. El apartamento de Alina y el establecimiento de Barrons quedaban en extremos opuestos del siempre muy concurrido barrio de Temple Bar, pero me daba igual que para volver a la librería tuviese que abrirme paso a través de un gentío que iba a pasarlo bien en los pubs. No estaba nada contenta, pero siempre era agradable ver a otras personas que sí lo estaban. Eso hacía que me sintiera un poco más optimista con respecto a mis probabilidades de salir con bien de aquel embrollo.

Mientras iba presurosamente por las calles adoquinadas, ni una sola persona se molestó en mirarme. Complacida con mi invisibilidad, me desconecté resueltamente de mi cada vez más extraño y deprimente universo poniendo en marcha el iPod. Estaba oyendo uno de mis grandes éxitos sorpresa favoritos, *Laid*, de James, «esta cama arde con el fuego del amor apasionado, los vecinos de arriba se quejan de los ruidos, pero ella sólo se corre si se me ha puesto encima», cuando vi a la criatura mágica.

Me entraron ganas de follar en cuanto le eché el ojo.

Antes os expliqué que me cuesta muchísimo decir palabrotas, especialmente ésa en particular, así que podréis haceros una idea del impacto que me produjo encontrarme con aquella criatura mágica si os digo que la palabra entró en mi mente a paso de carga y tomó el control del lóbulo frontal. El ego y el superego fueron quitados de en medio con un solo y mortífero mandoble y el trono pasó a ser ocupado por mi nuevo monarca; ese pequeño bastardo primitivo y hedonista, el ello.

En cuestión de segundos estaba cachonda, mojada y con las bragas resbalándome por la entrepierna, y cada célula de mi cuerpo se había hinchado en una súbita explosión de necesidad. Los pechos y el sexo me daban saltitos de alegría sólo con mirar a la criatura; se hicieron más suaves, más llenos, más pesados. La fricción de los pezones contra el sujetador pasó a ser repentinamente un método de tortura sexual impensable hasta entonces, las bragas me oprimían más que todas las cuerdas y las cadenas del mundo, y necesitaba desesperadamente tener algo entre las piernas, que me embistiera una y otra vez para llenarme hasta que no me cupiera ni un centímetro más. Necesitaba fricción. Necesitaba sentir una fricción bien gruesa, caliente, larga y dura entrando y saliendo de mí. ¡Entrando y saliendo, una y otra vez, oh Dios, por favor, necesitaba... algo! Ninguna otra cosa haría cesar mi dolor, ninguna otra cosa satisfaría mi único propósito en la existencia: follar.

De pronto la ropa era una ofensa para mi piel. Necesitaba quitármela. Cerré las manos sobre el extremo inferior de mi camiseta y empecé a pasármela por la cabeza.

La brisa en mi piel desnuda me sobresaltó. Me quedé muy quieta, la camiseta medio tapándome la cara.

Mi hermana estaba muerta. Enterrada y pudriéndose en una tumba junto a la iglesia a la que habíamos ido desde que éramos pequeñas. La iglesia en la que ambas habíamos soñado que nos casaríamos algún día. Alina nunca llegaría a hacerlo.

Por culpa de una criatura mágica, de eso no me cabía duda. Después de los acontecimientos de los últimos días, estaba segura de que una o varias de ellas habían sido responsables del brutal asesinato de mi hermana. De haberla despedazado con sus dientes y sus garras, y de sólo Dios sabía qué otras cosas que le habrían hecho. No, el forense no había encontrado rastros de semen dentro de ella, pero lo que sí había encontrado dentro de ella, eso no había sido capaz de explicarlo. La mayor parte del tiempo yo intentaba no pensar demasiado en ello.

—Me parece que no —siseé, volviendo a bajarme la camiseta de un tirón. Aproveché ese momento para arrancarme los tapones de los auriculares de los oídos. Escuchar a James mientras cantaba sobre el sexo obsesivo compulsivo estaba demostrando ser el equivalente de echar gasolina sobre una llama—. No sé qué es lo que me estás haciendo, pero yo que tú lo dejaría correr. Pierdes el tiempo.

—No es nada que yo haga, *sidhe* vidente —me dijo la criatura mágica—. Es lo que soy. Soy cada sueño erótico que hayas tenido nunca y mil más que nunca se te han llegado a pasar por la cabeza. Soy sexo en estado puro que te volverá del revés y te consumirá hasta dejarte reducida a cenizas. —Sonrió—. Y si quiero, luego puedo volver a hacer que estés entera.

Su voz era profunda, dulce y melodiosa y tuvo todo el impacto de una lenta succión sensual sobre mis pezones hinchados. El infierno erótico volvió a inflamarse en mi interior. Retrocedí, directamente hacia la ventana que tenía detrás. Me apreté contra ella, temblando.

«Alina está muerta por culpa de una de estas cosas.» Me agarré a ese pensamiento como si fuese un bote salvavidas.

La criatura mágica estaba de pie en el centro de la calle adoquinada, a unos cinco metros de mí, sin mostrar señales de que quisiera acercarse. El tráfico rodado estaba prohibido en esta parte de Temple Bar y los peatones que cruzaban la calle daban un plácido rodeo alrededor de ella sin molestarse en mirarla.

Tampoco me dedicaban ni una sola mirada, cosa que no me habría parecido particularmente digna de mención si no fuese porque me había vuelto a subir la camiseta y le estaba enseñando al mundo mi sujetador rosa con encajes, del modelo que te levanta el busto, así como la mayor parte de mis pechos. Con una brusca inhalación, volví a bajarme la camiseta.

Ni siquiera hoy, después de todo lo que he llegado a ver, podría empezar a describir a V'lane, príncipe de los tuatha dé danaan. Algunas cosas son sencillamente demasiado inmensas, demasiado excelsas para que se las pueda llegar a aprisionar en palabras. Esto es lo mejor que puedo ofrecer: imagínate a un arcángel altísimo y lleno de poder, aterradoramente masculino, espantosamente hermoso. Luego píntalo con los tonos más exquisitos de castaño, bronce y oro que puedas visualizar. Dale una melena que brille con el resplandor de hebras de canela doradas por los rayos del sol, piel de terciopelo leonado y ojos de ámbar líquido, besados por oro fundido.

La criatura mágica era indeciblemente hermosa.

Y yo quería follar y follar, follar hasta morir.

Entonces lo entendí. Cada una de las criaturas mágicas con las que me había encontrado hasta ahora tenía una «cosa», su propia tarjeta personal de visita. El hombre gris robaba belleza. Las sombras chupaban vida. La cosa con muchas bocas muy probablemente devoraba carne.

Ésta era muerte por sexo. Inmolación a través del orgasmo; lo peor de todo era que su víctima se daría cuenta perfectamente, con alguna parte lejana de su cerebro, de que se estaba muriendo, mientras rogaba y suplicaba a la cosa que la estaba matando. De pronto tuve una horripilante visión de mí misma, de pie allí en la calle, desnuda, patética, retorciéndome presa de una necesidad insaciable a los pies de la cosa, invisible a los ojos de todos los que pasaban por allí, muriendo de aquella forma.

Jamás.

Me quedaba una esperanza: si lograba acercarme lo suficiente, podría dejarla paralizada y echar a correr. Fortaleciendo mi voluntad con el recuerdo infernal del aspecto que había tenido Alina el día en que tuve que identificar su cuerpo, me obligué a apartarme de la ventana del pub y di un paso adelante.

La criatura mágica retrocedió.

Yo parpadeé.

—¿Eh?

—Nada de emprender la retirada, humana —dijo la criatura mágica fríamente—. Impaciencia. Sé lo que eres, *sidhe* vidente. No hace falta que juguemos a tu estúpido juego del corre que te pillo.

—Oh, claro que no —masculué—, pero sí que vamos a dedicar un buen rato a tu ridículo juego de muerte por sexo, ¿verdad?

La criatura mágica se encogió de hombros.

—No te habría matado —dijo—. Tienes un cierto valor para nosotros. —Cuando me sonrió, por un segundo quedé deslumbrada, como si el sol acabara de asomar de detrás de las nubes para brillar únicamente sobre mí, pero quemaba tanto que me abrasó todo el cableado del cerebro—. Te habría dado sólo el placer de mi magnificencia —me explicó—, no el dolor. Nosotros podemos hacerlo, ¿sabes?

Me estremecí sólo de pensarlo: todo ese calor, pero nada de hielo; todo ese sexo, pero nada de muerte. El aire nocturno le pareció súbitamente frío a la piel recalentada de mis pechos, frígido a mis pezones abrasados por el fuego del deseo. Bajé la vista. La camiseta y el sujetador estaban tirados junto al bordillo a unos centímetros de mis pies, mezclados con los desperdicios cotidianos y la mugre de la ciudad.

Con la mandíbula apretada y las manos temblorosas, me agaché para recuperar la ropa. Ruborizándome en media docena de tonos de rojo, volví a ponerme el sujetador y me pasé nuevamente la camiseta por la cabeza. También recuperé de la calzada el bolso y el iPod y volví a encasquetarme la gorra, pero no me molesté en echar mano de mi horrendo par de gafas; no quería que la cosa pareciese aún más grande de lo que ya parecía. Entonces, sin ninguna vacilación, me volví hacia la criatura mágica y me abalancé sobre ella. Tenía que paralizarla. Era mi única esperanza, porque no quería ni pensar en cuál sería la próxima barbaridad que se me ocurriría hacer.

Antes de que pudiera llegar hasta ella, sin embargo, la criatura se volatilizó. En un momento dado estaba allí, y al siguiente había desaparecido. Me dije que acababa de presenciar cómo una criatura mágica «saltaba» de un lugar a otro a través del espacio. Pero ¿adónde había ido?

—Detrás de ti, humana —dijo.

Giré en redondo para encontrármela plantada en la acera, tres metros a mi izquierda, con los transeúntes separándose a su alrededor como el mar Rojo apartándose de Moisés, dando un rodeo que se hacía un poco más grande con cada momento que pasaba. De hecho, el tráfico peatonal parecía estar disminuyendo rápidamente en toda la calle y, aquí y allá, la puerta de un pub se cerraba de golpe para mantener a raya aquel frío nada típico del verano que había empezado a difundirse por el aire del mes de julio.

—No tenemos tiempo para jueguecitos estúpidos, MacKayla Lane.

Di un respingo.

—¿Cómo sabes mi nombre?

—Sabemos mucho acerca de ti, nulificadora —dijo la criatura mágica—. Eres una de las *sidhe* videntes más poderosas con las que nos hemos encontrado hasta ahora. Y creemos que sólo has empezado a cobrar conciencia de tu potencial.

—¿Quiénes creéis eso? —inquirí.

—Aquellos de nosotros que estamos preocupados por el futuro de ambos mundos.

—¿Con cuál de vosotros estoy hablando ahora?

—Soy V'lane, príncipe de los tuatha dé danaan, y vengo en nombre de la excelsa Aoibheal, Gran Reina de nuestra raza. Tiene una tarea que encomendarte, *sidhe* vidente.

Estuve a punto de soltar la carcajada, pero logré contenerme. Lo último que me esperaba oír de labios de ninguna criatura mágica era una frase del estilo de: «Tu misión, en el caso de que decidas aceptarla...»

—Eh, por si se diera el caso de que lo hayas olvidado, y no es que esté intentando recordártelo, líbreme Dios, pero ¿las criaturas mágicas no se sienten más inclinadas a matar a las *sidhe* videntes que a encargarles trabajitos?

—Llevamos mucho tiempo sin hacer ningún escarmiento público con alguien de vuestra raza —dijo el príncipe de los tuatha dé—. Como gesto de buena voluntad por nuestra parte y en señal de la estima que te profesa la reina, tenemos un regalo para ti.

—Oh, no —dije al tiempo que negaba con la cabeza—. Nada de regalos, gracias. —Estaba familiarizada con toda la debacle del caballo de Troya, y estaba segura de que las criaturas mágicas portadoras de regalos serían aún peores.

—Tengo entendido que has revelado tu existencia a uno o más de los invisibles —dijo el príncipe sin inmutarse.

Me envaré. ¿Cómo lo había sabido? ¿Y qué quería decir con «o más»? ¿Habrían alertado también a los cazadores reales?

—¿Y? —repliqué con un encogimiento de hombros, recurriendo a mi mejor última línea de defensa: tirarme faroles.

—Nuestro regalo te ofrece una considerable medida de protección contra aquellos que te harían daño.

—¿Incluido tú? —mascullé. Aunque estaba logrando mantener una conversación razonablemente fluida con aquella cosa, y creedme, con lo que estaba sintiendo en aquellos momentos, bastante trabajo tenía con juntar una palabra a otra, eso por no hablar de lo de intentar que fueran inteligibles, ya había tenido que volver a bajarme la camiseta un par de veces y acababa de darme cuenta de que mi mano había empezado a abrir la cremallera de los vaqueros.

—No existe protección alguna contra alguien como yo, *sidhe* vidente. Los que pertenecemos a las casas reales siempre afectamos a los humanos de esta forma. No hay nada que pueda hacerse para evitarlo.

Llegaría el día en que yo sabría reconocer esas palabras como la mentira que eran en realidad. Pero no antes de que me hubiera visto abrasada por la verdad que encerraban.

—Entonces no sé de qué me va a servir tu estúpido regalo. —Con una mueca malhumorada, volví a abrocharme el sujetador. Los pechos se me habían puesto tan calientes y apretados que me dolían. Tomé uno en cada mano y los apreté mientras trataba de darles masaje, pero mi desesperado remedio no me proporcionó ningún alivio.

—Nuestro regalo te permitiría defenderte de muchos que te matarían —dijo el príncipe de los tuatha dé—, si bien no de aquellos que tienen derecho a matarte.

Entorné los ojos y dejé caer las manos para apretarlas sobre los costados. Mis uñas dejaron crecientes de luna sobre mis palmas.

—¿Derecho a matarme? —le dije bruscamente—. ¿Era eso lo que pensaban de mi hermana los que la asesinaron? ¿Que tenían derecho a matarla?

La criatura mágica me estudió en silencio por un instante.

—A ninguno de nosotros se le ocurriría pensar tal cosa —dijo finalmente.

Sí, claro; y las pirañas son vegetarianas.

—¿En qué consiste exactamente ese regalo? —quise saber.

El príncipe me tendió una gran pulsera de oro, envuelta por una delicada filigrana de plata en la que fulguraban destellos de un fuego color rubí.

—Es la pulsera de Cruce. La mandó hacer hace mucho tiempo para una de sus más preciadas concubinas humanas. Permite disponer de una especie de escudo contra muchos invisibles y... otras criaturas desagradables.

—¿Qué pasa con los visibles? ¿También es efectiva contra ellos? —La criatura sacudió su aterradoramente hermosa cabeza. Reflexioné unos instantes—. ¿Me mantendría a salvo de lo cazadores reales? —pregunté finalmente.

—Sí —replicó la criatura.

—¿De verdad? —exclamé. ¡Eso ya era motivo más que suficiente para que quisiera hacerme con aquella pulsera! Desde que había oído hablar de esos cazadores parecidos a diablos, sólo pensar en ellos me ponía la carne de gallina, como si llevara programado un temor especial a aquella casta de invisibles en mis muy manipulados genes—. ¿Dónde está la trampa? —le pregunté. Sabía que era una pregunta estúpida. Como si la criatura fuese a decírmelo. No podía fiarme de nada de lo que me decía. No había olvidado el comentario de Barrons de que la realeza visible y la invisible eran prácticamente imposibles de distinguir. Aunque este príncipe V'lane de los tuatha dé danaan aseguraba estar allí en nombre de la reina de los visibles, yo no tenía ninguna prueba de que así fuera, ni siquiera de que él fuese lo que aseguraba ser.

—No hay ninguna trampa —replicó.

Como he dicho, era una pregunta estúpida.

—Mantengo mi posición inicial —le comuniqué—. No, gracias. Bueno, una cosa menos. Ahora vayamos al meollo del asunto. ¿Qué es lo que quieres de mí? —Volví a bajarme la camiseta. Quería que nuestra pequeña entrevista laboral acabara de una vez, cuanto más pronto mejor.

El aire se enfrió súbitamente a mi alrededor, como helado por el disgusto de la criatura mágica ante mi actitud.

—Hay problemas en el reino mágico, *sidhe* vidente —dijo—, y como has visto, también los hay en tu mundo. Después de una eternidad de confinamiento, algunos invisibles de las castas inferiores han empezado a escapar de su prisión. Pese a nuestros esfuerzos por aislar la filtración en la sustancia de nuestros reinos, no hemos podido determinar cómo se las arreglan para huir.

Me encogí de hombros.

—Bueno, ¿qué es lo que quieres que haga al respecto?

—La reina Aoibheal quiere el *Sinsar Dubh, sidhe* vidente.

Yo estaba empezando a pensar que sería menos complicado

seguirles el rastro a todas las personas que conocía en Dublín que no querían el *Sinsar Dubh*. Qué diablos, seguro que así no tendría que seguir a nadie.

—Bueno, ¿qué le impide hacerse con él? ¿No se supone que es la más poderosa de todas las criaturas mágicas? —Estaba bastante segura de que eso era lo que me había dicho Barrons. Salvo por el rey invisible, del que algunos decían que ocupaba una posición jerárquica superior a la de cualquiera de sus congéneres, mientras que otros aseguraban que era una mera figura decorativa, los «hijos de la diosa Danu» eran un matriarcado. Según Barrons, nadie sabía nada a ciencia cierta acerca del rey invisible.

—Tenemos una pequeña dificultad. No podemos percibir la presencia de nuestros propios objetos sagrados. Eso sólo pueden hacerlo ciertos *sidhe* videntes. No sabemos dónde se encuentra. —La criatura mágica parecía sentirse indignadísima por lo que acababa de admitir. ¿Cómo se atrevía el mundo a no prosternarse ante ellos para lamerles los pies? ¿Cómo se atrevía el universo a no conspirar para que todo les fuese favorable? ¿Cómo se atrevía un mero ser humano a poseer una capacidad inalcanzable para las criaturas mágicas?—. También han desaparecido otras cosas que nos gustaría recuperar.

—¿Y qué es exactamente lo que la reina quiere que haga yo para remediarlo? —Las cosas estaban empezando a tomar un curso que no me hacía ninguna gracia. No estaba segura de que pudiese sobrevivir a él.

—La reina sólo desea que continúes buscando como has hecho hasta ahora, y de vez en cuando nos informes de los progresos que hayas podido hacer. En el caso de que averigües algo, sin importar lo pequeño que pueda ser, acerca de cualquiera de nuestras sagradas reliquias, particularmente el *Sinsar Dubh*, me avisarás de inmediato.

Exhalé un suspiro de alivio. Había estado temiendo que la

criatura planeara quedarse rondando por allí mientras yo buscaba. Gracias a Dios, no iba a hacerlo.

Una vez más, me ofreció la pulsera de Cruce.

—Con esto. Te mostraré cómo usarlo.

Sacudí la cabeza.

—No me la llevaré.

—No seas tonta. Tu mundo también está padeciendo.

—De momento lo único que tengo es tu palabra al respecto —dije—. Por lo que sé, puedes estar mintiendo acerca de todo y esa pulsera podría matarme en el momento en que me la pusiera.

—Para cuando hayas encontrado una prueba que te satisfaga, *sidhe* vidente —dijo la criatura—, podría ser que ya fuera demasiado tarde para tu raza.

—Eso no es problema mío —repliqué—. Nunca he querido ser una *sidhe* vidente y en realidad ni siquiera estoy admitiendo que lo sea ahora. —Cuando estaba en la universidad, había conocido a unas cuantas personas con aspiraciones superheroicas, que querían cambiar las cosas: ingresar en el Cuerpo de Paz, o doctorarse en medicina y abrir a la gente para poder reparar las averías que tuvieran, y luego coserla para que siguiera con sus cosas, pero personalmente yo nunca había sentido ningún deseo de salvar el mundo. ¿Decorarlo? Sí. ¿Salvarlo? No. Hasta hacía poco, yo era una chica de provincias con sueños provincianos que estaba muy contenta con lo que le había deparado el destino. Entonces alguien se había cagado en mi mundo y me había obligado a salir de ese agujerito en el que era tan feliz. Había venido a Dublín con un solo propósito en el corazón: vengar la muerte de mi hermana. Entonces, y sólo entonces, podría volver a Ashford con algo que pusiera, ante mis padres, fin a la historia. Entonces quizá podríamos recuperarnos de las heridas que habíamos sufrido, y tratar de volver a ser una familia. Ése era el único mundo que me importaba salvar: el mío.

—Cambiarás de opinión —dijo la criatura.

Y de pronto ya no estaba allí.

Me quedé mirando el espacio vacío que había estado ocupando y tardé unos instantes en salir de mi estupor. Pese a los recientes horrores que había presenciado, no había sufrido ningún daño, y ver cómo algo se esfumaba delante de mis ojos me había afectado profundamente.

Miré alrededor para asegurarme de que la criatura no había vuelto a materializarse detrás de mí para cogerme desprevenida o algo por el estilo, pero estaba sola en la calle. Me sorprendí al darme cuenta de que la temperatura en mi inmediata proximidad había caído en picado hasta el punto de que podía ver la nubecilla de mi aliento en el aire. Un delgado perímetro de niebla me rodeaba hasta unos cinco metros de distancia, donde el aire refrigerado volvía a encontrarse con el calor. No tardaría en descubrir que eso era característico de la realeza; su satisfacción o su disgusto solían remodelar de mil pequeñas maneras el entorno alrededor de ellos.

Eché otra rápida mirada a mi alrededor. Sí, la calle se hallaba desierta, todos los comercios estaban cerrados, y no se veía un alma.

Tan ferozmente avergonzada de mí misma como excitada, me metí una mano en los vaqueros.

Me corrí nada más tocarme.

14

Pasaba un cuarto de las ocho cuando volví a la librería. Nada más doblar la esquina supe que Barrons ya estaba ahí. Su gran moto negra y cromada se hallaba aparcada frente a la entrada bañada por el resplandor de los focos, jugando a los primitos que se besan con el sobrio sedán de Fiona.

Puse los ojos en blanco. Mi día parecía empeñado en ir cuesta abajo. Había tenido la esperanza de que Fiona se habría ido a su hora, antes de la llegada de Barrons, y antes de que pudiera chivarse de mí.

No había habido tanta suerte.

Di la vuelta al edificio en dirección a la parte de atrás, decidiendo que entraría sigilosamente por la puerta trasera y fingiría haber pasado todo el día en el piso de arriba, con mi iPod encendido por si se diera el caso de que alguien dijera que había llamado a la puerta. Vería si colaba. Una nunca sabe si algo le saldrá bien hasta que lo intenta. Cuando doblé la esquina de atrás, mi mirada fue automáticamente hacia el final del callejón, más allá de la librería, para centrarse en el oscuro perímetro del barrio abandonado más allá de los focos posteriores. Me detuve, buscando sombras que no hubiesen debido estar allí. Una sonrisa desprovista de humor curvó mis labios; las cosas más extrañas estaban empezando a volverse instintivas.

Divisé cuatro masas de oscuridad en las que había algo raro. Tres de ellas permanecían pegadas a las sombras proyectadas por los aleros de un edificio dos puertas más abajo a la derecha; la cuarta estaba a mi izquierda, y su comportamiento era mucho más atrevido. Iba y venía a lo largo del fundamento de piedra de la tienda directamente adyacente a la librería, extendiendo y retrayendo oscuros zarcillos de sí misma, como si examinara los bordes del charco de luz que inundaba las entradas posteriores.

Las cuatro masas de oscuridad empezaron a palpitar ávidamente en cuanto me aproximé a ellas.

Barrons me había dicho: «Manténgase dentro de la luz y estará a salvo, señorita Lane. Las sombras sólo pueden llegar hasta usted en la oscuridad absoluta. Son incapaces de tolerar ni la más pequeña cantidad de luz. Nunca debe entrar en el barrio abandonado cuando sea de noche.» Y yo le había preguntado: «Bueno, ¿por qué no entra alguien allí durante el día y arregla todas esas farolas rotas? Eso nos quitaría de encima a las sombras, ¿verdad? O al menos ayudaría un poco.»

«La ciudad se ha olvidado de que existe esa área —había replicado él—. No encontrará ni un solo distrito de la *Gardai* que lo reivindique como propio, y si pregunta a la compañía de la electricidad o a la del agua le dirán que en sus registros no hay constancia de que tengan ningún abonado dentro de sus límites.»

Yo había resoplado: «Las ciudades no pierden barrios enteros. Eso es imposible.» Él había sonreído levemente: «Con el tiempo, señorita Lane, dejará usted de usar esa palabra.»

Mientras subía los escalones que conducían a la puerta de atrás, levanté el puño y lo agité en dirección a las sombras con una mueca de furia. Ya había tenido bastante de monstruos por aquella noche. La sombra que se estaba arrastrando a lo largo del fundamento del edificio me dio un buen susto cuando respondió a mi gesto erizándose visiblemente ante mí. Aquella exhibición de hostilidad inteligente me pareció aterradora, y me estremecí.

La puerta de atrás estaba cerrada con llave, pero la tercera ventana que probé se abrió sin oponer resistencia. Deplorando para mis adentros aquel flagrante olvido de las normas de seguridad más elementales por parte de Barrons, me encaramé al alféizar y entré por el hueco de la ventana. Tras una rápida parada en el cuarto de baño, me encaminé hacia la entrada de Barrons Libros y Objetos de regalo.

No sé qué fue lo que me hizo dudar cuando iba a abrir esa segunda puerta que separaba la residencia del establecimiento, pero hubo algo... Quizás oí mi nombre cuando estaba alargando la mano hacia el pomo, o me picó la curiosidad el trasfondo apremiante en la voz de Fiona que podía percibirse claramente a través de la puerta, aunque sus palabras no llegaran a ser oídas. Fuera cual fuese la razón, en lugar de revelar mi presencia, lo que hice fue empujar la puerta con mucho cuidado hasta dejarla ligeramente entornada y luego pegué la oreja a la rendija, infringiendo las normas de educación de un modo que hubiese horrorizado a todas las mujeres de mi familia diez generaciones atrás. Escuché a escondidas la conversación que estaba teniendo lugar al otro lado de la puerta.

—¡No tienes ningún derecho, Jericho, y tú lo sabes! —exclamó Fiona.

—¿Cuándo vas a aprender, Fio? —dijo Barrons—. El poder otorga el derecho. Ése es todo el derecho que necesito.

—Aquí no hay lugar para ella. No puedes dejar que se quede. ¡No lo permitiré!

—¿No lo permitirás? ¿Cuándo te convertiste en mi guardiana, Fio? —Había peligro en la suavidad con la que Barrons hizo su pregunta, pero Fiona o no lo oyó o eligió hacer como si no lo hubiera oído.

—¡Cuando empezaste a necesitar una! Tenerla aquí no es seguro, Jericho. Debe irse; esta misma noche, si puede ser, mañana como muy tarde. ¡No puedo estar todo el tiempo en la librería para asegurar que no pase nada!

—Nadie te ha pedido que lo hicieras —dijo Barrons fríamente.

—Bueno, alguien tiene que hacerlo —exclamó ella.

—¿Estás celosa, Fio? No te sienta bien.

Fiona tragó aire con un siseo ahogado. Yo casi podía verla de pie allí: los ojos encendidos de pasión, dos puntitos de color en los pómulos de su rostro de estrella de cine que empezaba a envejecer.

—Ya que tienes que llevarlo a un nivel personal, entonces sí, Jericho, estoy celosa. Sabes que no la quiero aquí. Pero no se trata sólo de mí y de lo que yo quiera o deje de querer. Esa niña es tan ignorante e inocente como largo es el día... —Vale, admito que eso me sentó fatal—. Y no tiene ni la más remota idea de lo que está haciendo. No se imagina el peligro que corre, y tú no tienes ningún derecho a seguir exponiéndola.

—No es cuestión de derecho, Fio, sino de poder. ¿Recuerdas? No estoy interesado en los derechos. Nunca lo he estado.

—Eso sí que no me lo creo, Jericho. Te conozco.

—No, Fio, tú sólo crees que me conoces. Pero la verdad es que no me conoces en absoluto. No te metas en esto o vete. Estoy seguro de que podré encontrar a otra persona para que... —se quedó callado un momento como si estuviera buscando las palabras apropiadas— atienda a mis necesidades.

—¡Oh! Atender a tus... ¡Oh! ¿Es eso lo que hago yo? ¿Atender a tus necesidades? Y además serías muy capaz de hacer lo que acabas de decir, ¿verdad? Encontrar otra persona. Me subirías al próximo tren. Apuesto a que ni siquiera me dirías adiós, ¿verdad? ¡Probablemente ni siquiera volverías a pensar en mí nunca más!

Barrons rio suavemente, y aunque yo no podía verlos, con los ojos de la imaginación vi cómo la tomaba de los hombros, quizá rozándole la pálida y suave curva de la mejilla con los nudillos.

—Fio —dijo—, mi leal, tonta y dulce Fio; siempre habrá un lugar para ti en mis pensamientos. Pero no soy el hombre que tú crees que soy. Me has idealizado imperdonablemente.

—Nunca he visto en ti nada más que lo que sé que podrías llegar a ser, si quisieras, Jericho —declaró Fiona fervientemente.

Incluso yo, una niña tan ignorante e inocente como largo era el día, para servirme de una frase acabada de acuñar, pude oír la ciega convicción del amor en su voz.

Barrons volvió a reír.

—Y al hacerlo, mi querida Fio, cometes una de las mayores equivocaciones de la humanidad: enamorarte del potencial de un hombre. Rara vez compartimos la misma visión sobre ese presunto potencial, y es aún más raro que tratemos de hacerla realidad. Deja de suspirar por el hombre que crees que yo podría ser..., y échale una buena mirada al que soy. —En mi imaginación, Barrons la había agarrado cuando puso énfasis en la palabra «mirada» y ahora la estaba zarandeando, sin ninguna delicadeza.

—Oh... —intentó decir algo la mujer.

Hubo otro silencio, que fue seguido por un jadeo ahogado, y luego un silencio mucho más largo.

—Ella se queda, Fio —murmuró Barrons pasado un rato—. Y nunca volverás a hablarme del tema, ¿verdad que no? —Yo estaba empezando a pensar que no había podido oír la réplica de ella cuando Barrons volvió a hablar, ásperamente—: ¿Verdad que no, Fio?

—Claro que no, Jericho —replicó Fiona en voz baja—. Lo que tú digas. —Sus palabras sonaron extrañamente etéreas, como las de una niña que sueña despierta.

Sorprendida por aquel drástico cambio de parecer, cerré la puerta con el mayor sigilo posible.

Luego di media vuelta y me apresuré a ir en busca de la dudosa seguridad de mi dormitorio prestado.

Más tarde esa noche, horas después de que Barrons hubiera venido a reñirme a gritos a través de mi puerta cerrada por haber salido de la librería y haber corrido el riesgo de que le pasase algo a su detector personal de objetos de poder, y luego se hubiera ido..., sí, estaba claro que Fiona se había chivado, me quedé de pie delante de la ventana del dormitorio y miré la noche. Los pensamientos fluían atropelladamente dentro de mi cabeza. Saltaban y giraban como hojas de otoño en el vendaval.

¿Dónde estaba el diario de Alina? No podía ser que mi hermana no hubiese estado llevando uno. Si creía haberse enamorado, cada noche habría llenado una página tras otra con comentarios sobre su nuevo novio, más teniendo en cuenta que no le había estado hablando de él ni a mí ni a ninguna otra persona. Aunque en un primer momento yo había considerado pedir a Barrons que me ayudara a buscar el diario, después de la conversación que acababa de escuchar, esa posibilidad había quedado descartada. Tampoco iba a contarle la pequeña visita que me había hecho la criatura mágica de muerte por sexo.

¿Era V'lane realmente un príncipe de los visibles? ¿El proverbial «bueno del sombrero blanco»? Estaba claro que no lo parecía. Pero pensándolo bien, ¿habría alguna criatura mágica que pudiera parecerle buena a una *sidhe* vidente? Lo que no quería decir que yo estuviese admitiendo ser una *sidhe* vidente, claro. Todavía me agarraba a la esperanza de que hubiera alguna otra causa para todo aquello. Como por ejemplo que estaba dormida y me hallaba atrapada en una larga y horrenda pesadilla que sólo terminaría si lograba despertar. O quizá me había atropellado un coche y ahora yacía en una cama de hospital allá en Ashford, sufriendo las alucinaciones inducidas por el coma.

Cualquier cosa sería preferible a tener que pensar en mí misma llamándome *sidhe* vidente. Sentía que eso habría sido como admitir la derrota, un abrazar voluntariamente esa oscura fiebre que parecía haber contraído nada más poner los pies en Irlanda. La locura había empezado esa misma noche, con la criatura mágica en el bar y aquella vieja malhumorada.

Mirando hacia atrás, me parecía evidente que la vieja no estaba chalada, sino que era una *sidhe* vidente y me había salvado la vida aquella noche. A saber cómo habría acabado todo si aquella vieja no hubiera impedido que me delatara a mí misma. «Haz honor a tu linaje», había dicho.

¿Qué linaje? ¿Un linaje de *sidhe* videntes? Cada pregunta que se me ocurría traía consigo una multitud de nuevas preguntas. ¿Significaba eso que se suponía que mamá también era una *sidhe* vidente? La idea era sencillamente ridícula. Imaginar a Rainey Lane, espátula en una mano y trapo de cocina en la otra mientras fingía no ver a las criaturas mágicas, me era tan imposible como imaginar a Mallucé perdonándome por haberle robado la piedra mágica e invitándome a que fuese de compras con él por las tiendas que ofrecían las últimas novedades en moda gótico siniestra. Tampoco podía imaginarme a mi padre el asesor fiscal fingiendo que era incapaz de ver a las criaturas mágicas.

Mis pensamientos volvieron a V'lane. ¿Y si aquella criatura mágica estaba mintiendo y en realidad era un invisible, cuyo único objetivo era poner en libertad a más congéneres suyos para que hicieran presa en mi mundo? Y si V'lane estaba diciendo la verdad, ¿por qué quería hacerse la reina de los visibles con el libro que contenía «la más mortífera de todas las magias»? ¿Qué planeaba hacer con él Aoibheal, y cómo ese libro tan desesperadamente buscado se había perdido?

¿En quién podía confiar yo? ¿Adónde podía acudir?

¿Había sabido Alina algo de lo que yo estaba descubriendo poco a poco? ¿Había ido a las mansiones de McCabe y Mallucé? ¿Qué le había sucedido a mi hermana cuando llegó a Dublín hacía ya tantos meses? Fuera lo que fuera, cuando empezó todo le había parecido fascinante. ¿Había conocido a un hombre que la arrastró a ese oscuro mundo secreto, como me había ocurrido a mí? ¿Había conocido a una criatura mágica que la sedujo para que entrara en él? «No ha dejado de mentirme desde el primer momento —había dicho Alina—. Es uno de ellos.» ¿Por «ellos» se refería a los habitantes del reino mágico? ¿Había creído Alina que estaba enamorada de una criatura mágica? ¿Había dejado que le hiciera la corte, que se sirviera de ella? ¿Había sido mi hermana un detector de objetos de poder, también? ¿Y una nulificadora, como yo?

¿Estaba dando yo sin querer los mismos pasos que había dado ella, yendo por el mismo camino en dirección al mismo destino final..., la muerte?

Hice una rápida lista mental de todos los que estaban buscando el *Sinsar Dubh*: estaban Barrons, McCabe, Mallucé, V'lane, y según V'lane, la reina de los visibles, y a juzgar por la presencia de todos aquellos invisibles que desempeñaban las funciones de perros guardianes en las residencias de McCabe y Mallucé, por lo menos un invisible muy poderoso y muy temible que podía ser conocido o no como Señor de los Señores. ¿Por qué? ¿Detrás de qué podían ir todas aquellas, ejem..., personas, a falta de una palabra mejor? ¿Lo querían todas por la misma razón? Y de ser así, ¿cuál era esa razón?

«No podemos dejar que se hagan con él», había dicho Alina del *Sinsar Dubh*.

—Puñetas, hermana, ¿no podrías haber sido un poco más precisa? —murmuré—. ¿Quién no debería hacerse con él? —Incluso si por alguna improbable casualidad yo lograba dar con aquella maldita cosa, probablemente ni siquiera iba a ser capaz de tocarla, según Barrons, sino que no tendría ni la más remota idea de qué hacer con ella.

Suspiré. Sólo tenía preguntas y nadie a quien preguntar. Estaba rodeada de personas que guardaban secretos y se afanaban en pro de sus prioridades ocultas con la misma naturalidad con la que vivían, respiraban y probablemente mataban. No había más que ver los «hombres» a los que había conocido durante la última semana: McCabe, Mallucé, V'lane, Barrons. No había ni uno solo entre ellos que fuese normal. Ni uno solo con el que pudieras sentirte segura. «Una ovejita en una ciudad de lobos», me había llamado Barrons poco después de que nos hubiéramos conocido. «Me pregunto cuál de esos lobos acabará con usted.»

Secretos. Todo el mundo tenía secretos. Mi hermana se había llevado los suyos a la tumba. No me cabía duda de que tratar de hacerle preguntas a V'lane cuando volviera a ver a la criatura mágica, porque no era tan idiota para pensar que iba a dejarme en paz, sería una pérdida de tiempo. El supuesto príncipe podía responderme, pero yo sólo era un detector de objetos de poder, no un detector de mentiras. Y Barrons tampoco me iba a servir de nada. Como revelaba la pequeña discusión que había tenido con Fiona, él también estaba guardando secretos, y de alguna manera yo corría un peligro todavía mayor de lo que había creído hasta entonces.

Lo que no me daba demasiados ánimos, evidentemente. Yo ya había llegado a la conclusión de que, en cuanto saliera por la puerta de la librería, el que fuera a seguir con vida iba a depender exclusivamente de mí, pero al parecer también corría peligro mientras estuviera allí.

¡Dios, cómo echaba de menos mi hogar! Echaba de menos mi vida. Echaba de menos el patio de ladrillos. Echaba de menos la hora de cerrar las noches del sábado con mis compañeras de trabajo. Echaba de menos nuestra obligatoria visita de las tres de la madrugada a Huddle House en busca de tortitas, cuando intentábamos disipar una parte de la tensión que habíamos ido acumulando a lo largo de la jornada laboral para poder pegar ojo antes de que amaneciera y, en verano, planeábamos a cuál de los lagos iríamos después, ese día.

—Mañana iremos a ver a Roark O'Bannion, señorita Lane —me dijo Barrons a través de mi puerta, cerrada con llave y con una silla puesta a modo de barricada, cuando subió los cuatro tramos de escalera para echarme la bronca—. Es el tercer gran jugador en el terreno de juego. Entre otras cosas, es propietario de O'Bannion's, un bar elegante en el centro de Dublín. Viejo Continente con una clientela rica. Como parece que usted nunca tiene muy claro lo que debería ponerse, Fiona le proporcionará la indumentaria apropiada. No vuelva a salir de la librería sin mí, señorita Lane.

Eran las tres de la madrugada antes de que consiguiera dormirme, y cuando por fin lo hice, fue con la puerta del armario abierta de par en par, y todas las luces del dormitorio y el cuarto de baño contiguo encendidas.

15

Roark «Rocky» O'Bannion había nacido católico irlandés, pobre como una rata, y con unos genes que hicieron que tuviese el cuerpo, la fuerza y el aguante de un campeón de los pesos pesados antes de que cumpliera los dieciocho.

Con su aspecto, algunos lo hubiesen llamado irlandés negro, pero no tenía una sola gota de sangre india o negroide en las venas, y en realidad fue un antepasado árabe del que nunca se hablaba quien había legado algo oscuro, feroz e implacable a la estirpe de los O'Bannion.

Nacido en una ciudad controlada por dos grandes familias del crimen irlandés que se odiaban a muerte, los Halloran y los O'Kierney, Roark O'Bannion se abrió paso con los puños hasta llegar a lo más alto en el ring, pero al ambicioso campeón no le bastaba con eso; él anhelaba más. Una noche, cuando Rocky tenía veintiocho años, los ejes alrededor de los que giraban las familias Halloran y O'Kierney, cada hijo, nieto y mujer encinta que había en ellas, fueron asesinados. Veintisiete personas murieron esa noche, tiroteadas, hechas pedazos por una bomba, envenenadas, acuchilladas o estranguladas. La ciudad nunca había visto nada igual. Un grupo de asesinos impecablemente coordinados había entrado en acción por todo Dublín, en restaurantes, hogares, hoteles y clubs, y había atacado simultáneamente.

Horroroso, dijo la mayoría. Una idea brillante, dijeron algunos. Estamos mucho mejor sin ellos, dijeron casi todos, los policías incluidos. Al día siguiente, cuando un Rocky O'Bannion enriquecido de la noche a la mañana, campeón de boxeo e ídolo de muchos chicos, colgó los guantes para asumir el control de distintos negocios en Dublín y sus alrededores anteriormente controlados por los Halloran y los O'Kierney, fue aclamado como un héroe por los pobres, cuyas esperanzas y cuentas corrientes eran tan diminutas como grandes eran sus televisores y sus sueños, pese a la sangre recién derramada que le manchaba las manos, y a la temible cuadrilla de ex boxeadores y matones que se trajo consigo.

Que fuera «un hombre condenadamente apuesto» también ayudó lo suyo. Rocky estaba considerado como un donjuán al que no había mujer que se resistiera, pero tenía un punto de honor que le ganaba el cariño de sus leales: no se acostaba con las esposas de otros hombres. Jamás. Aquel hombre que no sentía ningún respeto por la vida o la ley, respetaba el sacramento del matrimonio.

¿He mencionado que era católico irlandés? Un chiste que corría por la ciudad aseguraba que el joven O'Bannion había hecho novillos el día en que el sacerdote dio el sermón sobre los Diez Mandamientos, y cuando le pasaron los apuntes de clase, el pequeño Rocky sólo recibió la lista abreviada: «No codiciarás a la mujer de tu prójimo..., pero todo lo demás está disponible.»

Pese a toda la información que Barrons me había proporcionado sobre nuestro inminente tercer anfitrión y confiada víctima, que era como yo empezaba a pensar en ellos, aún no me sentía lista para hacer frente a la combinación de dicotomías que encarnaba Rocky O'Bannion.

—Eh, Barrons —dije—, realmente no creo que robarle algo

a ese tipo sea una buena idea. —Yo había visto bastantes películas sobre la mafia. Uno no se planta delante del padrino y le roba la cartera; o no se hace ilusiones de que vaya a vivir mucho tiempo después de que lo haya hecho, en todo caso. Yo ya tenía demasiadas cosas aterradoras buscándome.

—Quemaremos ese puente cuando lleguemos a él, señorita Lane —replicó Barrons.

Lo miré. Mi vida era surrealista. Esa noche Barrons había escogido de su absurda colección un Countach Lamborghini de 1975, uno de los sólo tres Countachs «Lobo» que llegaron a salir de la fábrica.

—Creo que la expresión es cruzar ese puente, Barrons, no prenderle fuego. ¿O es que quiere que cada tarado, vampiro, criatura mágica y capitoste mafioso de la ciudad vaya a por mí? ¿De cuántas maneras distintas piensa que puedo llegar a llevar el pelo? Me niego a ser pelirroja. Eso es un límite que no estoy dispuesta a cruzar. Por mucho que me guste el color, no quiero tener que pintarme la cabeza de naranja.

Barrons rio. El humor sin reservas era una expresión tan rara de ver en aquel rostro tallado a cincel que parpadeé, sin saber muy bien cómo debía reaccionar.

—Eso ha tenido gracia, señorita Lane —dijo. Luego añadió—: ¿Le apetece conducir?

—¿Eh? —farfullé. ¿Qué mosca le habría picado? Yo había bajado a la librería unos minutos después de que hubieran dado las once, luciendo el más bien preocupante vestido de Fiona; cuando me lo puse dejé pasar unos segundos antes de moverme para ver si había sido tratado con algún espantoso veneno que haría que se me cayera la piel a tiras. Desde entonces Barrons se había estado comportando así, y yo sencillamente no lo entendía. Parecía..., bueno, juguetón, a falta de una palabra mejor. Se lo veía muy animado. Casi como si estuviera bebido, aunque con la cabeza despejada. Si se hubiese tratado de cualquier otro hombre, yo podría haber sospechado que acababa de darle a las drogas, que había esnifado coca o algo por el estilo. Pero Barrons era demasiado purista para eso; sus drogas eran el dinero, el poder y el control.

Con todo, esa noche se lo veía tan eléctricamente vivo que el aire parecía chisporrotear y silbar a su alrededor.

—Sólo bromeaba —dijo.

Y eso tampoco era propio de él. Jericho Barrons nunca mostraba el menor sentido del humor.

—Pues no ha tenido ninguna gracia. He soñado con conducir un Cou..., Lamborghini.

—¿No puede decir Countach, señorita Lane? —Con ese acento suyo imposible de situar, *Kuhn tah* sonaba aún más extranjero.

—Claro que puedo —dije con una mueca de irritación—. Es sólo que no quiero. Mi mamá me educó como es debido.

Él me miró de soslayo.

—¿Y por qué no quiere decirlo, señorita Lane?

—Las palabrotas siguen siendo palabrotas cualquiera que sea el idioma en que las dices —repliqué remilgadamente. Sabía lo que significaba «Countach». Había sido mi papá quien me volvió adicta a los coches veloces. Yo sólo tenía siete años cuando empezó a llevarme de una exposición de coches exóticos a otra, visto que no tenía un hijo varón con el que poder compartir su pasión. A lo largo de los años habíamos llegado a estar estrechamente unidos por nuestro común amor a todas las cosas veloces y relucientes. «Countach» era el equivalente italiano de «hostia puta», que era lo que me entraban ganas de chillar cada vez que veía uno, pero eso seguía sin ser razón para decirlo en voz alta.

—Parece que entiende usted de coches, señorita Lane —murmuró Barrons.

—Un poquito —dije humildemente, en lo que fue la única muestra de modestia por mi parte en ese momento. Acabábamos de empezar a cruzar la primera de dos hileras de vías de tren, y los pechos se me meneaban dentro, o mayormente fuera, de mi revelador vestido, como si estuviera hecho de gelatina adherente. Vale, a veces podía arreglármelas para mantener la dignidad y el decoro. Otras veces, en cambio, parecía como si la mitad de Dublín fuera a verme los pechos en un primerísimo primer plano. Aunque me consoló un poco pensar que cuando hube acabado de hacer mi *strip tease* improvisado para la criatura mágica sexo por muerte, estaba razonablemente segura de que nadie me había visto, gracias a la ilusión que había estado proyectando la criatura.

Estábamos a punto de llegar a la segunda hilera de vías, así que crucé los brazos en un intento de convencer a cierta parte de mi cuerpo de que se estuviera quietecita. Mientras la atravesábamos, pude sentir todo el peso de la mirada de Barrons sobre mis pechos, al igual que el calor que contenía, y supe sin necesidad de mirarlo que él volvía a tener esa ávida expresión de deseo en el rostro. Me negué a volver la vista hacia él y luego rodamos en silencio durante unos kilómetros, con Barrons ocupando demasiado sitio en el coche, y una extraña tensión consumiendo el poco espacio libre que quedaba entre nosotros.

—¿Ha visto el nuevo Gallardo Spyder? —conseguí murmurar finalmente.

—No —dijo él al instante—. ¿Por qué no me habla de él, señorita Lane? —La sombra de diversión en su voz había desaparecido; ahora era gutural, tensa.

Fingí que no me había dado cuenta y me embarqué en una descripción francamente poética de los diez cilindros en V con sus líneas afiladas como navajas y sus 512 caballos de potencia que, si bien no podían vencer al Porsche todo turbo en una prueba de velocidad de pasar de cero a doscientos, daban muchísimo de sí. Antes de que pudiera darme cuenta, nos estábamos deteniendo ante la residencia de O'Bannion mientras los encargados del aparcamiento nos hacían un hueco entre un sedán Maybach y una limusina. Eran humanos, no chicos rinoceronte, lo que siempre suponía un cambio agradable.

Confieso que dejé unas cuantas huellas dactilares en el Maybach. Tuve que acariciarlo cuando pasé por su lado, aunque sólo fuese para poder decirle a papá que había tocado uno. Si hubiera estado viviendo otra clase de existencia, en la que a Alina no la hubieran matado y yo no estuviera hasta las cejas de pesadillas, me habría apresurado a llamar a mi padre por el móvil y le hubiese descrito el sedán 57S con sus doce cilindros en V y sus turbo carburadores, «para los que quieren conducir su propio Maybach», sin olvidarme de mencionar el finísimo acabado interior en reluciente laca color negro piano que contrastaba exquisitamente con una generosa cantidad del mejor cuero. Mi padre me habría pedido más detalles, y luego me habría preguntado si no podía ir al supermercado más próximo y comprar una o más cámaras desechables.

Pero a Alina la habían matado, mis padres aún no lo habían superado, y llamar a papá ahora no hubiese tenido ningún sentido. Yo lo sabía, porque había llamado a casa hacía un rato, después de que hubiera acabado de vestirme. Las veintidós cuarenta y cinco en Dublín todavía eran el comienzo del anochecer en Georgia. Sentada en el borde de mi cama prestada, había bajado la vista hacia dos medias unidas a un complicado liguero, dos tacones de aguja y el rubí rojo sangre del tamaño de un huevo que reposaba entre mis pechos, y me había preguntado en qué me estaba convirtiendo.

Papá estaba borracho cuando respondió la llamada. Hacía años que no lo oía hablar con voz pastosa; seis años y medio, para ser exactos. No desde que su hermano había muerto cuando iba de camino a su propia boda, dejando a su prometida convertida en una viuda embarazada y a mi papá de pie ante el altar, padrino de un muerto. Colgué nada más oír la voz pastosa y adormilada de papá, porque me sentía sencillamente incapaz de afrontarla. Yo necesitaba una roca, no tener que hacer de roca para otra persona.

—Mantenga los sentidos alerta, señorita Lane —me advirtió Barrons con la boca muy cerca de mi oreja, arrancándome bruscamente del lugar oscuro en el que estaba a punto de extraviarme—. Van a hacerle falta ahí dentro. —Con el brazo izquierdo alrededor de mi cintura y la mano derecha encima de mi hombro, los dedos rozándome ligeramente la curva del pecho, me llevó hacia la entrada, sosteniéndole la mirada a cualquier hombre lo bastante valiente o idiota para permitir que sus ojos descendieran por debajo del nivel de los míos, y sin dejar de sostenérsela hasta que el otro la apartaba. Ni con un hierro al rojo hubiera podido marcarme más claramente como de su propiedad.

En cuanto entramos en el bar, lo entendí. Todas las mujeres que había allí, impecablemente lustradas, peinadas y maquilladas, riendo suavemente, eran eso: posesiones deslumbrantes. Trofeos. No eran personas en y por sí mismas, sino meros reflejos que daban fe del estatus de sus hombres. Custodiadas con la misma atención con que se las mimaba, refulgían y destellaban como relucientes diamantes blancos, mostrando al mundo qué grandes triunfadores eran sus maridos, qué gigantes entre los hombres.

Mac Arco Iris hubiese estado tan fuera de lugar allí como un puercoespín en un zoo de mascotas. Me puse muy recta, mantuve la cabeza lo más erguida posible, e hice como si aquel vestido negro cortísimo, muy escotado y con toda la espalda al aire que llevaba no dejara al descubierto dos terceras partes de mi joven cuerpo.

Barrons era muy conocido en el establecimiento. Cuando pasábamos, se cruzaban inclinaciones de cabeza y se murmuraban palabras de bienvenida, y todo era delicado y precioso en O'Bannion's, siempre que tuvieras cuidado de no fijarte en la cantidad de artillería que llevaban encima todos los hombres allí presentes.

Me acerqué un poco más a Barrons para susurrarle mi próxima pregunta al oído; incluso llevando tacones de aguja, él me sacaba una cabeza de ventaja.

—¿Lleva usted encima alguna arma de fuego? —Realmente esperaba que la llevara.

Él frunció los labios, rozándome el pelo con ellos cuando respondió.

—Un arma de fuego sólo serviría para que la mataran más rápido en un lugar como éste, señorita Lane. No se preocupe. No planeo hacer enfadar a nadie. —Saludó con una inclinación de cabeza a un hombre, bajito e inmensamente gordo, que mordisqueaba un puro con una mujer hermosa en cada uno de sus brazos de mamut—. Aún no, en cualquier caso —murmuró después de que hubiéramos pasado junto al hombre del puro.

Ocupamos un reservado del fondo, donde Barrons encargó la cena y las copas para ambos.

—¿Cómo sabe que me gusta que el bistec esté al punto? —inquirí—. ¿O que quería una ensalada César? Ni siquiera me lo ha preguntado.

—Mire a su alrededor y aprenda, señorita Lane. No hay un solo camarero aquí que acepte un pedido de labios de una mujer. En O'Bannion's, usted come lo que le han elegido, tanto si es de su agrado como si no. Bienvenida a una época pasada, señorita Lane, cuando los hombres daban y las mujeres aceptaban. Y si lo que recibían no era de su agrado, fingían que les encantaba.

Buf. Y yo que creía que el Profundo Sur era carca. Afortunadamente, me gustaba el bistec preparado de cualquier manera desde sangrando hasta en su punto, podía comerme prácticamente cualquier clase de ensalada, y me encantaba la perspectiva de que fuese otra persona la que iba a correr con los gastos de una cena cara, así que di buena cuenta de todo. Durante el día sólo había comido dos cuencos de cereales, y estaba hambrienta. Cuando terminé, vi que el plato de Barrons aún estaba prácticamente lleno y enarqué una ceja.

Él lo empujó hacia mí.

—Ya he comido antes —dijo.

—¿Por qué ha pedido que nos trajeran la cena, entonces? —pregunté lo más elegantemente que pude con un bocado de filete mignon todavía en la boca.

—No se sale de uno de los establecimientos de O'Bannion sin haber hecho un poco de gasto —dijo Barrons.

—Suena como si O'Bannion tuviera un montón de reglas estúpidas —murmuré.

Justo entonces un hombretón de nudillos enormes, nariz aplastada y orejas de coliflor vino hacia nosotros.

—Qué alegría volver a verlo, señor Barrons. El señor O'Bannion los invita a usted y a su acompañante a que vayan un momento a la parte de atrás para decirle hola.

En realidad no se trataba de una invitación, y nadie fingió que lo fuese. Barrons se levantó inmediatamente, me recogió, volvió a apretujarme contra su cuerpo y me llevó consigo detrás del maltrecho ex boxeador como si, en el caso de que no me hubieran guiado, yo pudiera ir tropezando con todas las paredes.

Pensé que me alegraría mucho salir de aquel sitio.

«La parte de atrás» quería decir otro edificio a bastante distancia detrás del pub. Llegamos hasta allí por una ruta subterránea, siguiendo al hombre de O'Bannion a través de las cocinas, bajando por un largo tramo de escalones y entrando en un túnel de piedra húmeda que estaba muy bien iluminado. Mientras dejábamos atrás las aberturas a más túneles que estaban o clausurados con piedra y cemento o sellados por gruesas puertas de acero aseguradas mediante candados, Barrons me murmuró junto a la oreja:

—En ciertas partes de Dublín, existe otra ciudad debajo de la ciudad.

—Qué miedo —musité yo mientras subíamos otro largo tramo de escalones.

Supongo que me esperaba algo salido de una película: un montón de hombres de aspecto disoluto y gruesos carrillos apretujados en una habitación llena de humo, congregados en torno a una mesa, luciendo camisas manchadas de sudor y fundas sobaqueras con una pistola dentro, mordiendo puros y jugándose montones de dinero al póquer con desplegables de mujeres desnudas clavados con chinchetas en las paredes.

Lo que vi fue cosa de una docena de hombres bien vestidos hablando en voz baja en una espaciosa habitación elegantemente amueblada en cuero y caoba, y la única mujer que había en las paredes era una *Virgen con niño*. Pero la Virgen no se hallaba sola; la augusta habitación estaba prácticamente empapelada con toda clase de iconos religiosos. Esparcidos entre muebles estantería adornados por una colección de Biblias que sospeché habrían hecho que hasta el papa sintiera un ramalazo de codicia, había colgados crucifijos de plata, oro, madera, e incluso uno de esos que están hechos de plástico y brillan en la oscuridad. Tras un imponente escritorio había colgada una serie de doce cuadros que mostraban los últimos momentos de Cristo. Al fondo de la habitación había dos pequeñas capillas repletas de velas encendidas, flanqueando una capilla más grande con un elaborado relicario antiguo conteniendo Dios sabía qué; tal vez el diente o el hueso del talón de algún oscuro santo. Un hombre de pelo negro y constitución muy robusta estaba de pie ante las antiguas *chasses* religiosas, dándonos la espalda.

Fingí tropezar con el umbral de la puerta.

—Ooops —dije significativamente. Aunque no habíamos acordado ningún código, pensé que Barrons pillaría la indirecta. Le estaba diciendo que había un objeto de poder en algún lugar de las proximidades. No en esa habitación, pero cerca de ella. Por la súbita afluencia de ácido a mi estómago, que parecía subir hirviendo a través de las plantas de mis pies, sospeché que lo que quiera que fuese se encontraba directamente debajo de nosotros, en esa «ciudad debajo de la ciudad» de la que acababa de hablarme Barrons.

Si él captó mi no tan sutil mensaje, no dio señales de ello. Tenía la mirada fija en el hombre que estaba de pie ante la capilla, y había apretado la mandíbula.

Cuando el hombre se apartó del relicario, los dos invisibles que lo flanqueaban se dieron la vuelta también. Quienquiera que fuese ese invisible tan malo y poderoso que andaba tras el *Sinsar Dubh*, también había estacionado a sus perros guardianes allí. Nuestro competidor desconocido mantenía bajo observación a las mismas personas por las que se interesaba Barrons: McCabe, Mallucé y ahora O'Bannion. A diferencia de los chicos rinoceronte en las residencias de McCabe y Mallucé, éstos no proyectaban ninguna ilusión mágica de que fueran humanos, lo que me tuvo un poco perpleja hasta que me di cuenta de que en realidad no necesitaban hacerlo. En su estado natural, eran invisibles a los ojos de todos excepto *sidhe* videntes como Barrons y yo, y parecíamos ser una subespecie bastante rara. Yo no tenía ni idea de por qué estos chicos rinoceronte habían optado por permanecer invisibles en lugar de integrarse en la realidad tangible de O'Bannion como habían hecho otros con McCabe y Mallucé, pero el caso era que lo habían hecho, lo que significaba que debía esforzarme por no mirarlos. Al menos cuando los invisibles estaban fingiendo para hacerse pasar por humanos, yo podía reparar en cualquier clase de ilusión que estuvieran emitiendo y no delatarme, pero cuando no lo estaban haciendo, no me atrevía a observar el espacio que ocupaban, algo que era más fácil de decir que de hacer. Pasear la mirada como si tal cosa sobre algo que parece tan ajeno a este mundo resulta un poco complicado.

Decidí imitar a Barrons y concentré mi atención en el hombre entre ellos que era, sin duda, Rocky O'Bannion.

No me costó nada ver cómo había llegado a su posición actual. En cualquier siglo, ese hombre hubiese sido un guerrero, un caudillo. Moreno, robusto, metro ochenta de músculos relucientes ataviados con pantalones negros, camisa blanca y una magnífica chaqueta italiana hecha de cuero negro, Rocky O'Bannion se movía con la confianza en sí mismo propia de un hombre que sabe que su menor deseo supone una orden para el resto del mundo. Su corto pelo negro era abundante, sus dientes del blanco perfecto de un ex boxeador con dinero, y cuando sonreía, como hacía ahora con Barrons, su sonrisa era contagiosa y estaba llena de oscura malicia irlandesa.

—Me alegro de volver a verte, Barrons.

Barrons asintió.

—O'Bannion.

Barrons murmuró algún cumplido acerca del establecimiento y luego los dos hombres enseguida pasaron a conversar sobre los problemas que O'Bannion había estado teniendo recientemente en uno de sus consignatarios navieros de los muelles. Barrons había oído algo en las calles que quizá pudiera serle de utilidad, dijo.

Los observé mientras hablaban. Rocky O'Bannion era una piedra imán, un cuerpo de puro carisma envuelto en músculo. Era la clase de hombre que los hombres querían ser y las mujeres querían que las arrastrara a su cama, y no lo digo en ningún sentido metafórico, porque estaba claro que ninguna mujer podría llegar a dominar a aquel tipo. No me cupo duda de que aquel irlandés toscamente atractivo con su mandíbula tallada en granito también era un asesino que no vacilaba a la hora de matar, y a juzgar por la forma en que estaba intentando allanarse el camino al cielo tapando sus pecados con la masilla del celo religioso, también tenía una buena parte de psicópata.

Pero nada de todo eso disminuía en lo más mínimo la atracción que me inspiraba, lo que da una buena medida de la presencia que tenía aquel hombre. Me daba asco, y al mismo tiempo, si se le ocurriera dirigir ese diabólico encanto irlandés hacia mi persona, si aquellos oscuros ojos de párpados entornados se volvieran hacia mí para mirarme con interés, temí que me sonrojaría de placer por mucho que supiera que debería correr lo más deprisa posible en dirección contraria. Sólo por esa razón, aquel hombre me daba pánico.

Me sorprendió ver que Barrons parecía sentirse casi tan incómodo como yo, y eso me preocupó todavía más. Jericho Barrons nunca se alteraba por nada, y sin embargo ahora yo podía ver claramente tensión en los ángulos de su cuerpo y nerviosismo en las líneas de su cara, alrededor de la boca y de los ojos. Aquella disposición a tomarse las cosas en broma que me había sorprendido antes en él se había esfumado por completo. Jericho Barrons volvía a ser esbelto, duro y temible, e incluso se diría que ahora había una cierta palidez bajo el dorado exótico de su piel. Aunque medía unos cuantos centímetros más que nuestro anfitrión y tenía una constitución todavía más robusta, en aquel momento parecía... empequeñecido, y de pronto tuve la extraña impresión de que en aquellos instantes el noventa y nueve por ciento de Jericho Barrons estaba pendiente de otro lugar, y que eso acaparaba todas sus reservas de energía, dejando sólo un uno por ciento de él allí, en esa habitación, prestando atención a O'Bannion.

—Hermosa mujer, Barrons —dijo O'Bannion entonces, volviendo la mirada (como me había temido) en mi dirección. Y como me había temido también, me ruboricé. El boxeador se me acercó y caminó en un lento círculo a mi alrededor, mirándome de arriba abajo, y finalmente hizo un áspero ruidito de aprobación masculina.

—Sí que lo es, ¿verdad? —replicó Barrons.

—No es irlandesa —observó O'Bannion.

—Americana.

—¿Católica?

—Protestante —dijo Barrons.

Yo encajé la mentira sin pestañear.

—Lástima. —Rocky dirigió la atención nuevamente hacia Barrons y volví a respirar—. Me alegro de verte, Jericho. Si oyeras algo más sobre mis problemas en los muelles...

—Me mantendré en contacto —dijo Barrons.

—O'Bannion le cae bien, ¿verdad?—dije más tarde, mientras íbamos por las casi desiertas calles del centro de Dublín a las cuatro de la madrugada. La información facilitada por Barrons no podía haber sido más pertinente, ya que identificaba a varios miembros de una banda local como los responsables de los quebraderos de cabeza que estaba padeciendo O'Bannion.

—No, señorita Lane —replicó Barrons.

—Vale, puede que no le caiga bien —corregí yo—, pero lo respeta. Usted siente un gran respeto por O'Bannion.

Barrons volvió a negar con la cabeza.

—Bueno, ¿entonces de qué se trata? —Cuando estaba con Rocky O'Bannion, Barrons le había otorgado cierta solemne cercanía que no había mostrado con ninguno de los demás, y yo quería saber por qué.

Barrons reflexionó un momento.

—Si estuviese atrapado en las montañas de Afganistán y pudiera elegir a un hombre para que pelease a mi lado con las manos desnudas, o con todo un arsenal de armamento sofisticado, me quedaría con O'Bannion. Ni me cae bien ni lo respeto, simplemente reconozco lo que es.

Recorrimos unas cuantas manzanas en silencio.

Yo agradecía haber podido librarme de los tacones de aguja que había llevado antes y volver a un calzado cómodo. Cuando salimos del pub de O'Bannion, Barrons se dirigió directamente a la librería, donde quiso que le diera un informe completo sobre lo que había percibido. Después de que se lo conté, me dijo que daríamos una vuelta por «los rincones más interesantes del sistema de alcantarillado de la ciudad» para ver si había habido algún cambio en ellos.

Me dirigí al piso de arriba y me cambié de ropa. No necesitaba que me explicaran cuál era la indumentaria apropiada para arrastrarse por las cloacas: tendría que ser algo viejo, oscuro y lo más tirado posible.

Volvimos a las inmediaciones del Pub & Restaurante O'Bannion en un sedán oscuro de un modelo tan corriente que yo nunca me había fijado en que Barrons lo tenía aguardando entre las sombras al fondo de su fascinante garaje, lo dejamos estacionado junto al bordillo a unas cuantas manzanas de nuestro destino y recorrimos el resto de la distancia a pie.

—Quédese aquí un momento. —Poniéndome una mano encima del hombro, Barrons me detuvo en la acera y luego fue al centro de la calzada. Volvía a ser su yo habitual, ocupando más espacio del que le correspondía. Él también se había cambiado de ropa y ahora vestía unos vaqueros viejos, una camiseta negra y unas botas negras llenas de arañazos. Era la primera vez que lo veía ataviado con algo tan..., bueno, plebeyo para sus estándares, y el cuerpo lleno de músculos envuelto por esa ropa era francamente increíble, si te iba esa clase de hombre. Por suerte, a mí no me iba. Era como ver a una pantera negra que había salido de caza, el hocico manchado de sangre, luciendo ropa de calle; una visión de lo más extraña.

—Tiene que estar bromeando —dije cuando, los bíceps abultados por el esfuerzo, Barrons levantó la tapa de la boca de alcantarilla, la dejó a un lado en el suelo de la calzada y me llamó con un gesto de la mano.

—¿Cómo pensaba que íbamos a entrar en el sistema de alcantarillado, señorita Lane? —dijo Barrons con gesto de impaciencia.

—La verdad es que no había pensado en ello. Supongo que he preferido no hacerlo. —Fui hacia la boca de alcantarilla—. ¿Está seguro de que no hay ningún tramo de escalera por algún sitio en los alrededores?

Barrons se encogió de hombros.

—Lo hay. Pero no es el mejor punto de acceso. —Alzó la mirada hacia el cielo—. Tenemos que entrar y salir lo más deprisa posible, señorita Lane.

Sí, eso podía entenderlo. Faltaba muy poco para que amaneciera, y las calles de Dublín empezaban llenarse de gente con los primeros albores del día. No nos convenía salir de la boca de una alcantarilla justo enfrente de ellos, o peor, a unos centímetros del parachoques delantero de un coche.

Me incliné sobre el agujero abierto en la calle y escudriñé la oscuridad.

—¿Ratas? —dije, poniendo cara de pena.

—Indudablemente.

—Bueno. —Respiré hondo y exhalé muy despacio—. ¿Sombras?

—No las suficientes para que puedan usarnos como alimento ahí abajo. Ellas prefieren las calles. Cójame la mano y yo la bajaré, señorita Lane.

—¿Cómo vamos a subir? —pregunté, cada vez más preocupada.

—Tengo pensada otra ruta para nuestro viaje de regreso.

—¿Incluye escaleras? —pregunté esperanzadamente.

—No.

—Claro. No sé cómo se me ha ocurrido preguntarlo. Y para nuestra aventura de regreso —dije con mi mejor voz de presentadora de concursos televisivos—, escalaremos la ladera del monte Everest, llevando las botas de montañismo suministradas por nuestro amable patrocinador, Barrons Libros y Objetos de regalo.

—Muy gracioso, señorita Lane —dijo Barrons, que no podía parecer menos divertido—. Y ahora muévase.

Tomé la mano que me ofrecía él y dejé que me suspendiera en el vacío por encima del borde y me bajara. Destino: un Dublín todavía más tenebroso y aterrador, a una considerable profundidad por debajo del suelo.

16

Después de todo, resultó no ser tan aterrador.

De hecho, ni mucho menos como lo había sido arriba.

Allá abajo, en las sucias alcantarillas que discurrían por debajo de la ciudad, me di cuenta de lo drásticamente que había cambiado mi mundo en un período de tiempo tan corto.

¿Cómo podía una rata de hocico tembloroso y ojillos asustados, o incluso unos cuantos cientos de ellas, compararse con el hombre gris? ¿Qué más daba que allí el hedor de las aguas residuales lo impregnara todo comparado con el destino que podías esperar a manos de la cosa con muchas bocas? ¿Qué significaban unos zapatos echados a perder o alguna uña rota al trepar por las rocas en las secciones medio desmoronadas de los intestinos secretos de la ciudad al lado del robo que me disponía a cometer? Contra un hombre que había acabado con veintisiete personas en una sola noche por la sencilla razón de que se interponían en su camino hacia un brillante porvenir, nada menos.

Torcimos primero en una dirección, y luego en otra, a través de túneles vacíos con tramos libres de toda obstrucción, para desembocar en otros, anegados por un sucio caudal de aguas fangosas. Bajábamos hacia las entrañas de la tierra, subíamos un poco y volvíamos a bajar.

—¿Qué es eso? —Señalé un cauce por el que corría un auténtico torrente de agua, que se perdía de vista al otro lado de una reja de hierro empotrada en la pared. Habíamos dejado atrás muchas rejas similares, si bien más pequeñas y encajadas no tan arriba en las paredes. Casi todas estaban colocadas en desniveles del terreno, con estanques de agua negra acumulados alrededor de ellas, pero yo no había visto nada semejante antes. Aquello parecía un río.

Lo era.

—Es el río Poddle —dijo Barrons—. Fluye por el subsuelo. Puede ver dónde se encuentra con el río Liffey a través de otra reja similar en el puente del Milenio. A finales del siglo dieciocho, dos cabecillas rebeldes se fugaron del castillo de Dublín siguiendo el sistema de alcantarillado. Uno puede desplazarse por la ciudad con relativa facilidad, si sabe en qué sitios se comunican las cosas.

—Y usted lo sabe —dije.

—Lo sé —estuvo de acuerdo él.

—¿Hay algo que usted no sepa? —Objetos antiguos, cómo bloquear cuentas corrientes en las que había depositadas inmensas sumas de dinero, la subcultura de los ambientes más sórdidos de la ciudad, por no hablar del trazado de sus intestinos secretos.

—Poco. —No pude detectar la menor arrogancia en su réplica.

—¿Cómo ha llegado a enterarse de todo eso?

—¿Cuándo se ha vuelto usted tan parlanchina, señorita Lane?

Decidí que de ahora en adelante no volvería a abrir la boca. Ya he dicho que el orgullo es mi pequeño reto particular. ¿Barrons no quería oírme? Vale, pues en ese caso no malgastaría el aliento con él.

—¿Donde nació? —pregunté.

Barrons se paró en seco, dio media vuelta y me miró, como sorprendido por mi súbito arranque de locuacidad.

Levanté las manos, un poco sorprendida también.

—No sé por qué se lo he preguntado. Acababa de decidir que me estaría calladita, pero de pronto empecé a pensar en que no sé nada acerca de usted. No sé dónde nació, si tiene padres, familia, una esposa, hijos, o ni siquiera a qué se dedica exactamente.

—Sabe todo lo que necesita saber acerca de mí, señorita Lane. Al igual que yo lo sé acerca de usted. Ahora muévase. No tenemos mucho tiempo.

Una docena de metros más adelante, me señaló los peldaños de una escalerilla de acero atornillada a la pared; cuando llegué al final de ella, enseguida me entraron unas náuseas terribles.

Había un objeto de poder extremadamente potente, justo enfrente de nosotros.

—Al otro lado de eso —dije como pidiendo disculpas—. Supongo que estamos jodidos, ¿eh?

«Eso» era lo que parecía una puerta del tipo mampara. Como esas que ves en las bóvedas de los bancos que miden medio metro de grosor, están hechas de aleaciones prácticamente impenetrables, y se abren haciendo girar una especie de volante como los que hay en las puertas de los submarinos. Lástima que «el picaporte» no estaba en nuestro lado de la puerta.

—Me imagino que no llevará encima unos cuantos kilos de explosivos —bromeé. Estaba cansada y tenía miedo y temía que en cualquier momento pudiera darme la risa tonta, o tal vez fuese que el absurdo general en que se había convertido mi existencia hacía que me costara tomarme en serio las cosas.

Barrons contempló la enorme puerta sin decir nada, y luego cerró los ojos.

Juro que pude ver el análisis interno que estaba llevando a cabo. Sus ojos se movían rápidamente bajo los párpados cerrados, como si recorrieran los planos del sistema de alcantarillado de Dublín mientras éstos desfilaban increíblemente deprisa a través de sus retinas, al estilo Terminator, para permitirle determinar cuál era nuestra posición exacta y localizar un punto de acceso. Sus ojos se abrieron de golpe.

—¿Está segura de que está al otro lado de esa puerta?

Dije que sí con la cabeza.

—Completamente. Podría vomitar aquí mismo.

—Trate de aguantar, señorita Lane. —Se dio la vuelta y empezó a alejarse—. No se mueva de aquí.

Me quedé rígida.

—¿Adónde va? —De pronto una sola linterna parecía muy poca cosa como compañía.

—O'Bannion cuenta con las barreras naturales para que le sirvan de protección —me dijo Barrons por encima del hombro—. Soy muy buen nadador.

Vi oscilar el haz de su linterna cuando echó a correr por un túnel que había a mi izquierda hasta que desapareció detrás de una esquina, y luego no hubo nada más que negrura y yo estaba sola, con sólo dos pilas interponiéndose entre mi persona y un ataque de pánico. Odio la oscuridad. Antes no me ocurría, pero ahora no la puedo ni ver.

Me pareció que pasaban horas, aunque según mi reloj sólo transcurrieron siete minutos y medio antes de que un Barrons empapado abriese la puerta metálica.

—Oh, Dios, ¿qué es este sitio? —dije mientras giraba en un lento círculo, asombrada por lo que estaba viendo. Nos hallábamos en una cámara de piedra toscamente labrada que estaba abarrotada de objetos religiosos expuestos junto a una buena cantidad de armas antiguas. Por las señales que el agua había dejado en la piedra era evidente que la estructura subterránea se inundaba ocasionalmente, pero todos los tesoros de O'Bannion estaban colocados lo más arriba posible, suspendidos de soportes metálicos atornillados a las paredes o depositados sobre altos pedestales de piedra.

Podía imaginarme al atractivo ex boxeador psicópata allí, de pie, regodeándose ante sus tesoros, el brillo aterrador del fanatismo religioso en su mirada velada por los párpados entornados.

Las huellas de unos pies mojados iban desde una reja de hierro en el extremo inferior de la pared, más allá de la cual había unas aguas muy negras, directamente hacia la puerta. Barrons ni siquiera se había detenido a mirar a su alrededor cuando entró.

—Encuéntrelo, cójalo y larguémonos de aquí —me ordenó secamente.

Me había olvidado de que él no podía saber cuál de aquellos objetos era el que habíamos venido a robar. Eso sólo yo podía decirlo. Volví a girar en un lento círculo, desplegando mi recién descubierto sentido arácnido.

Me entraron arcadas. Secas. Afortunadamente, parecía que empezaba a cogerle el truco. La cena se mantuvo dentro de mi estómago. Tuve una súbita visión de O'Bannion bajando ahí para descubrir que su objeto había desaparecido, con montoncitos de vómito esparcidos por todas partes y me pregunté qué pensaría sobre lo sucedido. Me puse a reír como una boba, lo que supongo indica que me faltaba un pelo para perder el control.

—Eso. —Señalé un objeto colocado justo encima de mi cabeza, casi perdido entre el surtido de objetos similares que lo rodeaban y me volví para mirar a Barrons, que estaba de pie detrás de mí, justo fuera de la puerta metálica. Miraba pasillo abajo. Luego se volvió lentamente y miró dentro de la cámara.

—Joder —estalló mientras daba un puñetazo sobre la puerta—. Ni siquiera lo vi. —Luego, en voz más alta—: Joder. —Se volvió. Dándome la espalda, dijo—: ¿Está segura de que es eso?

—Completamente.

—Bueno, cójalo, señorita Lane. No se quede plantada ahí.

Parpadeé.

—¿Yo?

—Lo tiene ahí al lado.

—Pero hace que me entren ganas de vomitar —protesté.

—Ahora es el momento ideal para que empiece a trabajar ese pequeño problema suyo. ¡Cójalo!

Con el estómago cada vez más alterado, levanté la cosa de la pared. Los soportes metálicos que la sostenían se elevaron con un seco chasquido cuando aparté su peso de ellos.

—¿Y ahora qué? —dije.

Barrons rio y el sonido resonó huecamente en la piedra.

—Ahora, señorita Lane, echamos a correr, porque acaba de hacer sonar una docena de alarmas.

Di un respingo.

—¿De qué me está hablando? Yo no oigo nada.

—Silenciosas. Conectadas con cada una de las casas que tiene O'Bannion. Dependiendo de dónde se encuentre él en este momento, tenemos poco tiempo.

Barrons no estaba resultando ser una buena influencia. En una sola noche había hecho que me vistiera como una fulana y entrara en una propiedad privada para cometer un hurto, y además ahora me obligaba a recurrir a una palabrota cuando quise secundar su opinión.

—Joder —exclamé.

Mientras corría por las calles de Dublín antes del amanecer, con una lanza más larga que yo apretada debajo del brazo, se me ocurrió pensar que no viviría mucho más.

—Deshágase del pesimismo, señorita Lane —dijo Barrons

cuando lo puse al corriente de lo que estaba pensando—. Es una profecía que acarrea su propio cumplimiento.

—¿Eh? —dije yo entre arcada y arcada. Intenté saltar dentro del coche, pero lo único que conseguí fue quedar atascada en el hueco de la puerta abierta debido a la lanza.

—Pásela por encima del respaldo del asiento y póngala en la parte de atrás —ladró él.

Me contorsioné hasta lograr sacar el cuerpo fuera del coche e hice lo que me decía. Tuve que bajar la ventanilla para que parte del asta pudiera sobresalir fuera. Barrons se deslizó tras el volante en el mismo instante en que yo me dejaba caer en el asiento del acompañante y ambos cerramos nuestras puertas.

—Espere morir —dijo él— y morirá. El poder del pensamiento es mucho más grande de lo que cree la mayoría de la gente. —Arrancó y apartó el coche del bordillo—. Joder —volvió a decir. Parecía que iba a ser el lema de la noche.

Un coche de la *Gardai* pasó despacio junto a nosotros. Por suerte estaba en el lado de Barrons, no en el mío, y el policía no pudo ver el extremo del asta de la lanza asomando por la ventanilla.

—No estamos haciendo nada malo —dije inmediatamente—. Bueno, quiero decir, no que él sepa, ¿verdad? Seguramente todavía no habrán avisado a la policía de que ha sonado la alarma.

—Tanto si la han avisado como si no, ese agente ha tenido ocasión de vernos muy bien, señorita Lane. Éstos son los dominios de O'Bannion. ¿Quién cree usted que paga para que patrullen sus calles a estas horas de la noche?

La comprensión llegó poco a poco.

—Me está diciendo que incluso si ese agente no lo sabía ahora, en cuanto se entere de que O'Bannion acaba de ser víctima de un robo... —Me callé.

—Dará nuestras descripciones —terminó Barrons por mí.

—Estamos muertos —dije como si estuviera hablando del tiempo que hacía.

—Ahí está ese pesimismo de nuevo —dijo Barrons.

—Realismo. Estoy hablando de la realidad, Barrons. Saque la cabeza del agujero. ¿Qué piensa que nos va a hacer O'Bannion en cuanto lo descubra? ¿Darnos un cachete en la muñeca?

—La actitud moldea la realidad, señorita Lane, y la suya, como suelen decir ustedes los norteamericanos, apesta.

Entonces no me quedó claro lo que estaba intentando decirme Barrons aquella noche, pero más tarde, cuando importase, lo recordaría y lo entendería. La mayor ventaja con que puedes contar cuando te dispones a librar una batalla es la esperanza. Una *sidhe* vidente sin esperanza, sin una inconmovible determinación de sobrevivir, es una *sidhe* vidente muerta. Una *sidhe* vidente convencida de que el enemigo la supera tanto en número como en armamento, haría mejor apuntándose a la sien con esa duda, apretando el gatillo y volándose los sesos. En realidad sólo existen dos posiciones que puedas adoptar en la vida: esperanza o miedo. La esperanza fortalece, el miedo mata.

Pero yo no entendía demasiado de tales cosas aquella noche y me quedé callada, con los puños tan apretados que los nudillos se me pusieron blancos, mientras rodábamos por las calles desiertas de Dublín hasta que entramos en el callejón brillantemente iluminado entre el garaje de Barrons y su residencia.

—¿Qué puñetas acabamos de robar, Barrons? —inquirí.

Él sonrió levemente mientras la puerta del garaje empezaba a subir. Los faros de nuestro vehículo iluminaron los radiadores relucientes de su colección de coches. Rodamos hacia el interior del garaje y Barrons aparcó el viejo sedán al fondo de todo.

—La han llamado muchas cosas, pero puede que usted la conozca como la Lanza de Longino —dijo.

—Nunca había oído hablar de ella —dije.

—¿Qué me dice de la Lanza del Destino? —preguntó él—. ¿O la Santa Lanza? —Dije que no con la cabeza—. ¿Practica usted alguna religión, señorita Lane?

Bajé del coche y alargué el brazo hacia el asiento de atrás para coger la lanza.

—Voy a la iglesia de vez en cuando.

—Ahora está sosteniendo la lanza cuya punta atravesó el costado de Cristo mientras estaba clavado en la cruz —dijo Barrons.

Casi se me cayó de la mano.

—¿Esta cosa mató a Jesucristo? —exclamé consternada. ¿Y yo la estaba sosteniendo? Barrons ya estaba yendo hacia la puerta abierta del garaje y me apresuré a seguirlo. No me considero una persona particularmente devota, pero de pronto me entraron ganas de arrojar bien lejos aquella cosa, lavarme las manos, y luego correr a la iglesia más próxima y ponerme a rezar.

Nos agachamos para pasar por debajo de la puerta del garaje mientras ésta descendía sin hacer ningún ruido, y atravesamos el callejón. Las sombras acechaban a mi derecha fuera del límite del resplandor proyectado por los focos que iluminaban las entradas traseras, pero ni me molesté en mirarlas. Mi único pensamiento era entrar en la librería y salir de la noche donde me exponía a que el guardaespaldas de un señor del crimen me liquidara en cualquier momento con una bala certera.

—Cristo ya estaba muerto cuando ocurrió, señorita Lane —dijo Barrons—. Un soldado romano, Gayo Casio Longino, fue el que lo hizo. Al día siguiente era Pascua y las autoridades religiosas judías no querían que las víctimas permanecieran expuestas en las cruces durante toda esa festividad. Pidieron a Pilatos que acelerara las muertes de los crucificados para que así pudieran desclavarlos de las cruces. La crucifixión —me explicó— no era una forma muy rápida de ejecutar; la víctima podía llegar a tardar días enteros en morir. Cuando los soldados les rompieron las piernas a los dos hombres que habían crucificado a ambos lados de Jesús, éstos ya no pudieron usarlas para empujarse hacia arriba a fin de poder respirar, y expiraron rápidamente por asfixia. Sin embargo, Cristo parecía estar muerto ya, así que en lugar de romperle las piernas, uno de los soldados le atravesó el costado para demostrarlo. Perversamente, la que pasó a ser conocida como Lanza de Longino ha sido codiciada desde entonces, por sus supuestos poderes míticos. Muchos han afirmado poseer la sagrada reliquia: Constantino, Carlomagno, Otón el Grande y Adolf Hitler, por mencionar sólo a unos pocos. Cada uno de ellos creía que era el verdadero origen de todo su poder.

Entré en el vestíbulo trasero de la residencia de Barrons, cerré dando un portazo y me volví hacia él para mirarlo con incredulidad.

—Vamos a ver si lo he entendido bien. ¿Acabamos de irrumpir en la cámara donde un gángster guarda su colección privada y hemos robado lo que él cree es el verdadero origen de todo su poder? ¿Y por qué hemos hecho eso?

—Porque, señorita Lane, a la Lanza del Destino también se la conoce con otro nombre, la Lanza de *Luin*, o *Luisne*, la Lanza Flamígera. Y no es ninguna arma romana sino una que fue traída a este mundo por los tuatha dé danaan. Es una de las Consagraciones Visibles, y da la casualidad de que es una de las dos únicas armas conocidas por el hombre que pueden matar a una criatura mágica. A cualquiera de ellas. Se dice que incluso la mismísima reina teme a esta lanza. Pero si usted quiere, puedo llamar a O'Bannion y averiguar si estaría dispuesto a perdonarnos en caso de que se la devolviéramos. ¿Lo hago, señorita Lane?

Aferré la lanza.

—¿Esto podría matar a la cosa con muchas bocas? —pregunté. Barrons asintió—. ¿Y al hombre gris, también? —Barrons volvió a asentir—. ¿A los cazadores? —Un tercer asentimiento de cabeza.

—Sí, señorita Lane.

—¿Incluso a la realeza del pueblo mágico? —Quería tenerlo muy claro.

—Sí, señorita Lane.

—¿De verdad? —pregunté con un hilo de voz.

—De verdad.

Entorné los ojos.

—¿Tiene algún plan para ocuparse de O'Bannion?

Barrons pasó junto a mí, encendió el plafón en el techo de la antesala y apagó los focos exteriores. Al otro lado de la ventana, el callejón de atrás volvió a quedar sumido en la oscuridad.

—Vaya a su habitación, señorita Lane y no vuelva a salir de allí, por ninguna razón, hasta que yo vaya a buscarla. ¿Me ha entendido?

Yo no estaba dispuesta a quedarme sentada en alguna parte y esperar pasivamente a que me llegara la muerte, y así se lo dije.

—No pienso subir al piso de arriba para acurrucarme...

—Ahora.

Le lancé una mirada asesina. No aguantaba que me cortara con una de esas órdenes de una sola palabra. Decidí que se iba a enterar de que yo no era como Fiona, otra criada que se plegaría a cualquier exigencia que él quisiera presentarle.

—No puede ordenarme que vaya de un lado a otro como si yo fuera... —Esta vez me alegré de que Barrons me interrumpiera antes de que se me escapase que los había estado escuchando a escondidas.

—¿Tiene alguna otra parte adonde ir, señorita Lane? —preguntó él sin inmutarse—. ¿Es eso? —Su sonrisa me dejó helada, impregnada como estaba por la satisfacción de un hombre que sabe que tiene a una mujer precisamente allí donde quiere tenerla—. ¿Volverá a The Clarin House con la esperanza de que Mallucé no haya salido en su busca? Porque en ese caso tengo noticias para usted, señorita Lane: podría estar nadando en un lago de agua bendita, llevando puesto un vestido de ajos mientras grita con toda la fuerza de sus pulmones que se vaya, y eso no detendría a un vampiro que ha comido a su antojo no hace mucho. ¿O tratará de encontrar alguna otra pensión, y se aferrará a la esperanza de que O'Bannion no tenga en nómina a nadie del personal? No, ya sé lo que hará; volverá a casa en Georgia. ¿Es eso? Pues lamento tener que decírselo, señorita Lane, pero me parece que ya es un poco tarde para eso.

—Bastardo —susurré. Antes de que me llevara de la residencia de un extraño «jugador» para arrastrarme a la del siguiente, antes de que consiguiera que le robase algo primero a un vampiro y después a un gángster, yo aún tenía una oportunidad. Ahora estábamos jugando a otra clase de partida y yo tenía que jugarla a ciegas mientras que, de alguna manera, los otros jugadores disponían de gafas de visión nocturna y entendían las reglas del juego. Y yo sospechaba que eso había formado parte del plan de Barrons desde el primer momento: reducir mis opciones, ir eliminando todas las posibilidades hasta que sólo me quedara una: que tuviera necesidad de él para sobrevivir.

Estaba furiosa con Barrons y conmigo misma. ¿Cómo podía haber sido tan imbécil? Y lo peor de todo era que no se me ocurría ninguna forma de salir de aquel embrollo. Aun así, no me sentía completamente impotente. ¿Que necesitaba a Barrons? Estaba dispuesta a apechugar con eso si no me quedaba otro remedio, porque él me necesitaba también, y me aseguraría de que siempre lo tuviera presente.

—Muy bien, Barrons —dije—, pero esto se queda conmigo. Y eso no es negociable. —Alcé la punta de lanza que tenía en las manos. Quizá no sirviera de mucho contra un vampiro o un gángster, pero al menos me permitiría plantar cara a las criaturas mágicas.

Barrons miró la punta de lanza por unos instantes, su oscura mirada insondable. Luego dijo:

—Siempre ha sido para usted, señorita Lane. Sugiero que le quite el asta para hacerla más fácil de transportar. No es el asta original. Y lo único que importa es la punta.

Parpadeé. ¿Era para mí? La reliquia no sólo tenía que valer una fortuna en el mercado negro, sino que Barrons también era un *sidhe* vidente y podía utilizarla para protegerse a sí mismo; ¿iba a dejar que fuera yo quien la tuviese?

—¿Lo dice en serio?

Barrons asintió.

—Obedézcame, señorita Lane —respondió—, y yo la mantendré con vida.

—En primer lugar, no tendría ninguna necesidad de que me mantuvieran con vida ahora —repliqué—, si usted no me hubiera metido en este lío.

—Que usted misma se ha buscado, señorita Lane. Entró aquí toda inocencia y estupidez preguntando por el *Sinsar Dubh*, ¿recuerda? Yo le dije que se fuera a su casa.

—Sí, bueno, eso fue antes de que usted supiera que podía encontrarle ciertas cosas. Ahora probablemente me ataría y me tendría drogada para que no me moviera de aquí —acusé.

—Probablemente —estuvo de acuerdo él—. Aunque sospecho que no me costaría demasiado encontrar métodos más efectivos. —Lo miré fijamente. No estaba bromeando. Y yo no quería saber cuáles podían ser esos «métodos más efectivos»—. Pero teniendo en cuenta todo lo que anda detrás de usted, tampoco necesito hacerlo, ¿verdad, señorita Lane? Con lo que volvemos a estar en el punto de partida: vaya a su habitación y no vuelva a salir de ella por ningún motivo hasta que yo vaya a buscarla. ¿Me ha entendido?

Mamá suele decir que la humildad nunca ha sido mi punto fuerte, y tiene razón. Contestar a la pregunta que acababa de hacerme Barrons hubiese equivalido a capitular, o como mínimo a agachar la cabeza, y aunque él pudiera haber salido vencedor de aquella batalla en particular, yo no tenía por qué admitirlo, así que me limité a bajar la mirada hacia la lanza sin decir nada. La punta relucía como alabastro plateado en la antesala brillante-

233

mente iluminada, y si rompía el asta lo más arriba que pudiera, sólo mediría medio metro de largo. Afilada como una navaja de afeitar, la base de la punta tendría unos diez centímetros de ancho, y sin duda cabría sin ninguna dificultad en el más grande de mis bolsos, sólo con que se me ocurriese alguna forma de evitar que aquella punta mortífera le atravesara un lado.

Cuando volví a alzar la mirada, estaba sola.

Barrons se había ido.

17

Mis padres tienen unos cuantos dichos bastante raros. Nacieron en otra época, dentro de otra generación. La suya era la generación de «el esfuerzo siempre acaba siendo recompensado». Admito que esa generación tuvo sus propios problemas, pero la mía es la «generación del tener derecho» y tampoco le han faltado los problemas.

La GTD está formada por jóvenes convencidos de que se merecen lo mejor de todo por el mero hecho de haber nacido, y si sus padres no los arman con todas las ventajas posibles, están condenando a sus hijos a una vida de ostracismo y fracaso. Criados a base de juegos de ordenador, televisión por satélite, Internet y el último grito en cachivaches electrónicos, mientras los padres se matan a trabajar para que sus hijos puedan permitirse todo eso, la mayoría de la GTD cree que si hay algo que falla en ellos, no es por culpa suya: sus padres les han jodido la vida, probablemente por pasar demasiado tiempo lejos de casa. Es una pequeña escapatoria legal muy injusta para los padres la mires como la mires.

Mis padres no me habían jodido la vida. Si ahora mi vida está completamente jodida, eso es algo que me he hecho a mí misma. Todo lo cual es mi manera de decir con muchos circunloquios que estoy empezando a entender eso. Papá tenía más razón que un santo cuando decía: «No me vengas con que ha sido sin querer, Mac. Por omisión o por comisión, el resultado final es el mismo.»

Ahora lo entiendo. Es la misma diferencia que hay entre el homicidio involuntario y el asesinato premeditado: la persona muerta sigue estando muerta, y dudo mucho que el cadáver vaya a apreciar cualquier distinción legal que se aplique.

Por omisión o por comisión, una naranja, dos barritas de caramelo, una bolsa de pretzels y veintiséis horas después, yo tenía las manos manchadas de sangre.

Nunca me había alegrado tanto de ver los primeros albores del día como a la mañana siguiente. Había acabado haciendo exactamente lo que me juré que no iba a hacer: estuve acurrucada en mi dormitorio prestado, brillantemente iluminado, desde un amanecer hasta el siguiente tratando de hacer durar mis escasas provisiones, y preguntándome qué plan se le podía haber ocurrido a Barrons que garantizase que estaríamos a salvo de Rocky O'Bannion, muy pesimistamente segura de que no existía tal plan. Incluso suponiendo que Barrons pudiera mantener alejados a algunos de los hombres de O'Bannion, habría más. Quiero decir que, realmente, ¿cómo un hombre solo podía esperar hacer frente a un gángster sin escrúpulos y a esa leal jauría de ex boxeadores y sicarios que había llegado a matar a veintisiete personas en una sola noche?

Cuando los primeros rayos de un rosado amanecer se apretaron contra los bordes de las cortinas y las descorrí. Había sobrevivido a otra noche en Dublín y eso, por sí solo, se estaba convirtiendo rápidamente en un motivo de celebración dentro de mi pequeño mundo extrañamente deformado. Miré el callejón por un largo instante, mientras intentaba hacerme a la idea de lo que estaba viendo.

Supongo que no lo conseguí porque, sin pararme a pensar en lo que hacía, salí corriendo de mi retiro en el cuarto piso y bajé sin calzarme por la escalera de atrás para verlo más de cerca. Emergí a la fría mañana irlandesa. Sentí el rocío de la noche en los escalones bajo los pies descalzos mientras bajaba a toda prisa, para salir al callejón de atrás.

A unos tres metros de distancia, un Maybach negro con las cuatro puertas abiertas relucía bajo el sol de primera hora de la mañana. Estaba haciendo ese molesto pitido metálico que me indicó que las llaves todavía estaban puestas en el encendido y aún no se había quedado sin batería. Detrás de él, capó con maletero, estacionados en fila hasta allí donde empezaba el barrio abandonado, había otros tres vehículos negros, todos con las puertas abiertas y emitiendo un coro de pitidos metálicos. Fuera de cada coche había pequeños montones de ropa, no lejos de las puertas. Por unos instantes reviví el día en que me había perdido dentro del barrio abandonado, cuando vi aquel coche vacío con la ropa esparcida por el suelo junto a la puerta del conductor. La comprensión estalló dentro de mi cerebro con la fuerza de una granada y me llenó de horror.

Lo que había ocurrido allí no podía estar más claro.

Bueno, al menos no para cualquier *sidhe* vidente que supiera la clase de cosas que podían ocurrir por la noche en aquella ciudad.

Aparentemente el policía que nos vio cuando volvíamos a la librería había informado a O'Bannion, y en algún momento después de que anocheciera, el gángster había venido a por nosotros trayéndose consigo a un destacamento entero de sus hombres, y como evidenciaba su sigilosa manera de aproximarse a la puerta de atrás, el motivo de la visita no tenía nada de social.

La simplicidad del plan de Barrons me asombró y me aterró

al mismo tiempo. Se había limitado a apagar las luces exteriores permitiendo que la oscuridad engullera todo el perímetro del edificio. O'Bannion y sus hombres habían bajado de sus coches, directamente a merced de los invisibles.

Barrons había sabido que vendrían. Me hubiera jugado lo que fuese a que sabía que O'Bannion se traería a la totalidad de sus efectivos. También había sabido que nunca llegarían a dar más que un par de pasos en cuanto hubieran bajado de los coches. Naturalmente, yo estaba a salvo dentro de la librería. Con todas las luces interiores encendidas y las luces exteriores apagadas, ningún hombre o monstruo podría haber llegado hasta mí la noche pasada.

Barrons había preparado una trampa mortal; la que mi robo había hecho necesaria. Cuando levanté las manos y descolgué inocentemente el arma de la pared, había firmado las sentencias de muerte para dieciséis hombres.

Me di la vuelta y alcé la mirada hacia la librería, viéndola bajo una luz enteramente distinta: no era un edificio, sino un arma. Sólo una semana antes me había detenido ante ella, pensando que parecía desempeñar las funciones de un bastión entre la parte buena y la parte mala de la ciudad. Ahora entendía que realmente era un bastión. Ésta era la línea de demarcación, la última defensa, y Barrons mantenía a raya a lo que acechaba dentro del barrio abandonado mediante sus muchas luces cuidadosamente ubicadas. Lo único que tenía que hacer para proteger su propiedad de cualquier amenaza humana durante la noche era apagarlas y dejar venir a las sombras, esos hambrientos perros guardianes salidos del infierno.

Impulsada por una turbia fascinación, o quizá por alguna necesidad genética de entender todo lo que pudiese acerca de las criaturas mágicas que llevaba mucho tiempo inactiva, fui hacia el Maybach. El montoncito de ropa junto a la puerta del conductor estaba rematado por una chaqueta de cuero negro de la mejor confección que parecía idéntica a la que yo le había visto lucir a Rocky O'Bannion hacía dos noches.

Con un temblor premonitorio, me incliné sobre ella y la cogí. Cuando levanté el flexible cuero italiano, un trozo de lo que parecía pergamino poroso amarilleado por el paso del tiempo cayó de él.

Me estremecí y dejé caer la chaqueta. Yo había visto esa clase de «pergamino» antes. Había visto docenas de ellos, arrastrados por el viento en las calles desiertas del barrio abandonado el día en que me perdí entre la niebla, de todas las formas y tamaños imaginables. Recordé haber pensado que tenía que haber una fábrica de papel abandonada con las ventanas rotas cerca de allí.

Pero lo que el viento arrastraba sobre la acera junto a mí no había sido papel, sino... personas. O lo que quedaba de ellas, en todo caso. Y ese día, si no hubiera salido de allí antes de que anocheciera, yo también habría acabado convertida en una de esas..., esas... peladuras de materia humana deshidratada.

Retrocedí. No necesitaba mirar debajo de ninguna chaqueta más para saber que aquellos restos resecos eran todo lo que quedaba de Rocky O'Bannion y quince de sus hombres, pero aun así lo hice de todas formas. Levanté tres chaquetas más, y llegada a ese punto tuve que decir basta. Aquellos hombres ni siquiera habían podido ver qué era lo que los estaba matando. Me pregunté si las sombras habrían atacado simultáneamente, aguardando hasta que todos hubieran salido de sus coches, o si sólo los dos que iban sentados delante habían llegado a bajar de cada coche y entonces, cuando los dos que iban atrás los vieron desplomarse, reducidos a montoncitos de lo que fuese, que el paladar de las sombras encontraba indigerible en los humanos, bajaron del coche también, con sus armas escupiendo balas, sólo para caer víctimas del mismo enemigo invisible. Me pregunté si las sombras eran lo bastante inteligentes para esperar, o si meramente obraban espoleadas por un hambre irracional que nunca podía llegar a ser saciada.

Si me hubieran atacado esa primera noche en que me perdí, yo habría podido ver lo que venía hacia mí..., masas de oscuridad aceitosa..., pero entonces no sabía que era una nulificadora, o siquiera una *sidhe* vidente, y aunque probablemente habría levantado las manos para quitármelas de encima, no estaba segura de que las sombras tuvieran una forma tangible que yo pudiese tocar para paralizarla.

Me dije que tenía que acordarme de preguntárselo a Barrons.

Miré los cuatro coches, los montoncitos de efectos personales que eran cuanto quedaba de dieciséis hombres: ropa, zapatos, joyas, armas de fuego; había muchísimas armas de fuego. Tenían que haber llevado encima al menos dos cada uno; el pavimento estaba lleno de acero azul alrededor de los coches. Aparentemente las sombras mataban muy deprisa o todas las armas de fuego llevaban silenciadores, porque yo no había oído un solo disparo durante la noche.

Daba igual que aquellos hombres hubieran sido criminales y asesinos, daba igual que hacía años acabaran con dos familias enteras, yo no podía absolverme de sus muertes. Por omisión o por comisión, mi mano había tenido algo que ver con lo sucedido en ese callejón, y eso lo llevaría dentro de mí durante el resto de mi existencia en un lugar con el que tarde o temprano acabaría aprendiendo a vivir, pero que nunca aprendería a encontrar agradable.

Fiona llegó a las once y cuarto para abrir la librería. Hacia media tarde, el día se había vuelto encapotado, lluvioso y frío, así que encendí los leños de gas en la chimenea del área de conversación de la parte de atrás, me acomodé con unas cuantas revistas de modas y vi pasar a los clientes, preguntándome qué clase de vida llevarían y por qué no podía yo tener una vida similar.

Fiona conversó animadamente con todo el mundo salvo conmigo y fue cobrando las compras hasta las ocho en punto, cuando cerró el establecimiento y se fue.

Pocas horas después de que su educadísimo propietario hubiera matado a dieciséis hombres, todo volvía a ir como de costumbre en Barrons Libros y Objetos de regalo, lo que planteaba la pregunta: ¿quién era más implacable como asesino, el ex boxeador demasiado diligente que se había hecho gángster, o el propietario de librería que coleccionaba coches?

El gángster estaba muerto. El muy vivo propietario de la librería entró de la calle lluviosa, un poco más tarde de lo habitual pero sin que la tardanza pareciera haberlo afectado en lo más mínimo, a las nueve y media esa noche. Después de haber vuelto a cerrar con llave la puerta principal, Barrons pasó por la caja registradora para leer las notas que le había dejado Fiona sobre dos encargos especiales que le habían hecho aquel día y luego se reunió conmigo, ocupando un sillón situado frente a mi puesto en el sofá. Su camisa de seda rojo sangre estaba mojada por la lluvia y se pegaba a su cuerpo musculoso como una húmeda segunda piel. Unos pantalones negros ceñían sus largas y vigorosas piernas, y calzaba unas botas negras con los tacones y las punteras plateadas. Volvía a lucir ese grueso brazalete céltico que me hacía pensar en cánticos arcanos y antiguos círculos de piedra, complementado con un toque negro y plata alrededor del cuello. Irradiaba su absurda cantidad habitual de energía y oscuro fuego carnal.

Lo miré a los ojos y él me devolvió la mirada, y ninguno de los dos abrió la boca. Barrons no dijo: «Estoy seguro de que habrá visto los coches estacionados ahí fuera, señorita Lane», y yo no dije: «Maldito bastardo, ¿cómo ha podido...?» Y la réplica de él no fue: «Sigue viva, ¿no?» Así que no le recordé que había sido él quien había hecho que mi vida corriese peligro en primer lugar. No tengo ni idea del rato que pasamos sentados ahí, pero lo cierto es que mantuvimos toda una conversación con nuestros ojos. Había conocimiento en la mirada de Jericho Barrons, un pozo insondable de él. De hecho, por un instante, imaginé estar viendo el mismísimo árbol de la sabiduría ahí dentro, cargado de relucientes manzanas rojas que tenían un aspecto delicioso y estaban suplicando que te las comieras, pero sólo fue un reflejo de las llamas y la seda escarlata en el iris de unos ojos tan oscuros que actuaban como un espejo negro.

Había una cosa que no habíamos tratado en nuestra comunicación sin palabras y que yo sencillamente tenía que saber.

—¿Nunca se lo piensa dos veces antes de hacer una cosa, Barrons? ¿Es que nunca titubea? —Cuando él no respondió, insistí—: Por sólo unos instantes, ¿se preguntó qué iba a ser de sus familias? ¿O no le preocupó que quizás alguno de ellos fuera un suplente convocado en el último momento que nunca había hecho nada peor en su vida que robarle la merienda a un chico en cuarto curso? —Si los ojos fuesen dagas, los míos habrían matado. Todo lo que le estaba diciendo eran cosas en las que yo no había dejado de pensar durante todo aquel largo día; que en algún sitio ahí fuera había esposas y niños cuyos maridos y padres nunca más volverían a casa, y que nunca sabrían qué había sido de ellos. Me había preguntado si no debería recoger sus efectos personales, con la excepción de sus horrendos restos, y remitirlos anónimamente al departamento de policía. Entendía el parco consuelo que suponía saber sin lugar a dudas que Alina estaba muerta, haber visto su cuerpo y cómo se le daba sepultura. Si mi hermana hubiera desaparecido, yo habría pasado cada día del resto de mi existencia obsesionada por una frenética esperanza que se negaba tozudamente a disiparse, examinando cada rostro en la multitud, preguntándome si Alina no estaría viva en alguna parte. Rezando para que no estuviera en manos de algún psicópata.

—Mañana irá usted al Museo Nacional —dijo Barrons.

Yo no me había dado cuenta de que estaba conteniendo la respiración, con la esperanza de oír una respuesta que pudiese aliviar alguna pequeña parte de la culpa en la que no había dejado de cocerme a fuego lento desde aquella mañana, hasta que el aire salió de mis pulmones bajo la forma de un bufido despectivo. Típico de Barrons. Pide una respuesta y recibirás una orden.

—¿Qué ha sido del «no se moverá de aquí hasta que yo vuelva, señorita Lane»? —me burlé—. ¿Qué hay de Mallucé y sus hombres? ¿Se ha olvidado de ese pequeño problema? —O'Bannion podía haberse ido al otro mundo, y yo podía disponer de una forma de protegerme de las criaturas mágicas, pero seguía habiendo un vampiro muy cabreado suelto por Dublín.

—Mallucé se fue de Dublín anoche después de que hubiera sido convocado por alguien cuyas órdenes aparentemente no podía, o no quería, pasar por alto. Sus seguidores esperan que esté fuera de la ciudad durante unos cuantos días, quizás una semana entera —dijo Barrons.

Eso me levantó un poco los ánimos. Significaba que, al menos durante unos días, podría atreverme a ir por la ciudad y desplazarme de un lado a otro de nuevo casi como una persona normal, con sólo las criaturas mágicas de las que estar pendiente. Quería volver al apartamento de Alina y decidir cuál era el nivel de daños que estaba dispuesta a infligirle para ampliar mi búsqueda de su diario, quería comprar algo de comida para guardar en mi habitación por si se diera el caso de que volviese a tener que quedarme encerrada, y ya hacía tiempo que quería comprar un sistema de sonido auxiliar que no costara demasiado para conectarlo a mi iPod. Embutirse los tapones auriculares en las orejas se estaba convirtiendo rápidamente en una parte de mi pasado; empezaba a sentirme demasiado paranoica para soportar la idea de que no podría oír llegar la próxima amenaza. Pero al menos podía oír música en mi habitación si tenía a mano un sistema de sonido auxiliar, y como ahora estaba ahorrando dinero porque ya no me veía obligada a pagar lo que cobraban por una habitación, no tendría ningún problema para justificar la adquisición.

—¿Por qué voy a ir al museo?

—Quiero que lo recorra en busca de objetos de poder, como los llama usted. Ya hace tiempo que me pregunto si no habrá objetos de las criaturas mágicas escondidos allí donde todos pueden verlos, catalogados como otra cosa. Ahora que la tengo a usted, puedo verificar esa teoría.

—¿No sabe qué son todos los objetos de poder, y el aspecto que tienen? —pregunté.

Barrons sacudió la cabeza.

—Ojalá fuera tan sencillo. Pero ni siquiera las mismas criaturas mágicas se acuerdan de todas sus reliquias. —Rio secamente—. Sospecho que tiene que ver con vivir demasiado tiempo. ¿Por qué molestarse en recordar o llevar algún registro de dónde están las cosas? ¿Para qué tomarse esa molestia? Vives hoy. Vivirás mañana. Los humanos mueren. El mundo cambia. Tú no. Los detalles, señorita Lane —dijo—, siguen el mismo curso que las emociones con el paso del tiempo.

Parpadeé.

—¿Eh?

—Me refiero a las criaturas mágicas, señorita Lane —dijo él—. No son como los humanos. Su extraordinaria longevidad ha acabado convirtiéndolas en otra cosa. Nunca debe olvidar eso.

—Créame —dije—, nunca se me ocurrirá confundirlas con un ser humano. Sé que son unos monstruos. Incluso las hermosas.

Él entornó los ojos.

—¿Las hermosas, señorita Lane? Creía que todas las criaturas mágicas que había visto hasta el momento eran horrendas. ¿Hay algo que no me está usted contando?

Por un momento había estado a punto de hablarle de V'lane, un tema que no quería abordar con Barrons. Hasta que supiera

244

en quién podía confiar..., si es que había alguien en quien pudiera confiar, y hasta qué punto, optaría por no hablar de ciertas cosas.

—¿Hay algo que usted no me está contando? —repliqué sin inmutarme. ¿Cómo se atrevía a preguntarme si yo guardaba secretos cuando él estaba atiborrado de ellos? No me molesté en tratar de ocultar que estaba tratando de ocultar algo. Lo que hice fue utilizar uno de sus propios métodos contra él: esquivar la pregunta mediante una contrapregunta.

Mantuvimos otra de esas comunicaciones sin palabras, esta vez sobre las verdades y los engaños y el tirarse faroles y luego acusar a alguien de que se había tirado un farol, y yo cada vez sabía interpretar mejor sus expresiones porque enseguida vi que Barrons decidió que no valía la pena que siguiera presionándome si eso significaba que tendría que revelar algo acerca de sí mismo.

—Trate de inspeccionar el museo lo más deprisa posible —dijo—. Después de que haya acabado allí, tenemos una lista de sitios más larga que su brazo, tanto dentro de Irlanda como fuera de ella, en los que buscar las piedras restantes y el *Sinsar Dubh*.

—Oh, Dios, así que ahora mi vida ha quedado reducida a eso, ¿no? —dije—. Lo que espera de mí es que vaya de un lugar a otro a medida que usted los va seleccionando, con la nariz pegada al suelo, olisqueando el rastro de los objetos de poder para usted, ¿verdad?

—¿Ha cambiado de opinión acerca de lo de tratar de encontrar el *Sinsar Dubh*, señorita Lane?

—Claro que no —dije.

—¿Sabe dónde tendría que empezar a buscar?

Lo miré con el ceño fruncido. Ambos sabíamos que yo no tenía ni la más remota idea de por dónde había que empezar a buscar.

—¿No cree que la forma más segura de dar tanto con el Libro Oscuro como con el asesino de su hermana es sumergirse en el mundo que la mató?

Claro que lo creía. No había dejado de pensar en ello durante toda la semana.

—Siempre que ese mundo no me mate primero —dije—. Y no cabe duda de que parece estar empeñado en hacerlo.

Él sonrió levemente.

—Creo que no lo entiende, señorita Lane. No dejaré que la maten. Pase lo que pase. —Se levantó y atravesó la habitación. Mientras abría la puerta, me miró por encima del hombro—. Y un día me lo agradecerá.

¿Me estaba tomando el pelo? ¿Se suponía que tenía que agradecerle que hubiera hecho que me manchara las manos de sangre?

—No creo, Barrons —le dije, pero la puerta ya se había cerrado y Barrons había desaparecido en la lluviosa noche de Dublín.

18

«Sombras: quizá mi mayor enemigo entre las criaturas mágicas», escribí en mi diario.

Puse el bolígrafo entre las páginas y volví a consultar el reloj; todavía faltaban diez minutos para que el museo abriera sus puertas. Por la noche había tenido pesadillas, y estaba tan impaciente por salir de la librería a la mañana llena de sol, para hacer algo turístico y refrescantemente normal, que no se me había ocurrido mirar el horario del museo. Aunque hice un alto en el camino para tomarme un café y un bollo, aun así llegué con media hora de adelanto y fui una de las muchas personas que hacían cola fuera, formando grupos o aguardando sentadas en bancos cerca de la cúpula de entrada al Museo de Arqueología e Historia en la calle Kildare.

Conseguí hacerme con un hueco en un banco y aproveché todo ese tiempo libre para anotar los últimos acontecimientos en mi cuaderno y resumir lo que había aprendido. Mi obsesión por encontrar el diario de Alina ya había dado forma a lo que decidía escribir en el mío: lo anotaba todo, y siempre con el mayor lujo de detalles posible. Había que tenerlo todo presente y nunca sabías cuáles eran las claves presentes en tu propia vida que otra persona podía llegar a ver mientras tú estabas cegada por el hecho de vivirla. Si me sucedía algo, quería dejar el mejor registro escrito posible, por si se diera el caso de que otra persona asumiera mi causa, aunque, francamente, me costaba imaginar que nadie pudiese querer hacerlo, y esperaba que Alina hubiera hecho lo mismo.

Volví a coger el bolígrafo.

Escribí: «Según Barrons, las sombras carecen de sustancia, lo que significa que no puedo dejarlas paralizadas ni apuñalarlas. Al parecer no dispongo de ninguna defensa contra esta casta inferior de invisibles.»

La ironía no se me pasó por alto. Las sombras eran lo más vil de su especie, apenas inteligentes, y sin embargo, pese a la punta de lanza metida en mi bolso (que había tomado la precaución de rematar con una bola de papel de estaño) supuestamente capaz de matar hasta al tiburón más poderoso del mar de las criaturas mágicas, seguía siendo impotente ante los ocupantes del último peldaño de la cadena alimenticia.

Bueno, en ese caso tendría que mantenerme alejada del final de la cadena, e ir armada con lo que funcionaba contra ellos. Me apresuré a hacer una adición a la lista de la compra que había estado redactando: unas cuantas docenas de linternas de distintos tamaños. Empezaría llevando conmigo una o dos en todo momento y repartiría el resto por la librería, en cada rincón de cada habitación, porque quería estar preparada para la horrible posibilidad de que pudiera irse la luz, una noche. Pese al brillante sol de la mañana, me estremecí sólo de pensar en ello. Las sombras no habían dejado de rondarme por la cabeza desde que descubrí todas aquellas ropas amontonadas en torno a los restos apergaminados de lo que habían sido seres humanos.

—¿Por qué dejan tirada la ropa? —le había preguntado a Barrons cuando pasé a su lado en el vestíbulo de atrás, la noche anterior, cuando iba a acostarme. Aquel hombre era un auténtico búho nocturno. Pese a mi tierna edad, estaba rendida y con los ojos legañosos a la una de la madrugada, y sin embargo él parecía irritantemente despierto y lleno de energías, y volvía a estar de muy buen humor. Yo sabía que mi pregunta apenas tenía importancia visto el cariz que estaban tomando las cosas, pero a veces son los detalles más insignificantes los que más me pican la curiosidad.

—Igual que el hombre gris anhela una belleza que nunca será suya, señorita Lane —dijo Barrons—, las sombras se sienten impulsadas a robar aquello que tampoco podrán poseer jamás. Una manifestación física de la vida. Así que toman la nuestra y dejan tirado aquello que carece de animación. La ropa es inerte.

—Bueno, ¿qué son esas cosas apergaminadas? —pregunté, embargada por una mezcla de asco y fascinación—. Me imagino que son partes de nosotros, pero ¿cuáles exactamente?

—Se diría que esta noche andamos un poco morbosas, ¿eh, señorita Lane?¿Cómo quiere que lo sepa? —El encogimiento de hombros de Barrons fue un ondular de músculos bajo seda escarlata—. Quizá piel condensada, huesos, dientes, uñas y similares, a las que se ha despojado de cualquier rastro de vida. O quizá sea que no les gusta el sabor de nuestros cerebros. Puede que sepan a rana, señorita Lane, y las sombras detestan la rana.

—Puaj —murmuré mientras ponía por escrito el meollo de nuestra conversación nocturna sobre una nueva página.

Mientras estaba acabando, hubo un súbito éxodo masivo a mi alrededor, y levanté la vista hacia las ahora abiertas puertas del museo. Guardé el diario en el bolso, mirando bien dónde lo ponía para que no me estorbara cuando quisiera coger mi punta de lanza, me eché el bolso al hombro y me levanté del banco, contenta de que apenas notase la náusea causada por un contacto tan cercano con el objeto de poder. Estaba resuelta a llevar conmigo aquella cosa adondequiera que fuese, así que la noche anterior me había obligado a dormir con ella, esperando que cuanto más contacto tuviéramos, menos me afectaría su presencia conforme pasara el tiempo. El truco parecía estar funcionando.

Entrar en la gran rotonda del museo hizo que me sintiera todavía más animada. Siempre me han gustado los museos. Probablemente debería fingir que es porque soy una chica estudiosa que tiene alma de erudita y siempre quiere aprender algo nuevo, pero en realidad lo que pasa es que me encantan las cosas bonitas que brillan, y por lo que había oído contar acerca de aquel sitio, estaba atiborrado de ellas. Me moría de ganas de verlas.

Por desgracia, mi visita al museo iba a ser bastante corta.

Un día dejaría de quitarme la ropa en presencia de V'lane, pero el precio de esa resistencia sería un trozo de mi alma.

En ese momento, mientras iba por el Museo Nacional de Arqueología e Historia, deslumbrada y encantada por la exposición de Ór, una auténtica cueva del tesoro llena de oro irlandés, no tenía ni idea de que una persona pudiera llegar a perder trozos del alma.

Por aquel entonces, yo estaba ciega a todo lo que tenía lugar a mi alrededor. Por aquel entonces, yo tenía veintidós años y era guapa y hasta el mes anterior mi mayor preocupación había sido si Revlon retiraría del mercado mi esmalte de uñas favorito, la variedad Rosa Helado de Fresa, lo que representaría un desastre de proporciones épicas porque me habría dejado sin el complemento ideal para la faldita de seda rosa que llevaba ahora junto con un top color perla y unas relucientes sandalias doradas, realzadas por exactamente la cantidad apropiada de tacón para permitirme lucir el dorado de mis piernas bronceadas. Un collar de perlas se balanceaba entre mis generosos pechos, y los pendientes a juego y un brazalete de perlas en la muñeca me daban justo el aspecto de atractivo juvenil que andaba buscando. Mis rizos negros como la noche me acariciaban el rostro y mi paso estaba haciendo volver más de unas cuantas miradas masculinas. Levanté un poco más el mentón y sonreí para mis adentros. Ah, los placeres sencillos de la vida...

Unas cuantas vitrinas de exposición más adelante, junto a las escaleras, un tío buenísimo no me quitaba los ojos de encima. Alto y de constitución atlética, tenía el pelo oscuro, una piel realmente magnífica y unos ojos azules de ensueño. Parecía tener aproximadamente mi misma edad, quizás unos pocos años mayor; pensé que debía de estar en la universidad, y era justo la clase de hombre con el que yo habría salido en casa. La inclinación de cabeza apreciativa y la sonrisa que me dirigió evidenciaron su interés por mí. Mamá nos había dicho a las dos hermanas: «Haceos valorar, en una época en que las chicas suelen mostrarse demasiado disponibles ante los chicos, obligadlo a que tenga que trabajar un poco para ganarse vuestra atención. Él pensará que le ha tocado el premio gordo cuando consiga que le hagáis caso, y luego se esforzará mucho más por conservaros. Los chicos se hacen hombres y los hombres siempre aprecian más aquello que no se consigue fácilmente.»

¿He dicho ya que mi madre es una mujer muy sabia? Mi papá todavía está colado por ella después de treinta años, aún piensa que el sol sale y se pone sobre la cabeza de Rainey Lane, y que si un día ella no se levantara de la cama, tampoco comenzaría la mañana. A mi hermana y a mí nunca nos ha faltado el cariño, pero siempre supimos que nuestros padres se querían un poco más el uno al otro que a nosotras. Encontrábamos repugnante y, al mismo tiempo, tranquilizador que nunca dejaran de cerrar con llave la puerta de su dormitorio en los momentos más inesperados del día, en ocasiones dos veces el mismo día. Entonces Alina y yo nos mirábamos con cara de resignación, pero en un mundo en el que el índice de divorcios es un motivo de alarma mucho más grande que las cotizaciones del petróleo, esa historia de amor que todavía perduraba era nuestra roca de Gibraltar.

Me dispuse a dirigir una tímida sonrisa a mi admirador, pero mis labios ya habían empezado a curvarse cuando les ordené que se quedaran quietos. ¿Para qué molestarse? Tampoco era como si el salir con hombres fuera algo para lo que yo pudiera encontrar un hueco en mi programa de actividades, entre vampiros, criaturas mágicas que te chupaban la vida, gángsters y el tener que detectar objetos de poder. ¿Iría a recogerme a la librería de Barrons para nuestra cita? Cielos, ¿y si a mi enigmático e implacable anfitrión se le ocurría volver a apagar las luces de fuera precisamente esa noche?

Adiós guapetón, hola montoncito de ropa.

Pensarlo hizo que se me helara la sangre en las venas. Avivé el paso y dejé atrás al chico lo más deprisa que pude. Seguí recorriendo la exposición con la atención concentrada en mi recientemente descubierta *raison d'être* mientras desplegaba mi sentido arácnido en todas direcciones, a la espera de sentir un hormigueo.

No capté nada.

Atravesé una sala tras otra, objeto tras objeto, vitrina de exhibición tras vitrina de exhibición, sin experimentar el menor asomo de náusea. No obstante, estaba empezando a sentir otro tipo de hormigueos. Aparentemente aquel chico tan guapo me había activado las hormonas, porque de pronto me encontré teniendo unos pensamientos bastante subidos de tono acerca de él y preguntándome si no tendría un hermano. O dos. Quizás incluso tres.

Eso no era nada propio de mí. Yo soy mujer de un solo hombre. Incluso en mis fantasías tiendo a recurrir al sexo apasionado tradicional, no al porno en grupo. Una imagen particularmente gráfica de aquel chico tan guapo más sus hermanos se elevó de las profundidades de mi mente y casi me tambaleé bajo el súbito impacto erótico. Sacudí la cabeza y me recordé a mí misma lo que había ido a hacer allí: buscar objetos de poder, no sexo orgiástico sin ton ni son.

Casi había abandonado toda esperanza de encontrar nada de interés cuando mi mirada fue atraída por una pequeña prenda de seda rosa con encajes tirada en el suelo a un par de metros a mi izquierda, en la dirección de la que acababa de venir yo.

No pude evitar pensar en lo bonita que era y volví sobre mis pasos en dirección a ella, para ver qué era.

Sentí que me ardían las mejillas. Claro que me había gustado.

Eran mis bragas.

Las recogí de un manotazo, y llevé a cabo un apresurado inventario de mí misma.

Falda, presente. Camiseta, presente. Sujetador en su sitio, bien. Gracias, Dios mío. Aparte de la corriente de aire que notaba en mi trasero desnudo, y el tremendo estado de excitación sexual en que me hallaba, parecía que no me pasaba nada. Al parecer había ido directamente a por las bragas, metiéndome las manos bajo la falda para quitármelas y luego seguí andando sin darme cuenta siquiera de lo que acababa de hacer. Si no estuviese tan enamorada del rosa, si no viviera tan pendiente de la moda, podría haber seguido desnudándome como si tal cosa con la mente llena de toda clase de pensamientos cachondos, hasta acabar yendo desnuda por el museo. Afortunadamente, la visión de mi propio buen gusto tirado en el suelo había impedido que tomara por ese camino. No estaba segura de si debería sentirme aliviada o escandalizada ante mis propias bajezas.

—¿Dónde estás? —masculle, volviendo a entrar en mis bragas y alisándome la falda sobre las caderas. Aunque me hallaba de pie en el centro de una gran sala llena de gente que lanzaba exclamaciones ante los distintos tesoros expuestos, ni una sola persona me estaba prestando la menor atención. Enseguida tuve claro qué era lo que me había provocado un estado de excitación sexual tan intensa que empecé a quitarme la ropa sin darme cuenta de lo que hacía.

Había una criatura mágica en alguna parte, proyectando una

intensa ilusión a su alrededor, y era una de las de muerte por sexo. Supuse que sería V'lane, más que nada porque no quería ni pensar en que pudiera haber muchas criaturas mágicas sueltas por mi mundo, tan aterradoramente hermosas que te nublaban la mente y te distorsionaban la libido.

Desde algún lugar detrás de mí, oí una risa que me acarició el clítoris con el frescor de una hilera de perlas deslizadas suavemente sobre él, y de pronto toda yo me convertí en un inmenso abismo sin fondo lleno de insoportable necesidad sexual. Me temblaban las piernas, mis bragas habían vuelto a desaparecer, toda la cara interna de los muslos se me había cubierto de gotitas de sudor, y estaba tan ávida de sexo que tenía muy claro que iba a morir si no podía follar en ese mismo momento.

Un ruidito hizo que bajara la mirada hacia el suelo. Junto a mis bragas estaba mi brazalete de perlas. No estaba segura de si era yo la que había hecho lo que acababa de sentir entre las piernas, o si había sido la criatura mágica.

—V'lane —murmuré, a través de los labios súbitamente hinchados por el mismo deseo que empezaba a hincharme los pechos. Mi cuerpo estaba cambiando, preparándose para acoger a su dueño y señor como una fruta madura que se humedece y se vuelve más blanda.

—Túmbate, humana —dijo la cosa.

—Por encima de mi cadáver, criatura mágica —gruñí.

V'lane volvió a reír y sentí que me ardían los pezones.

—Todavía no, *sidhe* vidente, pero puede que algún día supliques morir.

Agravio. Eso era. El agravio había funcionado antes. Agravio y otra palabra que empezaba con A. Pero ¿cuál era esa palabra? ¿Qué me había salvado antes? ¿Cuál era ese pensamiento que me llenaba de tristeza y hacía que me entraran ganas de echarme a llorar, que podía enfriarme por dentro y hacerme sentir como si fuese la muerte encarnada?

—Aguacate —murmuré. No, ésa no era. ¿Artefacto? ¿Adán? ¿Aceptable? ¿Admisible? ¿Debía entender que era perfectamente aceptable y admisible que yo me pusiera a follar allí mismo? La criatura mágica había dicho: «Túmbate, humana.» ¿Quién era yo para desobedecerla?

Me arrodillé sobre el frío suelo de mármol del museo y me subí la falda por encima de las caderas, desnudándome, ofreciéndome. Aquí me tienes. Tómame.

—A cuatro patas —dijo la criatura mágica detrás de mí, riendo de nuevo, y volví a sentir el frío contacto de las perlas mientras eran deslizadas lentamente entre mis muslos, sobre el tenso brote de mi clítoris, entre los labios hinchados y resbaladizos de mi sexo. Me incliné hacia delante hasta apoyar las manos en el suelo. Mi columna vertebral se arqueó mientras subía el trasero, e hice un sonido que no tenía nada de humano.

Mi mente se oscurecía. Podía sentirlo, y ni siquiera sabía si quien estaba detrás de mí era V'lane o alguna otra criatura mágica que me dejaría aprisionada contra el suelo y me follaría lentamente hasta matarme. Un instante después sentí sus manos en mi trasero mientras empezaba a colocarme bien para ser penetrada, y si yo era una nulificadora, había olvidado que tenía manos, y si había una punta de lanza cerca, había olvidado que tenía un bolso, y si alguna vez tuve una hermana que había sido asesinada en algún lugar de Dublín...

—¡Alina! —La palabra estalló dentro de mí con tanta vehemencia y una desesperación tal que una rociada de gotitas de saliva me voló de los labios.

Aparté las manos que me tocaban, me incorporé al tiempo que me daba la vuelta y planté firmemente las palmas de las manos en el pecho de V'lane.

—¡Cerdo! —Me hice a un lado, un cangrejo con el trasero al aire, desesperada por alcanzar el bolso que había tirado al suelo a unos metros de distancia, junto con mi camiseta y mis sandalias.

Para cuando conseguí llegar a mi pequeña pila de posesiones abandonadas, la criatura mágica ya había dejado de estar paralizada. Barrons estaba en lo cierto, cuanto más noble fuese la casta, más poderosas eran las criaturas mágicas. Al parecer yo sólo podía dejar paralizada a la realeza durante unos instantes. No era suficiente. Ni mucho menos.

—No somos cerdos —dijo V'lane fríamente mientras se levantaba del suelo—. Son los humanos quienes son los animales.

—Sí, claro. ¡Pero no he sido yo la que ha estado a punto de violarme hace unos momentos!

—Lo querías y todavía lo quieres —dijo V'lane sin inmutarse—. Tu cuerpo arde de deseo por mí, humana. Quieres adorarme. Quieres estar de rodillas.

Lo más espantoso de todo era que V'lane tenía razón. Incluso ahora, mi espalda continuaba arqueada en una invitación sensual, mi trasero buscaba en el aire como el de una gata en celo, y cada uno de mis movimientos era flexible y sinuoso. Toda yo era un gran anuncio de ven a por mí. Había una ninfómana irracional agazapada en mi interior, y le daba igual después de cuántos orgasmos moriría. Agarré el bolso con manos temblorosas.

—No te me acerques —advertí.

La expresión de V'lane indicaba que no tenía ninguna prisa por acercarse a mí en ese momento. Su expresión decía lo mucho que le repugnaba mi lamentablemente breve instante de poder sobre él, el hecho de que una mera humana pudiera ejercer cualquier clase de dominio sobre algo tan glorioso como un príncipe de los tuatha dé danaan.

—¿Por qué has venido aquí? ¿Qué puede haber que sea de nuestra propiedad en este museo, *sidhe* vidente? —quiso saber.

Abrí la cremallera de mi bolso, quité la bola de papel de estaño de la punta de lanza y cerré la mano sobre ella, pero no llegué a sacarla del bolso. Quería conservar ese elemento de sorpresa.

—Nada.

—Mientes.

—No, de verdad, aquí no hay nada —dije sinceramente, aunque tampoco se lo habría dicho en el caso de que lo hubiera.

—Han pasado cinco días, *sidhe* vidente. ¿Qué fue lo que te llevaste del pub de O'Bannion? —parpadée. ¿Cómo diablos sabía eso?—. Él murió intentando recuperarlo, así es como lo sé. Sé dónde te alojas —concluyó V'lane—. Sé adónde vas. Es inútil que me mientas.

Preferí creer que la criatura mágica me había leído los pensamientos en la cara, no que los hubiera extraído de mi mente. Me mordí la lengua para no gimotear. V'lane estaba volviendo a hacerme algo. Yo había vuelto a coger mis perlas. Y me estaba trabajando la entrepierna con ellas, una dura y fría bola detrás de otra.

—Habla, *sidhe* vidente.

—¿Quieres saber qué fue lo que nos llevamos? ¡Te enseñaré lo que nos llevamos! —Tensé los dedos alrededor de la base de la punta de lanza, la saqué de mi bolso y la levanté amenazadoramente—. ¡Esto!

Era la primera vez que veía una expresión semejante en el rostro de una criatura mágica, y no sería la última. Me llenó las venas con una sensación de poder tan inmensa que casi igualó el frenesí de excitación sexual que había hecho presa en mí.

V'lane, príncipe de los tuatha dé danaan, le tenía miedo a algo.

Y ese algo estaba en mi mano.

La imperiosa criatura mágica desapareció. Como si tal cosa. En un abrir y cerrar de ojos, si yo hubiera parpadeado. No lo había hecho. Pero V'lane ya no estaba ahí.

Me senté en el suelo, respiré profundamente con la punta de lanza todavía en mi mano, e intenté poner un poco de orden en mis pensamientos.

La sala volvió a infiltrarse lentamente en mi consciencia: un zumbar de ruidos, una confusión de colores y, finalmente, fragmentos de conversación aquí y allá.

—¿Qué se supone que está haciendo?

—Ni idea, tío, pero tiene un culo magnífico. ¡Y no hablemos de sus tetas!

—Tápate los ojos, Danny. Ahora. —La voz de una madre, llena de indignación—. No está decente.

—Pero está buenísima. —Acompañado por un silbido y el flash de una cámara.

—¿Qué diablos es eso que tiene en la mano? ¿Debería alguien llamar a la policía?

—No sé, ¿quizás a una ambulancia? Se diría que no se encuentra del todo bien.

Miré en derredor, los ojos muy abiertos. Estaba sentada en el suelo rodeada de gente, un círculo entero de visitantes del museo que me contemplaban con ávida curiosidad.

Tragué aire con un jadeo ahogado que quiso volver a salir de mis labios convertido en un sollozo, metí la punta de lanza en el bolso —¿cómo diablos iba a explicar que la tuviera en mi poder?—, me bajé la falda de un tirón para taparme el trasero, apreté el sujetador contra mis pechos desnudos, busqué a tientas el top, me lo pasé por la cabeza, recogí mis zapatos y me levanté del suelo.

—Apártense —chillé mientras me abría paso entre el gentío, apartándolos a codazos y empujones, buitres, todos y cada uno de ellos.

No lo pude evitar. Rompí a llorar mientras salía corriendo de la sala.

Para lo vieja que era, podía moverse muy deprisa.

Me dio alcance a menos de una manzana del museo, apareciendo de pronto ante mí para cortarme el paso.

Torcí hacia la izquierda y pasé a su lado sin cambiar el paso.

—¡Alto! —chilló ella.

—Váyase al infierno —masculló por encima del hombro, las lágrimas abrasándome las mejillas. Mi victoria sobre V'lane con la punta de lanza había pasado a quedar en un segundo plano ante mi humillación pública. ¿Cuánto tiempo había pasado sentada en el suelo del museo exponiendo partes de mí que ningún hombre había tenido ocasión de examinar a la luz del día, a menos que estuviera armado con un espéculo y una licencia para ejercer la medicina? ¿Cuánto tiempo me habían estado mirando? ¿Por qué nadie había intentado taparme? Allá en el Sur, un hombre se habría apresurado a quitarse la camisa para echármela por encima. También me habría echado una miradita mientras lo hacía, claro, quiero decir que, bueno, unos pechos son unos pechos y los hombres son hombres, pero la caballerosidad no ha muerto del todo en el sitio del que vengo.

—Mirones —dije con amargura—. Tarados en busca de nuevos escándalos. —Gracias, Reality TV. La gente estaba tan acostumbrada a que la zambulleran en los momentos más íntimos de otras personas y a presenciar los detalles sórdidos de sus vidas que ahora se sentía más inclinada a ponerse cómoda y disfrutar del espectáculo que a hacer ningún esfuerzo por ayudar a alguien que se encontraba en apuros.

La anciana volvió a plantarse ante mí y esta vez me desvié hacia la derecha, pero ella se movió conmigo y chocamos. Era tan anciana y tan diminuta y tan frágil que temí que pudiera perder el equilibrio y acabar en el suelo, y a su edad, una caída podía significar una seria fractura de huesos y un largo período de recuperación. Los buenos modales, a diferencia de los de esos tarados del museo, eclipsaron temporalmente mi miseria, y la agarré por los codos.

—¿Qué? —inquirí—. ¿Qué es lo que quiere? ¿Quiere volver a atizarme en la cabeza con los nudillos? ¡Bueno, pues adelante! ¡Hágalo y acabemos de una vez! Pero creo que debería saber que no he podido evitar..., y la situación es..., bueno, es complicada.

Mi asaltante era la anciana del pub de aquella primera noche en Dublín; la que me había dado con los nudillos en la cabeza y me había dicho que dejara de mirar a la criatura mágica y me buscara otro sitio donde morir y, aunque ahora yo sabía que me había salvado la vida aquella noche, en aquellos momentos no me sentía de humor para agradecérselo.

Inclinando hacia atrás su cabeza llena de pelo plateado, la anciana alzó la mirada hacia mí, una expresión perpleja en su rostro lleno de arrugas.

—¿Quién eres? —exclamó.

—¿Qué quiere decir con eso de que quién soy? —dije amargamente—. ¿Por qué me está persiguiendo si no sabe quién soy? ¿Es que acostumbra a ir detrás de las desconocidas?

—Estaba en el museo —dijo—. Vi lo que hiciste. Madre de Dios, ¿quién eres, muchacha?

Estaba tan harta de la gente en general que me puse a chillar:

—¿Vio lo que estaba intentando hacerme esa cosa y no trató de ayudarme? Si me hubiera violado, ¿se habría quedado de pie allí mientras lo hacía? ¡Muchísimas gracias! Se lo agradezco. Caramba, las cosas están llegando a un punto en el que ya ni siquiera estoy segura de quiénes son más monstruos, si nosotros o ellos.

—Giré sobre mis talones y traté de alejarme, pero la anciana me agarró del brazo con una presa sorprendentemente fuerte.

—No podía ayudarte y tú lo sabes —replicó secamente—. Conoces las reglas.

Me sacudí su mano del brazo.

—Pues la verdad es que no. Todo el mundo parece conocerlas. Pero yo no.

—Una delatada es una muerta —dijo la anciana—. Dos delatadas son dos muertas. Cada una de nosotras cuenta, ahora más que nunca. No podemos arriesgarnos a delatar a más de las nuestras, y yo menos que nadie. Además, supiste plantarle cara de una forma que nunca había visto antes... ¡Y nada menos que a un príncipe! Madre de Dios, ¿cómo lo hiciste? ¿Qué eres? —Su penetrante mirada azul fue rápidamente de mi ojo izquierdo a mi ojo derecho y luego volvió al ojo izquierdo—. Al principio tu pelo me engañó, pero entonces supe que eras tú, por lo que hiciste en el pub. Esa piel, esos ojos, y tus andares... ¡*och*, caminas igual que Patrona! Pero no puedes ser hija de Patrona, o yo lo hubiese sabido. ¿De qué rama de los O'Connor provienes? ¿Quién es tu madre? —inquirió.

Sacudí la cabeza con una mueca de impaciencia.

—Oiga, señora, esa noche en el pub ya le dije que no soy una O'Connor. Me apellido Lane. MacKayla Lane, de Georgia. Mi mamá es Rainey Lane y antes de que se casara con mi papá, era Rayney Frye. Así que ya lo ve. Siento decepcionarla, pero no hay un solo O'Connor en ningún lugar de mi árbol genealógico.

—Entonces es que fuiste adoptada —dijo la anciana en un tono que no admitía réplica.

Me quedé boquiabierta.

—¡No fui adoptada!

—¡Anda que no! —me espetó la anciana—. Aunque no sé cuáles pudieron ser los cómos y los porqués del asunto, eres una O'Connor de pies a cabeza.

—¡Qué cara más dura! —exclamé yo—. ¿Cómo se atreve a decirme que no sé quién soy? ¡Soy MacKayla Lane y nací en el Hospital de Cristo igual que mi hermana, y mi papá estaba en la habitación con mi mamá cuando nací y no soy adoptada y usted no sabe absolutamente nada acerca de mí o de mi familia!

—Obviamente —replicó la anciana—, tú tampoco.

Abrí la boca, me lo pensé mejor, la cerré y di media vuelta y empecé a alejarme. Empeñarme en refutar sus afirmaciones sólo serviría para dar más credibilidad a los delirios de aquella vieja.

Yo no era adoptada y lo tenía muy claro, al igual que tenía muy claro que aquella anciana estaba como un cencerro.

—Me voy...

—¿Adónde vas? —inquirió ella—. Hay cosas que necesito saber. ¿Quién eres, podemos confiar en ti y cómo, por todos los santos, te las has arreglado para hacerte con una de sus Consagraciones? Esa noche en el bar pensé que tenías que estar *pri ya* —escupió la palabra como si fuera el más ofensivo de los epítetos— por los ojitos de boba con que mirabas a esa cosa. Ahora ya no tengo ni idea de lo que eres. Tienes que venir conmigo. ¡Quieta ahí, O'Connor! —Usó un tono de voz que, no hacía tanto tiempo, habría hecho que me parase en seco y diera media vuelta, aunque sólo fuese por respeto a mis mayores, pero yo ya no era esa chica. De hecho, ni siquiera estaba segura de quién había sido realmente esa chica, como si «Mac antes de la llamada» ese día al lado de la piscina no hubiera sido del todo real, sólo una bonita amalgama vacía de ropa elegante, música alegre y sueños de potrilla.

—Deje de llamarme así —siseé por encima del hombro— y manténgase alejada de mí, vieja. —Eché a correr pero no fui lo bastante rápida para dejar atrás sus siguientes palabras, y en cuanto se las oí decir supe que a partir de entonces me acompañarían a todas partes como otras tantas piedrecitas clavadas en el alma.

—Entonces pregúntaselo —resonó el reto de la anciana—. Si tan segura estás de no haber sido adoptada, MacKayla «Lane», habla con tu madre y pregúntaselo.

19

—¿Qué tenemos en la agenda para esta noche? —pregunté a Barrons apenas entró en la librería. Llevaba un buen rato yendo y viniendo ante las ventanas de delante, con todas las luces encendidas, tanto dentro como fuera, viendo caer la noche más allá de la fortaleza iluminada.

Supongo que debió de haber una cierta tensión en mi tono, porque enarcó una ceja y me atravesó con la mirada.

—¿Ocurre algo, señorita Lane?

—No. En absoluto. Me encuentro perfectamente. Sólo quería hacerme una idea de qué es lo que me espera esta noche —dije—. Robar a alguien a quien luego dejaremos seguir con vida, o a alguien a quien tendremos que matar. —La voz sonó malhumorada..., pero quería saber exactamente cuánto peor como persona iba a ser la mañana siguiente. Cada día me costaba un poco más reconocer a la mujer que me devolvía la mirada cuando me contemplaba en el espejo.

Barrons caminó alrededor alrededor de mí en un lento círculo.

—¿Está segura de que se encuentra usted bien, señorita Lane? Parece algo tensa.

Roté en el centro del círculo, girando con él.

—Sólo estoy un poco cansada —dije.

Barrons entornó los ojos.

—¿Encontró algo en el museo?

—No.

—¿Miró en todas las salas?

—No.

—¿Por qué no?

—No me apetecía —dije.

—¿No le apetecía? —Por un momento Barrons me miró con el rostro vacío de toda expresión, como si la idea de que alguien pudiera desobedecer una de sus órdenes, sólo porque no le apetecía obedecerla, le resultara más inconcebible que la posibilidad de que hubiera vida humana en Marte.

—No soy su bestia de carga —le dije—. Yo también tengo una vida. Al menos, solía tenerla. Hacía cosas tan normales como salir con chicos, ir a comer fuera, ver películas y dar una vuelta con mis amistades sin pensar ni por un segundo en vampiros, monstruos o gángsters. Así que ahora haga el favor de no leerme la cartilla porque no he sabido estar a la altura de sus exigencias. Yo no planeo sus días para usted, ¿verdad? Incluso un detector de objetos de poder necesita tomarse un descanso de vez en cuando. —Lo miré con disgusto—. Considérese afortunado de que lo esté ayudando, Barrons.

Él vino hacia mí y no se detuvo hasta que pude sentir el calor que irradiaba de aquel cuerpo duro como una roca. Hasta que no me quedó más remedio que echar la cabeza hacia atrás para mirarlo a la cara, y cuando lo hice, me impresionó el brillo de sus ojos negros como la noche, el oro aterciopelado en su piel, la curva sensual de su boca, con ese labio inferior que sugería voluptuosos apetitos carnales, y el superior que hablaba de autocontrol y quizás una pizca de crueldad, lo que hizo que me preguntara qué se sentiría al...

Buf. Sacudí la cabeza porque no quería ni pensar en eso. Gracias a mis dos breves encuentros con V'lane, sabía que la mera proximidad a una criatura mágica de la variedad muerte por sexo te provocaba un súbito incremento en la producción de hormonas cuyos efectos sólo cesaban si las gastabas de alguna manera. Lo que V'lane me había hecho me había dejado tan espantosamente excitada que necesité bastantes más orgasmos de los que creía poder llegar a tener y una larga ducha con agua helada para calmarme. Y ahora empezaba a tener la impresión de que no me había empleado lo bastante a fondo, porque todavía estaba notando los efectos residuales. Era lo único que podía explicar porqué estaba de pie allí preguntándome qué se sentiría al ser besada por Jericho Barrons.

Afortunadamente, él eligió ese momento para abrir esa boca que yo había estado encontrando tan perturbadoramente sexual y empezar a hablar. Sus palabras me devolvieron abruptamente la perspectiva perdida.

—Aún cree que puede alejarse de todo esto, ¿verdad, señorita Lane? —preguntó fríamente—. Cree que la cosa va de encontrar un libro, cree que la cosa va de descubrir quién mató a su hermana; pero la verdad es que su mundo va directo al infierno, y usted es una de las pocas personas que pueden hacer algo al respecto. Si la persona o la cosa equivocadas consiguen hacerse con el *Sinsar Dubh*, lo que tendrá que llorar no será la pérdida de ese precioso mundo suyo que luce todos los colores del arco iris y acaba de ir a que le hagan la manicura, sino el fin de la vida humana como la conoce. ¿Cuánto cree que va a durar usted en un mundo donde alguien como Mallucé, o ese invisible que tiene a sus chicos rinoceronte montando guardia por toda la ciudad, se apropie del Libro Oscuro? ¿Cuánto cree que querrá durar? Esto no va de jugar y pasarlo bien, señorita Lane. Ni siquiera va de vivir o morir. Esto va de cosas que son peores que la muerte.

—¿Piensa que no lo sé? —repliqué secamente. Puede que yo no hubiera estado hablando de todo lo que él acababa de decir, pero sí había estado pensando en ello. Sabía que estaba en marcha algo mucho más enorme que lo que me había ocurrido a mí, en mi pequeño rincón del mundo. Yo había comido patatas mojadas en ketchup y visto cómo el hombre gris destruía a una mujer indefensa, y desde entonces cada vez que se ponía el sol no había dejado de preguntarme quién estaría siendo víctima de aquella cosa en ese preciso instante. Había podido echarle una buena mirada a la cosa con muchas bocas y sabía que ahora mismo estaría acechando en algún lugar de la ciudad, alimentándose de alguien. Me había preguntado cómo vería a Dublín si yo pudiera avanzar uno o dos años en el futuro. No me cabía duda de que el territorio oscuro del barrio abandonado se estaba expandiendo mientras Barrons y yo hablábamos, de que otra farola acababa de exhalar su último aliento en algún lugar de ahí fuera, emitiendo un último destello antes de apagarse para siempre, y de que entonces las sombras se habían deslizado inmediatamente alrededor de ella y mañana, según me había dicho Barrons, la ciudad ni siquiera se acordaría de que ese bloque de casas hubiera existido nunca.

Esas preocupaciones no estaban presentes en mi mente únicamente durante las horas de vigilia; también habían empezado a invadir mis sueños. La noche anterior había tenido una pesadilla en la que flotaba sobre un Dublín completamente ennegrecido salvo por una única fortaleza de cuatro pisos iluminados que se alzaba en el centro de la ciudad. A la manera surreal de los sueños, yo había estado tanto por encima de la ciudad como abajo, en el interior de la librería, mirando la calle por la puerta principal. Una parte grande de Dublín había sucumbido a la oscuridad que yo conocía, y aunque me pusiera en marcha en cuanto los primeros rayos de sol asomaran por encima del horizonte, no me daría tiempo de llegar a otro santuario iluminado antes de que anocheciese, y tendría que pasar el resto de mi vida en Barrons Libros y Objetos de regalo.

Había despertado pensando en cosas como los sueños proféticos y el apocalipsis en lugar de distraerme con mis habituales y placenteras divagaciones matinales sobre lo que iba a comer ese día y la ropa tan bonita que me pondría.

Oh sí, yo sabía muy bien que todo eso estaba hecho de cosas peores que la muerte. Como esperar que siguieras adelante con tu vida después de que hubieran matado a tu hermana. Como ver que todo lo que creías acerca de ti misma y del mundo en general quedaba súbitamente revelado como una gran mentira. Pero lo que estuviese ocurriendo realmente ahí fuera no era problema mío. Yo había venido a Dublín para descubrir al asesino de Alina, asegurarme de que se hiciera justicia y luego regresar a casa, y mis planes no habían cambiado. O'Bannion había dejado de ser una amenaza, y en el caso de Mallucé quizá fuera cierto eso de que ojos que no ven corazón que no siente. Quizá Barrons podría salvar de las criaturas mágicas a la ciudad. Quizá la reina (si algo de lo que había dicho V'lane era verdad) encontraría el Libro Oscuro sin mi ayuda, enviaría a los invisibles de regreso a su prisión y nuestro mundo volvería a la normalidad. Quizá después de que yo me hubiera ido, todas las cosas malignas que andaban tras el *Sinsar Dubh* lucharían a muerte entre ellas para hacerse con el libro hasta que no quedara ninguna con vida. Había muchísimas posibilidades y ninguna de ellas tenía por qué involucrarme. Estaba harta de aquel sitio. Quería largarme de allí antes de que una sola hebra más de realidad se me deshiciera alrededor de las orejas.

—¿Entonces qué problema tiene exactamente —quiso saber Barrons—, y por qué no acabó de recorrer el museo?

—He tenido un día muy malo, ¿vale? —dije sin perder la calma, aunque por dentro me sentía como un volcán que va a hacer erupción en cualquier momento—. Se supone que todos tenemos derecho a uno de vez en cuando, ¿no?

Barrons me escudriñó el rostro por un instante y luego se encogió de hombros.

—Muy bien. Acabe mañana.

Puse los ojos en blanco.

—¿Qué se supone que vamos a hacer esta noche?

Barrons me dirigió una tenue sonrisa.

—Esta noche, señorita Lane, aprenderá a matar.

Sé lo que os estaréis preguntando, porque yo me lo preguntaría también. ¿Llamé a mamá?

No soy ni tan idiota ni tan insensible. La pobrecita aún no se había recuperado del golpe que supuso la muerte de Alina, y no quería alterarla todavía más de lo que ya estaba.

Aun así, necesitaba demostrarme a mí misma que aquella vieja lunática estaba equivocada, así que después de haber salido del museo y pasado por una ferretería para comprar una buena provisión de linternas, fui directamente a Barrons Libros y Objetos de regalo para poder llamar al hospital en el que nací y enterrar de una vez para siempre las ridículas aseveraciones de la vieja.

Lo bueno que tienen las pequeñas poblaciones es que la gente está mucho más dispuesta a echarte una mano que en las grandes ciudades. Yo creo que es porque saben que la persona que hay al otro extremo de la línea es alguien con quien podrían encontrarse cualquier martes mientras su hijo se está entrenando con el equipo de la escuela, o la noche del miércoles en el campeonato de la bolera, o en alguno de los muchos festivales y meriendas al aire libre organizados por la parroquia.

Después de que mi llamada hubiera sido transferida media docena de veces y hubiera sido puesta en espera unas cuantas más, finalmente conseguí hablar con la encargada del Departamento de Registros, Eugenia Patsy Bell, quien no pudo estar más encantadora. Charlamos unos momentos durante los que me enteré de que yo había ido al instituto con su sobrina, Chandra Bell.

Le expliqué el motivo de mi llamada, y ella me dijo que sí,

guardaban registros tanto en papel como electrónicos de cada nacimiento acaecido en el hospital. Le pregunté si podía localizar el mío y leérmelo al teléfono. Ella dijo que lo sentía muchísimo, no le estaba permitido hacer tal cosa, pero si podía confirmarle cierta información personal, entonces podría descargarlo inmediatamente en su ordenador, sacar una copia impresa y enviármela en el correo de la tarde.

Le di la dirección de la librería e iba a colgar cuando ella me pidió que esperase un momento. Me quedé quieta al otro extremo de la línea, oyéndola teclear en su ordenador. Me pidió dos veces que le reconfirmase mi información, y así lo hice, en cada ocasión con una creciente sensación de temor. Entonces me preguntó si podía ponerme en espera mientras ella iba a consultar los archivos físicos. La espera fue bastante larga, y me alegré de haber recurrido al teléfono de la librería.

Finalmente Eugenia volvió a ponerse al aparato y me dijo que no se lo explicaba, porque estaba segurísima de que sus registros incluían absolutamente todos los nacimientos..., era increíble, ¿verdad? Su base de datos se remontaba hasta principios del siglo XX y era diligentemente mantenida al día por ella misma.

Y dijo que de verdad que lamentaba muchísimo no poder ayudarme, pero no había absolutamente ningún registro, electrónico o de otra naturaleza, de que una MacKayla Lane hubiera nacido en el Hospital de Cristo veintidós años antes. Y no, me dijo cuando insistí, tampoco había nada veinticuatro años antes para Alina Lane. De hecho, no había ninguna constancia de que nadie apellidado Lane hubiera nacido en el Hospital de Cristo durante los últimos cincuenta años.

No hubo manera de que encontráramos un solo invisible.

Fuimos por una calle tras otra y entramos en un pub tras otro, pero no encontramos nada.

Ahí estaba yo, armada con una punta de lanza que podía matar a las criaturas mágicas y teniendo muchísimas ganas de guerra, sólo para que se me negara la ocasión de soltar un poco de vapor cargándome a uno de los monstruos responsables de que mi vida se hubiera convertido en el desastre que era actualmente.

Tampoco era que estuviese segura al cien por cien de que pudiera cargarme a uno de ellos. Oh, lo tenía todo muy claro en la cabeza. El problema era que no sabía si mi cuerpo se comportaría como se suponía que debía hacerlo. Sospechaba que estaba sintiendo lo mismo que tiene que sentir un tío antes de enzarzarse en su primera pelea a puñetazos; se pregunta si tiene lo que hay que tener para dejar tumbado a su oponente, o si hará el ridículo agitando los puños en el aire igual que una chica o, lo que sería todavía peor, si alguno de sus puñetazos conseguirá dar en el blanco.

—Por eso la he hecho salir de la librería esta noche —dijo Barrons en cuanto le hablé de mis preocupaciones—. Prefiero que fracase mientras yo estoy con usted, porque así podré gestionar la situación, a que intente matar a su primera presa actuando por su cuenta y consiga que la maten a usted.

Yo no tenía ni idea de lo proféticas que acabarían resultando sus palabras.

—Para usted esto sólo es otra dura noche de trabajo, pateando las calles para proteger su inversión, ¿eh? —dije secamente mientras salíamos de otro pub lleno hasta los topes en el que únicamente había personas, no monstruos. Sarcasmos aparte, en el fondo me alegraba de que Barrons estuviera ahí para salvarme si se daba el caso de que necesitara que me salvasen. Yo podía no confiar en él, pero había llegado a desarrollar un sano respeto por su capacidad para «gestionar» situaciones—. Bueno, ¿cómo se supone que he de hacerlo? —pregunté—. ¿Tal cual o la cosa tienen su truco?

—Paralícela y clávele la punta de lanza, señorita Lane. Pero hágalo deprisa. Si la criatura salta a través del espacio llevándosela consigo, no seré capaz de salvarla.

—¿Hay algún punto en particular donde deba clavar la punta de lanza? Eso suponiendo, claro, que aquello con lo que nos tropecemos tenga el equivalente de las partes del cuerpo humano. —¿Eran como los vampiros? ¿Había que acertarles en el corazón? De hecho, ¿tenían corazón?

—Las tripas siempre son una buena opción.

Bajé la vista hacia mi camisa color lavanda y mi faldita púrpura con estampado de flores. La combinación quedaba de fábula con mi nuevo pelo más oscuro.

—¿Sangran?

—Algunas de ellas sí. Por así decirlo, señorita Lane. —Me dirigió una breve sonrisa que no tenía nada de simpática, y nada más verla supe que lo que fuera que salía de algunos de los invisibles iba a parecerme muy asqueroso—. La próxima vez podría probar a vestir de negro. Aunque de todas formas, siempre podemos limpiarla con una manguera en el garaje.

Fruncí el ceño mientras entrábamos en nuestro decimocuarto pub de la noche.

—¿Es que ninguna de ellas se conforma con hacer puf? —¿No era eso lo que se suponía que hacían los monstruos cuando los mataban? ¿Desintegrarse inmediatamente en una nubecita de polvo que era dispersada por una oportuna ráfaga de viento?

—¿Puf, señorita Lane?

El pub en el que acabábamos de entrar tenía música en directo esa noche, y estaba llenísimo. Me abrí paso entre el gentío, siguiendo la ancha espalda de Barrons.

—Ya sabe: hacerse humo. Eso te ahorra tener que limpiar el estropicio, o explicar la presencia de cuerpos inexplicables tirados por la calle —aclaré.

Barrons se volvió a mirarme, una oscura ceja arqueada.

—¿De dónde saca usted sus ideas?

Me encogí de hombros.

—De los libros y las películas. Le clavas la estaca a un vampiro, y el vampiro hace puf y desaparece.

—¿Sí? —Resopló desdeñosamente—. La vida rara vez te lo pone tan fácil. En el mundo real todo es mucho más complicado. —Mientras iba hacia la barra en el centro del pub, me dijo por encima del hombro—: Y no confíe en que una estaca vaya a funcionar con un vampiro, señorita Lane. Seguramente se llevaría usted una decepción. Por no mencionar que acabaría muerta.

—Bueno, entonces, ¿cómo se mata a un vampiro? —le pregunté a la espalda de Barrons.

—Buena pregunta.

Típica respuesta al estilo Barrons; ninguna respuesta. Decidí que uno de esos días lo bombardearía a preguntas y no pararía hasta que me respondiera, pero eso tendría que ser cuando no tuviese tantas otras cosas en qué pensar. Sacudí la cabeza y concentré la atención en la gente que había a mi alrededor, estudiando sus caras en busca de la que temblaría y empezaría a fluir como la cera de una vela encendida, y delataría al monstruo que se ocultaba tras ella.

Esta vez, no quedé defraudada. Barrons la vio en el mismo instante que yo.

—Al lado de la chimenea —dijo en voz baja.

Entorné los ojos y apreté las manos. Oh sí, me hubiera encantado matar a ésa. Hacerlo pondría fin a algunas de mis pesadillas.

—La veo —dije—. ¿Qué hago?

—Espere hasta que decida irse. Nosotros no libramos nuestras batallas en público. Muerta, su ilusión mágica deja de surtir efecto. El pub entero vería su verdadera forma.

—Bueno, quizás el pub entero debería ver su verdadera forma —le dije—. Quizá deberían saber lo que está pasando, y qué es lo que anda suelto por las calles.

Barrons me miró poniendo mala cara.

—¿Por qué? ¿Para que puedan temer a unas cosas de las que les es imposible defenderse? ¿Para que puedan tener pesadillas llenas de monstruos a los que no podrán ver llegar cuando vengan a por ellos? Los humanos no sirven de nada en esta batalla.

Me llevé la mano a la boca y me concentré en mantener dentro del estómago mi cena de palomitas de maíz pasadas por el microondas. Las palomitas parecían estar crujiendo en rápida sucesión y la bolsa estaba a punto de estallar.

—No puedo quedarme de pie aquí y ver eso —dije. No sabía si mi súbito acceso de náuseas era una reacción a la presencia del invisible o a imaginarme el estado en que quedaría su víctima.

—Ya casi ha terminado, señorita Lane. Está a punto de acabar. Por si no se había dado cuenta.

Oh, ya lo creo que me había dado cuenta. Nada más localizar al hombre gris y su acompañante, había sabido que ya estaba acabando. La mujer de la que se estaba alimentando el flaco monstruo de dos metros de altura tenía buenos huesos. Dignos de una modelo, eran la clase de huesos que marcan la diferencia entre tener una cara simplemente bonita y una detrás de la que van todas las agencias. Yo tengo una cara bonita, aquella mujer había sido exquisitamente hermosa.

Ahora esos huesos tan grandes eran cuanto quedaba de ella, bajo una delgada capa de carne empalidecida que empezaba a aflojarse. Y aun así la mujer seguía mirando con ojos llenos de adoración a aquel invisible de aspecto leproso. Incluso a esa distancia yo podía ver el fino encaje rojizo en el blanco de sus ojos, resultado de docenas de capilares que habían hecho explosión. No dudaba de que hacía unos instantes sus dientes habían sido blancos como perlas, pero ahora eran grises y tenían un aspecto quebradizo. Una llaguita llena de pus había florecido en la comisura de sus labios, y había otra empezando a brotar en su frente. Cuando sacudió la cabeza, sonriéndole coquetamente a su

273

destructor, que a sus ojos era un rubio guapísimo, se le cayeron dos mechones de pelo, uno al suelo, el otro sobre el zapato de un hombre que estaba de pie detrás de ella. El hombre bajó la vista, vio el mechón con un poco de cuero cabelludo que se había quedado pegado a su zapato y lo mandó lejos de una patada mientras se estremecía. Luego miró a la víctima del hombre gris, agarró de la mano a su cita y se la llevó a toda prisa a través del gentío como si estuviera huyendo de la peste negra.

Aparté la mirada. No podía ver aquello.

—Creía que esa cosa sólo las afeaba. No me imaginaba que se alimentara de ellas hasta que morían.

—Normalmente no lo hace.

—¡La está matando, Barrons! ¡Tenemos que detenerla! —Hasta yo pude oír el principio de histeria en mi voz.

Él me agarró por los hombros y me sacudió. Su contacto hizo que algo parecido a un chisporroteo me recorriera el cuerpo.

—¡Contrólese, señorita Lane! Es demasiado tarde. Ya no podemos hacer nada por ella. Esa mujer nunca podrá recuperarse de lo que se le ha hecho. Va a morir. La única pregunta es cuándo morirá. Esta noche a manos del hombre gris, mañana por su propia mano, o dentro de unas semanas a causa de alguna enfermedad degenerativa que los médicos no podrán identificar o detener mediante ningún medio conocido por el hombre.

Alcé la mirada hacia él.

—¿Me toma el pelo? ¿Quiere decir que, incluso si la víctima intenta seguir adelante con su vida en la medida en que aún sea capaz de hacerlo, termina muriendo de todas maneras?

—Si el hombre gris ha llegado a ir tan lejos, sí. Lo normal es que no lo haga. Habitualmente deja con vida a sus víctimas porque le gusta volver a visitarlas, para poder saborear su dolor durante el mayor tiempo posible. A veces, sin embargo, alguna de ellas le parece tan hermosa que es como si no pudiera soportar que existiera, así que la mata en la primera visita. Al menos ella nunca tendrá que mirarse en un espejo, señorita Lane. Al menos su estancia en el infierno será breve.

—¿Se supone que eso es un consuelo? —chillé yo—. ¿Que será breve?

—La brevedad no tiene precio, señorita Lane, y no debería subestimar su valor. —Sus ojos eran hielo, su sonrisa aún más fría que de costumbre—. ¿Cuántos años tiene usted, veintiuno, veintidós?

Hubo un tintineo de cristales rotos, un golpe sordo como el de un cuerpo que choca con el suelo y una exclamación colectiva a mi espalda. Barrons miró por encima de mi hombro. Su sonrisa ártica se esfumó.

—Oh, Dios, ¿está muerta? —chilló una mujer.

—¡Parece como si se le estuviera pudriendo la cara! —exclamó un hombre, horrorizado.

—Vamos, señorita Lane —ordenó Barrons—. Se está yendo. Va hacia la puerta. Sígalo. Yo le cubro las espaldas.

Intenté mirar por encima del hombro. No sé si quería asegurarme de que la mujer realmente había dejado de sufrir, o si es sólo que existe algún instinto innato en el ser humano de mirar a los muertos; sin duda eso explicaría nuestras prácticas funerarias, por no hablar de toda esa gente que organiza embotellamientos en la red viaria alrededor de Atlanta cuando estira el cuello intentando echar un vistazo a las víctimas de los accidentes de tráfico. Pero Barrons me rodeó la barbilla con la mano y me obligó a mirarlo a los ojos.

—No lo haga —ladró—. Los muertos se te quedan clavados en la memoria. Vaya a matar al cabrón que lo ha hecho.

Sonaba como un buen consejo. Salimos del pub.

Seguí al hombre gris y Barrons me siguió, una docena de pasos por detrás de mí. La última vez que había visto a aquel invisible, yo tenía el pelo largo y rubio. Dudaba que fuese a reconocerme con mi nuevo aspecto. La cosa no sabía que yo era una *sidhe* vidente o una nulificadora, o que tenía la punta de lanza, así que pensé que mis probabilidades de matarla eran bastante elevadas, si conseguía acercarme lo suficiente.

Acercarse lo suficiente, sin embargo, iba a ser el problema. Inhumanamente alta, la criatura también era inhumanamente veloz. Yo ya había tenido que apretar el paso para no perderla de vista. Para alcanzarla, tendría que echar a correr. Coger por sorpresa a un enemigo resulta un poco complicado cuando vas lanzada al galope, sobre todo si llevas tacones.

—Se nos está escapando, señorita Lane —gruñó Barrons detrás de mí.

—¿Piensa que no lo sé? —mascullé. La cosa ya había llegado a la mitad de la manzana y parecía haber incrementado súbitamente la intensidad de su ilusión repelente de humanos; los transeúntes se apartaban ante ella para dejarle paso, dando un gran rodeo y bajando a la calzada. De repente, pude divisarla acera abajo sin que nada se interpusiera en mi línea de visión, lo que no tenía nada de bueno. Difícilmente podía seguir con disimulo a algo cuando no había ningún camuflaje entre nosotros. Iba a tener que abalanzarme sobre el hombre gris.

Entonces éste se detuvo, se dio la vuelta y me miró directamente.

Me quedé paralizada. No hubiese podido decir cómo lo había sabido pero estaba claro que la cosa sabía que yo sabía, y yo sabía que ella lo sabía, y tratar de fingir no serviría de nada.

—¡Por todos los diablos! —oí que maldecía Barrons en voz baja, a lo que siguió un roce de acero sobre la piedra, un rumor de tela y, luego, el silencio detrás de mí.

Nos miramos el uno al otro, el hombre gris y yo. Entonces la criatura sonrió con esa boca tan horrenda que ocupaba la mitad de su largo y flaco rostro.

—Te veo, *sidhe* vidente —dijo. Su carcajada fue como un ruido de cucarachas que corretearan sobre hojas secas—. Te vi en el pub. ¿Cómo quieres morir? —Rio de nuevo—. ¿Despacio o todavía más despacio?

Pensé que ojalá se me hubiera ocurrido preguntar a Barrons si mis sospechas acerca de la extraña palabra que había usado la anciana en nuestro último encuentro eran correctas. Por el contexto en que se había servido de ella yo estaba bastante segura de haber entendido a qué venía, pero sólo había una forma de averiguarlo. Me mojé los labios con la punta de la lengua, parpadeé lánguidamente y, rezando para estar en lo cierto, jadeé:

—Como tú quieras, amo. Estoy *pri ya*.

El hombre gris tragó aire con un siseo ahogado que mostró dientes de tiburón en su boca carente de labios. Su desdeñosa diversión inicial se disipó, y sus negros ojos brillaron con un súbito interés que combinaba la excitación sexual con el sadismo homicida de una forma que me heló la sangre en las venas.

Me mordí la lengua para tratar de ocultar la repugnancia que sentía. Sí, estaba claro que había acertado. *Pri ya* significaba algo parecido a adicta a las criaturas mágicas o puta de las criaturas mágicas. Decidí que ya le pediría a Barrons que me diera la definición exacta cuando todo eso hubiera acabado. En ese momento, lo que tenía que hacer era aproximarme un poco más a la cosa. El hombre gris podía haberse dado cuenta de que lo estaba observando, pero no sabía que yo era una nulificadora, o que tenía un arma capaz de matarlo.

No cabía duda de que la cosa quería lo que pensaba que yo le estaba ofreciendo, y que la quería lo suficiente como para creer que yo era lo que decía ser. Ése era su punto débil, comprendí, su talón de Aquiles. El hombre gris podía robar belleza, podía proyectar una ilusión mágica lo bastante poderosa para hacer que incluso la mujer más hermosa lo deseara, pero nunca sería deseado en su verdadera forma y lo sabía.

Salvo..., quizá..., por una que estuviera *pri ya*. Una mujer que estuviera prendada de las criaturas mágicas, loca por ellas, dispuesta a servirle de puta a cualquier visible o invisible. Esa clase de devoción enfermiza sería lo más aproximado a la verdadera atracción que aquel monstruo podría conocer jamás.

El hombre gris se frotó sus manos leprosas y sonrió obscenamente. Al menos, a diferencia de la cosa con muchas bocas, él sólo tenía una boca con la que hacer esa clase de muecas.

—De rodillas, *pri ya* —dijo.

Me pregunté por qué a las criaturas mágicas les gustaba tanto que las mujeres se pusieran de rodillas ante ellas. ¿Sería que todas tenían algún fetiche centrado en la adoración? Fruncí los labios en una sonrisa como la que había visto en el rostro sumiso de la chica gótica en la guarida de Mallucé, y me prosterné en la acera, las rodillas desnudas hincadas sobre la fría piedra. Ya no podía oír a Barrons o a nadie más en la calle detrás de mí. No tenía ni idea de adónde se habría ido todo el mundo. Al parecer la ilusión repelente de humanos del hombre gris no tenía nada que envidiar a la de V'lane.

Mi bolso estaba abierto, y tenía las manos preparadas. Con que la parálisis del hombre gris durara aunque sólo fuese la mitad de la que había sufrido la cosa con muchas bocas, tendría tiempo de sobras para matarlo. En cuanto se me acercara, estaría muerto.

Todo habría ido así, debería haber ido así, pero cometí un error fatal. ¿Qué puedo decir? Era mi primera vez. Mis expectativas no estaban acordes con la realidad. La cosa había ido calle abajo y yo esperaba que volviera sobre sus pasos.

No lo hizo.

Lo que hizo fue saltar a través del espacio.

Me tuvo cogida, una mano de largas uñas amarillentas cerrada sobre mi pelo, antes de que yo supiera lo que estaba pasando. Inhumanamente fuerte, me levantó del suelo, su puño gris apretado contra mi cuero cabelludo.

Afortunadamente, mis instintos de *sidhe* vidente entraron en acción y planté ambas manos sobre el pecho de la cosa mientras ésta me levantaba en vilo.

Desgraciadamente, se quedó paralizada justo en esa postura, con su mano en mi pelo y yo suspendida en el aire. Un hecho de una cierta significación: la longitud de mis brazos es la habitual en los seres humanos. Mi punta de lanza estaba dentro de mi bolso. Mi bolso estaba tirado en la acera, a medio metro por debajo de mis pies.

—Barrons —siseé desesperadamente—. ¿Dónde está usted?

—Increíble —dijo una voz muy seca por encima de mí—. De todos los posibles escenarios que visualicé, éste no era uno de ellos.

Intenté mirar hacia arriba, pero el esfuerzo me dolió tanto que enseguida lo dejé correr y lo que hice fue llevarme ambas manos a la cabeza. ¿Qué hacía Barrons en el tejado? Pensándolo bien, ¿cómo había llegado ahí arriba? Yo no recordaba haber pasado junto a ninguna escalera de incendios. ¿Y ese edificio no tenía dos pisos de altura?

—¡Dese prisa, esto duele! —chillé. Sabía que tenía mucha suerte de que él estuviera allí. Si me hubiera metido en ese lío estando sola, habría tenido que arrancarme el pelo del cráneo para escapar y, francamente, ni siquiera estaba segura de que eso pudiera hacerse. Tengo el pelo muy resistente y el hombre gris tenía agarrado un puñado enorme de él.

Barrons se dejó caer sobre la acera enfrente de mí, con un golpe sordo de botas que chocan con la piedra, y el largo abrigo negro onduló a su alrededor por un instante.

—Me parece que debería haber pensado usted en eso antes de dejarla paralizada, señorita Lane —dijo fríamente.

Suspendida en el aire como estaba, mis ojos quedaban justo a la altura de los de Barrons. Desplacé mi presa desde mi cuero cabelludo hasta el brazo inmovilizado del hombre gris y usé toda la fuerza de mis músculos para aliviar una parte del peso que estaba soportando mi pelo.

—¿No podríamos hablar de esto después de que me haya bajado a la acera? —rechiné.

Él se cruzó de brazos.

—Recuerde que usted no tendría ningún «después» si yo no estuviera aquí para salvarla. Hablemos de dónde se ha equivocado, ¿de acuerdo?

No era una pregunta, pero intenté responderla de todos modos.

—Preferiría no hacerlo ahora mismo.

—Uno: era evidente que usted no esperaba que el hombre gris se transportara a sí mismo a través del espacio y no estaba preparada para hacer frente a eso. Su punta de lanza estaba abajo junto a su costado. Su bolso debería haber estado levantado y usted debería haber estado lista para herir al hombre gris a través de él.

—De acuerdo, está clarísimo que lo he hecho todo fatal. ¿Puedo tener mi bolso ahora?

—Dos: usted soltó su arma. Nunca suelte su arma. Me da igual que tenga que vestir prendas extra grandes y llevarla sujeta al cuerpo por debajo de ellas. Nunca deje de estar en contacto con su arma.

Asentí, pero en realidad no llegué a hacerlo. No podía mover la cabeza hasta ese punto.

—Sí, ya lo he captado. Lo entendí la primera vez que me lo dijo. ¿Ahora puedo tener mi bolso?

—Tres: no pensó antes de actuar. Su mayor ventaja en cualquier enfrentamiento mano a mano con una criatura mágica es que ella no sabe que usted es una nulificadora. Desgraciadamente, ahora ésta lo sabe.

Por fin Barrons recuperó mi bolso y yo extendí las manos hacia él, pero lo mantuvo fuera de mi alcance. Volví a cerrar las manos alrededor del brazo del hombre gris. Estaba empezando a tener un dolor de cabeza del tamaño de Texas. Traté de darle una patada a Barrons, pero él esquivó mi pie sin ninguna dificultad. Aquel hombre tenía la clase de reflejos impecables que yo sólo había visto antes en atletas profesionales. O en animales.

—Nunca paralice a una criatura mágica, señorita Lane, a menos que esté segura al cien por cien de que es capaz de matarla antes de que ella pueda volver a moverse. Porque ésta... —tocó con la punta de un dedo la rígida percha hecha de invisible de la que colgaba yo— sigue estando consciente por muy paralizada que se encuentre, y en cuanto se le haya pasado la parálisis saltará a través del espacio llevándosela consigo. Usted dejará de estar aquí antes de que su cerebro consiga procesar el hecho de que la criatura ha dejado de estar paralizada. Dependiendo de adónde la lleve..., porque podría materializarse rodeada de docenas de congéneres suyos, usted estará allí, su punta de lanza estará allí, y yo no tendré ni la más remota idea de por dónde he de empezar a buscar...

—¡Oh, por el amor de Dios, Barrons —estallé yo al tiempo que pataleaba frenéticamente en el aire—, ya está bien! ¿Quiere hacer el favor de cerrar la boca de una vez y darme mi bolso?

Barrons bajó la mirada hacia la punta de lanza, que medio sobresalía de mi bolso, y quitó la bola de papel de estaño clavada en el arma mortífera. Luego se inclinó hacia delante y acercó su cara a la mía. Tenerlo tan cerca me permitió ver hasta qué punto estaba enfadado conmigo. Las comisuras de sus labios y los bordes de los agujeros de su nariz habían palidecido, y sus oscuros ojos ardían de ira.

—No vuelva a separarse de esta cosa nunca más. ¿Me entiende, señorita Lane? Comerá con ella, se duchará con ella, dormirá con ella, follará con ella.

Abrí la boca para decirle no sólo que actualmente no tenía a nadie con quien estuviera haciendo eso último sino que nunca me refería a ello con esa palabra, y me ofendía profundamente que él lo hiciera, cuando mi perspectiva cambió abruptamente. No estoy segura de si el hombre gris empezó a moverse antes de que Barrons le clavara la punta de lanza, o después de que lo hiciera, pero algo mojado me roció de repente, y la criatura me soltó el pelo. Caí de rodillas y di con la cara contra la acera.

El hombre gris se desplomó a mi lado. Me apresuré a retroceder a cuatro patas. Una profunda herida en su abdomen rezumaba la misma sustancia de un gris verdoso que me llenó de asco descubrir que estaba también sobre mi camisa, mi falda y mis piernas desnudas. La mirada del invisible fue de Barrons a la punta de lanza, medio envuelta en lo que antes solía ser mi bolso favorito, y que podría haber seguido siéndolo si no fuera por aquella sustancia viscosa que lo cubría. Sus ojos ardían de incredulidad, odio y rabia.

Aunque su ira era para Barrons, volvió la cabeza y las últimas palabras que pronunció fueron para mí.

—El Señor de los Señores ha vuelto, estúpida zorra, y te hará lo mismo que le hizo a la última *sidhe* vidente bonita. Desearás haber muerto en mis manos. Suplicarás la muerte del mismo modo en que lo hizo ella.

Unos instantes después, cuando Barrons me devolvió el bolso, aunque yo sabía que la criatura mágica ya estaba muerta, saqué la punta de lanza y se la clavé de todos modos.

20

En las semanas transcurridas desde el día en que subí a un avión para volar a Dublín, determinada a dar con el asesino de mi hermana y llevarlo ante la justicia, aprendí que puedes descubrir tantas cosas por lo que la gente no te dice como por lo que hace.

No basta con oír las palabras. Tienes que excavar dentro de los silencios en busca de la veta escondida. A menudo es sólo en las mentiras que nos negamos a decir donde puede escucharse alguna verdad.

Barrons se deshizo del cuerpo del hombre gris esa noche; no le pregunté cómo. Me limité a regresar a la librería, me di la ducha más larga y con el agua más caliente que me he dado en mi vida, y me cepillé el pelo tres veces. Sí, me llevé la punta de lanza conmigo a la ducha. Había aprendido la lección.

Al día siguiente, acabé de recorrer el museo sin incidentes. Ni V'lane ni anciana, y ni un solo objeto de poder en todo el lugar.

Por primera vez desde que yo me estaba alojando en la librería, Barrons no hizo acto de presencia aquella noche. Supuse que se habría ido sigilosamente mientras yo estaba en el piso de arriba, respondiendo a los correos electrónicos en mi ordenador portátil. Era sábado, así que pensé que tal vez tuviera una cita y me pregunté adónde iba un hombre así en una cita. No podía imaginármelo recurriendo a la rutina de la película y cena. Me pregunté con qué clase de mujer podía salir Barrons, y entonces me acordé de la de Casa Blanc. Por puro aburrimiento, los imaginé haciendo el amor, pero cuando la mujer empezó a parecerse cada vez más a mí, decidí que había formas más sensatas de matar el tiempo.

Pasé la velada viendo películas antiguas en un pequeño televisor que Fiona tenía detrás del mostrador en la librería, intentando no mirar el teléfono, o pensar demasiado.

Cuando llegó la mañana del domingo, me sentía fatal. Sola con demasiadas preguntas y nadie con quien hablar, hice lo que había jurado que no haría.

Llamé a casa.

Fue papá quien respondió, como había hecho cada una de las veces que yo había llamado desde Irlanda.

—Hola —dije alegremente, cruzando las piernas mientras me enrollaba el cordón del teléfono alrededor del dedo. Estaba sentada en el cómodo sofá del área de conversación en la parte de atrás de la librería—. ¿Cómo va todo?

Dedicamos unos minutos a hablar sin demasiada convicción sobre el tiempo que estaba haciendo en Georgia y el tiempo que estaba haciendo en Dublín, antes de pasar a comparar la comida de Georgia con la comida de Dublín, y luego él se embarcó en una complicada perorata que supuestamente relacionaba los climas lluviosos con el mal carácter y, justo cuando yo estaba pensando que mi padre tenía que haber agotado su repertorio de banalidades y por fin podríamos iniciar una conversación de verdad, recurrió a uno de sus temas favoritos para llenar los silencios en una reunión, sobre el que se le había oído pontificar durante horas: las continuas fluctuaciones del precio de la gasolina en nuestro país y la parte de responsabilidad en nuestros actuales problemas económicos atribuible al presidente

Casi rompí a llorar.

¿Era a esto a lo que habíamos llegado, una conversación envaradamente formal entre desconocidos? Durante veintidós años ese hombre había sido mi roca, mi besador de rodillas despellejadas, mi entrenador de la liguilla local, mi cómplice en el entusiasmo por los coches deportivos, y aunque yo sabía que nunca fui la hija más ambiciosa, había abrigado la esperanza de que estaría orgulloso de mí. Él había perdido a una hija y yo había perdido a una hermana, ¿no podíamos encontrar alguna manera de consolarnos el uno al otro?

Jugueteé con el cordón del teléfono, aferrándome a la esperanza de que a mi padre se le acabaría la cuerda en algún momento, pero no fue así y, finalmente, me harté de esperar. Estaba claro que con él no iba a llegar a ninguna parte.

—Papá, ¿puedo hablar con mamá?

Recibí su réplica enlatada: mi madre estaba durmiendo y él no quería molestarla porque ahora rara vez hacía algo que no fuera dar vueltas y más vueltas en la cama, pese a toda la medicación que estaba tomando, y el médico había dicho que sólo el tiempo y el descanso podían ayudarla a recuperarse... Él quería volver a tener a su esposa, ¿y no quería yo a mi madre? Así que deberíamos dejarla descansar.

—Necesito hablar con mamá —insistí. No hubo manera de convencerlo. Creo que he heredado mi tozudez de él. Ambos clavamos los pies en el suelo y echamos raíces si alguien trata de empujarnos—. ¿Le ocurre algo que no me estás contando? —pregunté.

Él suspiró y fue un sonido tan triste y lleno de cansancio que de pronto supe que si viera ahora a mi padre, me parecería que había envejecido diez años en las dos semanas transcurridas desde que me fui de casa.

—Está un poco fuera de sí a causa de la pena, Mac. Se culpa a sí misma por lo que le pasó a Alina y no hay forma de razonar con ella sobre eso —dijo.

—¿Cómo puede culparse de la muerte de Alina? —exclamé.

—Porque la dejó ir a Irlanda para empezar —dijo él cansadamente, y supe que ya había mantenido una docena de veces aquella misma conversación con ella sin hacer ningún progreso. Quizás he heredado mi tozudez de ambos lados de la familia. Mamá también es de las que nunca dan su brazo a torcer.

—Eso es ridículo. Es como decir que si yo decidiera ir en taxi a algún sitio y el taxi tuviera un accidente, vosotros tendríais la culpa por mucho que la decisión de coger el taxi hubiera sido mía. Tú no podías saber que algo iría mal y tampoco podía saberlo mamá.

—A menos que alguien nos hubiera advertido en primer lugar —dijo él en voz tan baja que apenas lo oí, y luego no estuve segura de si le había entendido bien.

—¿Eh? —dije—. ¿Qué has dicho? ¿Alguien os dijo que no debíais dejar que Alina fuese a Irlanda? ¡Oh, papá, la gente siempre te dice que las cosas van a salir mal! Todo el mundo se las da de profeta después de que haya sucedido lo peor. ¡No puedes hacer caso de esas personas! —Aunque me encanta Ashford, tenemos nuestro propio porcentaje de entrometidos, y podía ver a algunos de los habitantes más aficionados a meter las narices donde no los llamaban, murmurando en el colmado, y no en voz baja precisamente, cuando mis padres pasaban a su lado. Haciendo observaciones desdeñosas como: «Bueno, ¿qué se esperaban? ¡A quién se le ocurre enviar a su hija a seis mil kilómetros de casa, y además sola!»

Como si me hubiera leído los pensamientos, papá dijo:

—¿Qué clase de padres dejan que su hija vaya sola a un sitio que queda a seis mil kilómetros de casa?

—Toda clase de padres dejan que sus hijos vayan a estudiar al extranjero —le dije—. No podéis culparos de lo que pasó.

—Y ahora tú también te has ido. Vuelve a casa, Mac. ¿Es que no te gusta esto? ¿Verdad que estábamos bien juntos? Tu madre y yo siempre habíamos pensado que tú y tu hermana erais felices aquí —dijo.

—¡Lo éramos! —exclamé—. ¡Lo era! ¡Entonces mataron a Alina!

Se hizo un pesado silencio que invertí en reprocharme amargamente ser tan bocazas, y luego mi padre dijo:

—Déjalo estar, Mac. Vete de ahí. Déjalo estar.

—¿Qué? —Yo estaba atónita. ¿Cómo podía decir eso mi padre?—. ¿Me estás diciendo que vuelva a casa y deje que el monstruo que mató a Alina no tenga que pagarlo muy caro? ¿Quieres que siga suelto por el mundo para que mate a la hija de otra persona?

—¡Me importa una mierda la hija de cualquier otra persona! —Me encogí. En toda mi vida, nunca le había oído soltar palabrotas. Suponiendo que alguna vez llegara a hacerlo, sería en privado, o tan bajo que no podías oírlas—. A mí me importan mis hijas. Alina está muerta. Tú no. Tu madre te necesita. Yo te necesito. Sube a un avión. ¡Haz las maletas ahora mismo y ven a casa, Mac!

Juro que lo ensayé de mil maneras distintas dentro de mi cabeza; desde un encadenamiento de varias frases, hasta cinco minutos de explicaciones y disculpas por lo que le iba a preguntar, pero nada de todo eso llegó a salir de mis labios. Abrí la boca, ésta se quedó abierta, y lo único que pude hacer fue respirar en el auricular del teléfono mientras pensaba en todas las cosas que podría o debería decir, sin descartar la posibilidad de cerrar la boca y no preguntarlo nunca.

Estaba estudiando sexto cuando aprendí acerca de cosas como los ojos castaños y los ojos azules, los genes dominantes y los genes recesivos y qué clase de padres hacen qué clase de bebés, y cuando volví a casa esa noche les eché una buena mirada a mamá y papá. No dije nada porque Alina tenía los ojos verdes igual que yo, así que obviamente éramos familia, y siempre he tenido una cierta tendencia a hacer el avestruz; si puedo meter la cabeza lo bastante abajo en la arena para no ver a lo que sea que me está mirando, entonces ese lo que sea no puede verme, tampoco, y por mucho que la gente intente discutirlo, percepción es realidad. Es lo que eliges creer lo que hace de ti la persona que eres. Hace once años, yo elegí ser una hija feliz en una familia feliz. Elegí encajar, pertenecer, sentirme segura y querida hasta el último zarcillo de mis profundas, fuertes y orgullosas raíces sureñas. Elegí creer que la teoría del ADN estaba equivocada. Elegí creer que los profesores no siempre sabían de qué estaban hablando y que los científicos quizá nunca llegarían a entender todo lo que había que saber sobre las complejidades de la fisiología humana. Nunca llegué a hablar de esas cosas con nadie. Nunca tuve necesidad de hacerlo. Sabía lo que pensaba y me bastaba con eso. Saqué un aprobado raspado en el trabajo de ciencias del instituto y no he vuelto a asistir a otro curso de biología desde entonces.

—Papá, ¿fui adoptada? —dije.

Hubo una suave explosión de aire al otro extremo de la línea, como si alguien le acabara de atizar en el estómago a Jack Lane con un bate de béisbol. «Di que no, papi, di que no, papi, di que no.» El silencio se prolongó. Cerré los ojos para contener las lágrimas que empezaban a escocerme en ellos.

—Por favor, di algo.

Hubo otro largo, terrible silencio, punteado por un suspiro salido de lo más hondo de su ser.

—Mac, he de ir a hacerle compañía a tu madre. No puede quedarse sola. La están medicando demasiado y se encuentra muy alterada. Después de que te fueras a Dublín, tu madre se..., bueno, se... desmoronó. Lo mejor para todos nosotros en estos momentos sería que vinieras a casa. Ahora mismo. Esta noche. —Hizo una pausa, y luego dijo—: Pequeña, eres nuestra hija en todos los sentidos.

—¿De verdad? —Mi voz sonó como una especie de graznido—. ¿Incluso en el del nacimiento? ¿También soy hija vuestra en ese sentido, papá? —Abrí los ojos, pero descubrí que no podía enfocar la mirada.

—¡Basta, Mac! ¡No entiendo a qué viene esto! ¿Cómo se te ocurre hablarme de estas cosas precisamente ahora? ¡Ven a casa!

—Mi origen carece de importancia. Lo que importa es adónde me lleva. Dime que Alina y yo no fuimos adoptadas, papá —insistí—. Dime eso. ¡Dilo! Tú sólo di esas palabras y podremos dar por finalizada esta conversación. Es todo lo que necesitas decir. Alina y yo no fuimos adoptadas. Dilo. A menos que no puedas.

Hubo otro de aquellos horribles, horribles silencios. Entonces mi padre dijo:

—Mac, pequeña, te queremos. Ven a casa. —Su profunda voz de barítono, normalmente tan firme, se quebró en la última palabra. Carraspeó y cuando volvió a hablar estaba usando su voz de asesor fiscal que controla la situación, la que combinaba muchos años de ejercicio de la profesión con la garantía de que podías dar por hecho que él sabía cómo resolver el problema. Tranquila, segura de sí misma, llena de fuerza, respaldada por metro ochenta y cinco de sureño que las había visto de todos los colores, normalmente esa voz siempre me convencía—. Mira, te reservaré una plaza en el primer vuelo en cuanto hayamos colgado, Mac. Haz las maletas ahora mismo y ve al aeropuerto. No quiero que hagas o pienses ninguna otra cosa. Olvídate de pasar por recepción. Yo me haré cargo de cualquier factura de teléfono que puedas dejar pendiente. ¿Me oyes? Ahora mismo te llamo y te digo en qué vuelo estás. Haz las maletas y vete de ahí. ¿Me oyes?

Miré por la ventana. Había empezado a llover. Ahí estaba: la mentira que él se negaba a decir en voz alta. Si no nos hubieran adoptado, papá no hubiese vacilado en decírmelo. Se habría echado a reír y habría dicho: «Pues claro que no fuisteis adoptadas, tontaina.» Y a los dos nos habría parecido muy gracioso que

289

yo pudiera llegar a ser tan boba. Pero no lo diría, porque no podía decirlo.

—Por Dios, papá, ¿quién soy? —Ahora fue mi voz la que se quebró.

—Mi hija —dijo él vehementemente al teléfono—. ¡Ésa es quien eres! ¡La niña de Rainey y Jack Lane!

Pero yo no lo era, en realidad. No por nacimiento. Y los dos lo sabíamos. Y supongo que una parte de mí lo había sabido siempre.

1. Las criaturas mágicas existen.
2. Los vampiros son reales.
3. Un gángster y quince de sus pistoleros han muerto por mi causa.
4. Soy adoptada.

Miré el diario que no tardaría en estar lleno, e hice como si no viera las lágrimas que estaban haciendo que la tinta se corriera sobre la página.

De las cuatro cosas que había apuntado, sólo una de ellas tenía el poder de cortarme a la altura de las rodillas. Podía hacer que mi cerebro se acostumbrara a lo inverosímil, realinearme con cualquier nueva realidad, salvo una.

Soy adoptada.

Podía vérmelas con las criaturas mágicas y los vampiros y podía vivir con sangre en las manos, siempre que pudiera ir por el mundo con la cabeza bien alta y decir orgullosamente: «Soy MacKayla Lane, de los Frye Lane de Ashford, Georgia, ¿sabes? Y sigo la misma receta genética que el resto de mi familia. Somos pastel amarillo con un baño de chocolate, todos nosotros, desde el bisabuelo hasta el último recién nacido. Soy igualita que ellos. Pertenezco a alguna parte.»

No tienes idea de lo importante, lo profundamente tranquilizador que es eso hasta que lo pierdes. Toda mi vida, hasta ese momento, yo había estado envuelta en una cálida manta protectora, tejida con tías y tíos, forrada de primos en primer y segundo y tercer grado, adornada con abuelas y abuelos y bisabuelas y bisabuelos.

Ahora esa manta acababa de caer de mis hombros. Tenía frío, me sentía perdida y sola.

O'Connor me había llamado la anciana. Había dicho que yo tenía la piel y los ojos de los O'Connor. Había mencionado un nombre, uno muy raro: Patrona. ¿Era yo una O'Connor? ¿Tenía parientes en algún lugar de Irlanda? ¿Por qué no se habían quedado conmigo? ¿Por qué habíamos sido entregadas Alina y yo? ¿Dónde se hicieron con nosotras mamá y papá? ¿Cuándo? ¿Y cómo podía ser que todas mis tías, tíos, abuelos y abuelas hubieran sido capaces de sostener semejante conspiración de silencio con lo parlanchines, cotillas y entrometidos que eran? Ni uno solo de ellos se había ido de la lengua. ¿Qué edad teníamos cuando nos habían adoptado? Yo tenía que ser una recién nacida, porque no conservaba ningún recuerdo de alguna otra vida, y Alina nunca había dicho nada al respecto. Mi hermana me llevaba dos años, así que lo lógico hubiera sido que fuese ella la que tuviera recuerdos. ¿O sus recuerdos de otra vida y otro lugar sencillamente se habían integrado en nuestra nueva vida, y el paso del tiempo había hecho que se fundieran con ella sin dejar señales?

Soy adoptada. Pensarlo era como si girase locamente en un tornado que me arrastraba consigo, y aun así lo peor no era eso.

La parte que realmente me consumía por dentro, la parte que me había clavado los dientes y se negaba a soltarme, era que la única persona con la que sabía sin lugar a dudas que yo había estado emparentada estaba muerta. Mi hermana. Alina. Mi única pariente consanguínea en el mundo, y se había ido.

Entonces me vino a la mente un pensamiento horrible: ¿lo había sabido Alina? ¿Había descubierto que éramos adoptadas y no me lo había dicho? ¿Era ésa una de las cosas a las que se refería cuando dijo: «Hay tantas cosas que debería haberte contado.»?

¿Había estado Alina allí en Dublín, como yo en ese momento, sintiéndose igual de confusa y desconectada del mundo?

—Oh, Dios —dije, y mis lágrimas se convirtieron en grandes sollozos que me hacían temblar. Lloraba por mí, por mi hermana, por cosas que ni siquiera podría empezar a expresar con palabras, y que tal vez nunca fuera capaz de explicar. Pero sentía algo parecido a esto: antes yo andaba sobre mis pies. Ahora lo único que sabía hacer era arrastrarme. Y no estaba segura de cuánto tardaría en levantar las rodillas del suelo y recuperar el equilibrio perdido, pero sospechaba que cuando lo hiciese, nunca volvería a andar como antes.

No sé cuánto rato estuve sentada allí llorando, pero llegó un momento en que la cabeza me dolía demasiado para que pudiera llorar más.

Os he contado al comienzo de esta historia que el cuerpo de Alina había aparecido a kilómetros de The Clarin House, en un callejón lleno de basura al otro lado del río Liffey. Yo lo sabía porque había visto las fotos de la escena del crimen, y también sabía que antes de que me fuese de Irlanda acabaría yendo a ese callejón, para despedirme de mi hermana.

Me levanté del sofá, fui a mi dormitorio prestado, metí dinero y mi pasaporte en el bolsillo de los vaqueros para que nada interfiriese en una rápida extracción del contenido de mi bolso, que colgué del hombro; me encasqueté una gorra de béisbol, me puse las gafas de sol y salí fuera para parar un taxi.

Ya iba siendo hora de que fuese a ese callejón. Pero no para decir adiós, sino para decir hola a una hermana que nunca había conocido y nunca llegaría a conocer: la Alina que era mi única pariente verdadera, la que había sido templada al fuego en la fragua de Dublín, que había aprendido lecciones muy duras y hecho elecciones muy difíciles. Si en todos los meses que mi hermana había pasado allí llegó a encontrarse aunque sólo fuera con la mitad de las cosas con las que me había encontrado yo, entendía por qué había hecho todo lo que había hecho.

Recuerdo que mamá y papá habían intentado visitar a Alina en un par de ocasiones. Las dos veces, ella les había dicho que no vinieran. La primera vez dijo que no se encontraba bien e iba terriblemente retrasada en los estudios. La segunda vez había usado una tanda de exámenes como excusa. Nunca me había invitado a coger el avión, y la única vez que le hablé de que estaba intentando ahorrar el dinero para el billete, me soltó que no desperdiciase mis ahorros, sino que me los gastara en ropa bonita, música nueva y salir a bailar por ella, algo que nos encantaba hacer juntas, mientras ella seguía con sus estudios, y antes de que pudiera darme cuenta ya volvería a estar en casa.

Ahora entendía lo que tenían que haberle costado aquellas palabras.

Sabiendo lo que yo sabía que acechaba y merodeaba por las calles de Dublín, ¿habría dejado que una persona a la que quería fuera allí y me viera?

Jamás. Habría mentido como una descosida para mantenerla alejada.

Si hubiera tenido una hermana pequeña que era mi única consanguínea a salvo en casa, ¿le habría hablado de lo que ocurría en Dublín arriesgándome a involucrarla? No. Hubiese hecho exactamente lo que había hecho Alina: la habría protegido hasta mi último aliento. Para mantenerla feliz e íntegra tanto tiempo como pudiera.

Yo siempre había tenido a mi hermana en un pedestal, pero ahora tenía algo nuevo que agradecerle. Esa revelación hacía que necesitara estar en algún sitio donde supiera que ella había estado antes. Algún sitio donde Alina hubiera dejado su sello, y su apartamento no cumplía los requisitos. Aparte del olor a melocotones y perfume Beautiful, yo nunca había llegado a tener la clara sensación de que mi hermana estuviese presente allí, como si Alina nunca hubiera pasado mucho tiempo en el apartamento, salvo cuando dormía o hablaba conmigo por teléfono. Tampoco había tenido ninguna sensación de ella en el campus, pero podía pensar en un sitio donde sabía que la sentiría intensamente.

Necesitaba ir al lugar al que se vio obligada a huir Alina, cuatro horas antes de que me llamara. Necesitaba afrontar la última pena de estar de pie en el mismo punto de aquel pavimento adoquinado donde mi hermana había exhalado el último aliento y cerrado los ojos para siempre.

Morboso..., quizá. Pero perded a una hermana y descubrid que sois adoptadas y veréis lo que os sentís obligadas a hacer. No me acuséis de morbosidad cuando sólo soy el producto de una cultura donde las personas entierran los huesos de los seres queridos en bonitos jardines llenos de flores para poder tenerlos cerca e ir a hablar con ellos siempre que se sienten deprimidas o preocupadas por algo. Eso sí que es morboso. Por no hablar de raro. Los perros también entierran huesos.

Ahora veo líneas de demarcación adondequiera que voy. El río Liffey es una de ellas, dividiendo la ciudad, no sólo en su lado norte y su lado sur, sino también social y económicamente.

El sur es el lado en el que he estado, con su barrio de Temple Bar, Trinity College, el Museo Nacional y Leinster House por nombrar sólo unos pocos de sus muchos atractivos, y generalmente se lo considera como el lado opulento: rico, esnob y liberal.

El lado norte tiene la calle O'Connell con sus hermosas estatuas y monumentos, el mercado de la calle Moore, la procatedral de St. Mary, el edificio de Aduanas, desde donde se divisa el cauce del Liffey, y generalmente se considera que sirve de hogar a la clase trabajadora: obreros y pobres.

Como sucede con la mayoría de los límites divisorios, la separación no es absoluta. Hay pequeñas bolsas de lo opuesto en cada lado del río: riqueza y última moda en el norte, pobreza y abandono en el sur; sin embargo, nadie discutirá que la sensación general del lado sur es distinta de la del lado norte y viceversa. Es difícil de explicar a alguien que no haya pasado algún tiempo en ambas orillas del río, oído hablar y visto moverse a la gente en cada una de ellas.

Al taxista que me llevó al lado norte no pareció hacerle mucha gracia que le dijera que me dejase en la calle Allen, pero le di una generosa propina y aceptó. Yo había visto demasiadas cosas realmente aterradoras los últimos días para que un barrio que iba cuesta abajo pudiera causarme demasiada impresión, al menos no de día.

El callejón sin salida en el que había sido encontrado el cuerpo de Alina no tenía nombre y estaba pavimentado al viejo estilo, con piedras que la exposición a la intemperie y el paso del tiempo habían agrietado poco a poco, y se prolongaba sus buenos cientos de metros a partir de la calle. Cubos y contenedores de basura se apretujaban entre las paredes de ladrillo sin ventanas de las casas de alquileres baratos subvencionadas por el gobierno a la derecha y un almacén con las puertas clausuradas por tablones a la izquierda. Periódicos viejos, cajas de cartón, botellas de cerveza y desperdicios varios cubrían el suelo del callejón. El ambiente era similar al del barrio abandonado. Yo no tenía intención de quedarme allí el tiempo suficiente para descubrir si las farolas aún funcionaban.

Papá no sabía que yo había visto las fotos de la escena del crimen, que tenía escondidas debajo de la carpeta azul y plata con el plan financiero en el que había estado trabajando para la señora Myrna Taylor-Hollingsworth. De hecho, yo no tenía ni idea de cómo había logrado hacerse con ellas. Tenía la impresión de que normalmente la policía no entregaba semejantes cosas a unos padres trastornados por la pena, sobre todo cuando se trataba de unas instantáneas tan gráficas y llenas de horror.

Identificar el cuerpo de Alina ya había sido bastante duro. Encontré esas fotos el día antes de volar hacia Irlanda, cuando entré en el despacho de papá para hacerme con unos cuantos bolígrafos.

Ahora, mientras iba hacia el final del callejón, estaba viendo las fotos superpuestas sobre la escena. Mi hermana había sido encontrada desplomada en el suelo justo allí, a mi derecha, a unos tres metros de la pared de ladrillo de seis metros de alto que cortaba el callejón y había puesto punto final a su huida. Yo no quería saber si Alina se había dejado trozos de uñas en esos ladrillos en un frenético intento de escalar la pared y escapar de lo que fuese que la había estado persiguiendo, así que aparté la mirada para fijarla en el lugar donde había muerto. La encontraron desplomada cerca de la pared de ladrillo. Os ahorraré todos esos detalles que ojalá no hubiera llegado a conocer.

Impulsada por alguna horrenda oscuridad interior, me arrodillé sobre los sucios adoquines y adopté la postura exacta en que habían encontrado a mi hermana. A diferencia de en las fotos, ahora no había manchas de sangre sobre los adoquines y las paredes de ladrillo. La lluvia había borrado todas las señales de la última y desesperada resistencia de Alina hacía semanas. Allí era donde había exhalado su último aliento. Allí era donde habían muerto todos los sueños y esperanzas de Alina Lane.

—¡Dios, te echo muchísimo de menos, Alina! —Me sentía tan frágil como había sonado mi voz, y las lágrimas acudieron nuevamente a mis ojos. Me juré que sería la última vez que lloraba. Y lo fue, durante bastante tiempo.

No sé cuánto rato pasé sentada ahí antes de reparar en el neceser de cosmética que mamá le había regalado a Alina por Navidad, medio enterrado bajo los desperdicios. Era idéntico al que yo había tenido que abandonar en la guarida de Mallucé; la diminuta bolsita dorada había sufrido las inclemencias del tiempo, y ahora estaba mojada por la lluvia y descolorida por el sol.

Aparté los periódicos viejos, la cogí y la sostuve en las manos.

Sé lo que estáis pensando. Yo lo pensé, también: que sin duda había una pista dentro del neceser. Que Alina había metido allí algún ingenioso compendio de todo su diario o un sofisticado chip de ordenador que contendría toda la información que yo necesitaba conocer, y la policía lo había pasado por alto milagrosamente y ahora algo me había guiado hasta ese callejón en el momento justo para encontrarlo.

La vida rara vez es tan conveniente, como diría Barrons. Todos hemos visto demasiadas películas, diría yo.

Dentro del neceser sólo había las cosas que mamá había escogido para nosotras, exceptuando la diminuta lima metálica para las uñas. Nada en el forro, nada metido en una polvera o un pintalabios. Lo sé, porque prácticamente lo dejé hecho pedazos buscando ese algo.

No os agobiaré contando todo lo que llegué a pensar acerca de Alina mientras estaba sentada allí, o lo mucho que sufrí. Si habéis perdido a alguien, entonces sabréis lo que te pasa por la cabeza después y no hace falta que os lo recuerde. Si todavía no habéis perdido a alguien..., me alegro por vosotros y espero que transcurra una pequeña eternidad antes de que ocurra.

Dije adiós y dije hola, y mientras me disponía a levantarme, un destello plateado junto a mis pies atrajo mi mirada. Era la punta de la lima de uñas de Alina, mellada y llena de arañazos. Me incliné y aparté la basura para cogerla, porque no estaba dispuesta a dejar olvidado ni un solo fragmento de ella en aquel callejón, y tragué aire con un jadeo de incredulidad.

Había tratado de consolarme con la esperanza de que Alina hubiera muerto deprisa. De que no había estado tendida un buen rato en aquel callejón, desangrándose hasta que por fin le llegó la muerte. Pero mi hermana no podía haber muerto demasiado deprisa, porque había usado su lima de uñas para grabar algo en la piedra.

Me arrodillé sobre el pavimento y aparté los desperdicios, y luego soplé sobre el polvo y la mugre.

Sentí tanto decepción como gratitud porque mi hermana no hubiera escrito más. Decepción porque necesitaba que me echaran una mano. Gratitud porque eso quería decir que Alina había muerto en cuestión de minutos, no de horas.

«1247 LaRuhe, Jr.» era cuanto decía.

21

—Con el inspector O'Duffy, por favor —dije en mi tono más eficiente. Había cogido el teléfono nada más entrar en Barrons Libros y Objetos de regalo y marcado el número de la comisaría de la *Gardai* en la calle Pearse—. Sí, sí, espero. —Tabaleé impaciente con los dedos sobre el mostrador en el que Fiona atendía la caja registradora mientras esperaba a que el agente de servicio al otro extremo de la línea le pasara la llamada al detective que había llevado el caso de Alina.

Tenía otra pista para él y ésta había sido grabada en piedra: 1247 LaRuhe. Iría con el inspector cuando fuera a comprobarla, y si no me dejaba acompañarlo, entonces tendría que seguirlo sin que me viera. Pensé que con la cantidad de tiempo que tenía que pasar moviéndome entre las sombras últimamente ya habría adquirido una cierta capacidad de sigilo.

—¿Sí, señorita Lane? —El detective sonaba un poco agobiado cuando me respondió, así que le expliqué rápidamente dónde había estado y lo que había descubierto—. Ya nos hemos ocupado de eso —dijo él en cuanto acabé de hablar.

—¿Quién se ha ocupado de qué?

—La dirección —dijo él—. En primer lugar, no hay nada que

pruebe que su hermana escribió eso. Cualquier persona hubiese podido...

—Inspector, Alina me llamaba Junior —lo interrumpí—. Y su lima de uñas estaba ahí mismo en la escena del crimen, mellada y llena de señales por haber sido usada sobre la piedra. Aunque no supieran lo que significaba ese «Jr.», me sorprende que ninguno de ustedes la encontrara y sumara dos y dos. —Eso por no mencionar el neceser de cosmética. ¿No habían examinado la escena del crimen?

—Vimos la dirección, señorita Lane, pero para cuando nos comunicaron el descubrimiento del cuerpo, la escena ya había sido contaminada por los mirones. Si acaba de estar ahí, habrá visto la cantidad de basura que hay en ese callejón. Difícilmente podíamos catalogar todo lo que había tirado en el pavimento. Nos era imposible saber si algo de lo que había en el área provenía del bolso de su hermana.

—Bueno, ¿no les pareció un poco raro que hubiera una dirección grabada en la piedra justo al lado de su cuerpo? —inquirí.

—Claro que nos lo pareció.

—¿Y? ¿Se molestaron en seguir esa pista? ¿Fueron a esa dirección? —pregunté con ansiedad.

—No pudimos, señorita Lane. Porque no existe. No hay ningún 1247 LaRuhe en Dublín. No hay una avenida, calle, bulevar o paseo que se llame así, ni siquiera un callejón.

Me mordí el labio por dentro mientras reflexionaba.

—Bueno, quizás es de fuera de Dublín. Quizás es de otra ciudad cercana.

—También probamos con eso. No pudimos encontrar esa dirección en ningún lugar de Irlanda. Incluso probamos a escribirlo de otras maneras, desde Laroux hasta algo tan simple como La Rue. No hay un número 1247 en ninguna parte.

—Bueno, quizás está en... Londres o algo por el estilo —insistí—. ¿Miraron otras ciudades?

El inspector O'Duffy suspiró y pude verlo al otro extremo de la línea, sacudiendo la cabeza.

—¿Cuántos países cree usted que deberíamos investigar, señorita Lane? —preguntó. Respiré hondo y exhalé muy despacio mientras me mordía la lengua para no soltarle lo primero que me vino a la cabeza: «Tantos como haga falta para encontrar al asesino de mi hermana. Me da igual que sean mil.» Cuando no contesté, dijo—: Enviamos el expediente del caso a Interpol. Si hubieran encontrado algo, ya nos lo habrían notificado a estas alturas. Lo siento, pero no hay nada más que podamos hacer.

Armada con la punta de lanza y unas cuantas linternas, fui a toda prisa por las calles que empezaban a oscurecerse a una tienda de objetos de regalo y cafetería en el barrio de Temple Bar que ofrecía una amplia selección de mapas, desde preciosas ampliaciones laminadas de Dublín hasta cartas detalladas de Irlanda, pasando por el equivalente local de los mapas de carreteras Rand McNally. Compré un ejemplar de cada uno, añadí Inglaterra y Escocia por si acaso, y después volví a mi dormitorio prestado y, mientras se hacía de noche, me senté en la cama con las piernas cruzadas y empecé a buscar. La *Gardai* de Irlanda no podría estar ni la mitad de motivada que una hermana sedienta de venganza.

Ya casi era medianoche antes de que decidiese parar, y si lo hice fue sólo porque cinco horas de forzar la vista sobre unas letritas minúsculas habían convertido el palpitar de mi anterior dolor de cabeza en una ofensiva frontal sobre mi cráneo, ejecutada con martillos neumáticos. Había encontrado muchas variaciones de LaRuhe, pero ninguna en la que hubiera un número 1247, o 1347, o incluso 1427; y no había podido localizar ningún otro nombre lo bastante parecido como para que Alina pudiera haber cometido un error, cosa que yo no creía. Mi hermana había grabado un mensaje con su último aliento y no podía imaginármela escribiéndolo mal. Allí había algo, algo que se me estaba pasando por alto.

Me di un suave masaje en las sienes. Los dolores de cabeza no son habituales en mí, pero cuando me llega, lo normal es que sea un señor dolor de cabeza y al día siguiente estoy para el arrastre. Plegué los mapas y los dejé en el suelo al lado de mi cama. Barrons quizá lo supiera, decidí. Barrons parecía saberlo todo. El día siguiente se lo preguntaría. Pero ahora necesitaba estirar las piernas y tratar de dormir un poco.

Me levanté de la cama, me desperecé cautelosamente y luego fui a la ventana, aparté la cortina y miré la noche.

Ahí estaba Dublín, un mar de tejados. Abajo en aquellas calles existía todo un mundo que yo nunca había imaginado.

Ahí estaba la oscuridad del barrio abandonado. Me pregunté si aún estaría mirando por esa ventana dentro de un mes. ¡Dios, esperaba que no! Y, de ser así, ¿se habría extendido la oscuridad?

Ahí estaban tres de los cuatro coches de los acompañantes de O'Bannion. Alguien se había llevado el Maybach y cerrado las puertas de los otros vehículos. Los dieciséis montoncitos de ropa seguían allí. Pensé que iba a tener que hacer algo al respecto. Para alguien que estuviera en el ajo, era lo mismo que mirar por la ventana dieciséis cadáveres.

Ahí estaban las sombras, esos pequeños bastardos mortíferos, yendo y viniendo por el callejón en el límite de la Zona Oscura, palpitando en el perímetro como si estuvieran enfadadas con Barrons por mantenerlas a raya con su tóxica barrera de luz.

Entonces di un respingo.

Y ahí estaba el hombre en persona: entrando en el barrio abandonado, dejando atrás la seguridad de sus reflectores para adentrarse en la oscuridad absoluta.

¡Y no tenía una linterna!

Levanté la mano para llamar con los nudillos al cristal de la ventana. No sé qué fue lo que pensé exactamente, pero supongo que quería atraer la atención de Barrons para decirle que no hiciera estupideces y volviera a entrar ahora mismo.

Entonces me detuve, los nudillos a un centímetro del cristal. Barrons era cualquier cosa menos estúpido. Él nunca hacía nada sin una razón.

Alto, oscuro y con la gracia de movimientos de una pantera, iba todo de negro bajo su largo abrigo igualmente negro, y mientras caminaba, entreví el brillo del acero en sus botas. Entonces hasta eso desapareció, ausente la luz para reflejarlo, y Barrons pasó a ser sólo una sombra un poco menos oscura entre las sombras.

«Nunca debe entrar de noche en el barrio abandonado, señorita Lane», me había dicho no hacía tanto.

De acuerdo, ¿entonces por qué él estaba allí? ¿Qué estaba pasando? Sacudí la cabeza y lo pagué inmediatamente, cuando un sinfín de diminutos martillos neumáticos cayeron de lado, para luego volver a enderezarse y reemprender su ofensiva todavía más vigorosamente que antes. Me apreté el cráneo con las manos y miré abajo sin entender nada.

Las sombras no estaban prestando la menor atención a Barrons. De hecho, si yo fuera dada a fantasear, habría dicho que aquellas negruras aceitosas se apartaban como con asco cuando Jericho Barrons pasaba junto a ellas.

Yo había visto los restos resecos que dejaban aquellas criaturas. Había visto la evidencia de su voraz apetito. Lo único que temían era la luz. «Consumen a sus víctimas con vampírica celeridad», me había dicho Barrons. Yo lo había escrito en mi diario, admirada ante la frase.

Lo vi adentrarse en el barrio abandonado, negro sobre negro, hasta que él y la noche fueron una sola cosa. No aparté la mirada del callejón durante un buen rato después de que Barrons se hubiera ido, tratando de encontrarle algún sentido a lo que acababa de ver.

Lo cierto era que sólo se me ocurrían dos posibilidades: o Barrons me estaba mintiendo acerca de las sombras, o había hecho alguna clase de oscuro trato con las criaturas mágicas que te sorbían la vida.

En cualquiera de los dos casos, por fin tenía mi respuesta a si podía o no confiar en él.

Y la respuesta era un gran «no».

Cuando me aparté de la ventana, me cepillé los dientes y usé el hilo dental, me lavé la cara, me eché un poco de humidificador, me pasé un cepillo por el pelo, me puse mi camiseta para dormir favorita y unas bragas a juego y me metí en la cama. Seguía habiendo muchas cosas acerca de las que no estaba segura, pero tenía muy claro que no se me ocurriría preguntarle a Barrons que había ido a hacer allí.

La mañana siguiente desperté con la respuesta ardiendo en mi cerebro.

Hace años leí un libro cuyo autor postulaba que el cerebro humano se parece bastante a un ordenador, y que una de las principales funciones del sueño es darle tiempo para integrar nuevos programas, pasar subrutinas, compactar los distintos ficheros y eliminar las minucias para que podamos empezar el nuevo día estando lo más frescos posible.

Mientras dormía, mi subconsciente se había ocupado de las heces de mi consciente, distinguiendo entre los datos y los detritos para aplicarles el tratamiento correspondiente, y ahora eso me permitía ver lo que hubiese visto mucho antes de no haber estado cegada por mi caos interior. Si no fuese porque me hallaba en ese estado tan delicado conocido como «acabo de recuperarme de un dolor de cabeza», me habría dado una palmada en la frente.

Me levanté de la cama. No necesité encender una luz, dormía

con todas ellas encendidas, y lo haría en los años venideros, y cogí un mapa tras otro para examinar la fecha del *copyright*. Todos eran actuales, como es de esperar en cualquier buen mapa turístico, y habían sido compilados a partir de información recogida a lo largo del año anterior.

Pero Barrons me había dicho que la ciudad había «olvidado» la existencia de toda una sección de Dublín, el barrio abandonado. Que ningún distrito de la *Gardai* se atribuía competencias sobre él, que las compañías del agua y de la luz negarían la existencia de tales direcciones. ¿Significaba eso que había calles en Dublín de las que ya nadie se acordaba? Y en ese caso, ¿se habían «caído del mapa», por así decirlo?

Si examinara otro mapa, pongamos uno de hacía cinco años, ¿parecería el Dublín preservado en ese papel laminado adornado con el trébol irlandés idéntico al representado en el mapa que yo tenía ahora en las manos? ¿O faltarían algunas partes?

¿Podía ser que la respuesta que yo había estado buscando me hubiera estado mirando a los ojos todo el tiempo desde el otro lado del cristal de la ventana?

—¡Bingo! —exclamé, clavando la punta fucsia de mi rotulador favorito en el mapa—. ¡Ahí estás!

Acababa de encontrar la calle LaRuhe y, tal como sospechaba, estaba justo en el corazón del barrio abandonado.

La noche anterior, cuando tuve necesidad de un mapa, fui como una autómata al primer sitio en el que recordaba haber visto que ofrecían un amplio surtido. No se me había ocurrido que Barrons tendría algunos en la librería. En el tercer piso encontré una gran colección de atlas y mapas, eché mano de una docena de ellos, y los bajé a mi sofá favorito para reiniciar mi búsqueda partiendo de cero.

Lo que descubrí me dejó atónita y me llenó de horror. La

Zona Oscura colindante con la librería de Barrons no era la única parte de Dublín desaparecida. Había otras dos áreas que habían existido en mapas de años anteriores y que ahora ya no existían en ninguno. Eran considerablemente más pequeñas, y quedaban en las afueras de la ciudad, pero no me cabía duda de que también habían sido infestadas por las sombras.

Como un cáncer, los invisibles que chupaban la vida se estaban extendiendo. Yo no tenía ni idea de cómo habrían aparecido en aquellas áreas casi rurales, pero tampoco se me ocurría cómo habían podido llegar a la ciudad. Quizás alguien los había transportado de un lugar al siguiente, sin saberlo, como cucarachas dentro de una caja de cartón. O quizás... entonces se me ocurrió una idea terrible... ¿Era ésa la base para la tregua que Barrons había acordado con los parásitos? ¿Los llevaba a nuevos cazaderos a cambio de que lo dejaran moverse entre ellos sin hacerle nada? ¿Eran las sombras lo suficientemente inteligentes para hacer tratos y respetarlos? ¿Adónde iban durante el día? ¿Qué lugares oscuros encontraban? ¿Cuán pequeñas podían llegar a ser en reposo si carecían de sustancia real? ¿Podía un centenar de ellas viajar dentro de una caja de cerillas? Sacudí la cabeza. Ahora no tenía tiempo para ponerme a meditar sobre los horrores de la propagación de las sombras. Alina me había dejado una pista. Por fin había conseguido dar con ella, y ahora sólo podía pensar en encontrar lo que fuese que mi hermana había querido que encontrara.

Extendí sobre la mesa los mapas laminados de la ciudad, puestos uno al lado del otro, y dediqué unos momentos a examinarlos. El mapa de la derecha era actual; el que había a mi izquierda había sido distribuido hacía siete años.

En el mapa actual, la calle Collins estaba una manzana más allá y corría directamente en paralelo a Larkspur Lane. En el mapa de hacía siete años, había nada menos que dieciocho manzanas entre esas dos calles.

Dieciocho manzanas.

Sacudí la cabeza, me encogí de hombros y solté un bufido, todo al mismo tiempo, una expresión explosiva de lo desorientada que me sentía. Aquello era espantoso. ¿Lo sabía alguien? ¿Éramos Barrons y yo —y sólo Dios sabía lo que era Barrons en realidad, porque yo no tenía ni idea— las únicas personas que teníamos una cierta idea de que estuvieran sucediendo tales cosas?

«La verdad es que su mundo va directo al infierno», había dicho Barrons. Recordando sus palabras, me llamó la atención algo en ellas que había pasado por alto antes. Barrons había dicho «su» mundo. No «nuestro» mundo. El mío. ¿Acaso no era también el suyo?

Como de costumbre, yo tenía un millón de preguntas, nadie en quien poder confiar y ninguna dirección que seguir salvo hacia delante. Retroceder era un camino que ahora me estaba vedado para siempre.

Arranqué una página de mi diario (sólo quedaban cuatro páginas en blanco), la puse encima del mapa laminado y tracé mi ruta, manzana a manzana, anotando los nombres de las calles. El mapa abultaba demasiado para que pudiera llevármelo conmigo. Necesitaba tener las manos libres. LaRuhe quedaba al final de un sendero en zigzag, a unas catorce manzanas dentro de la Zona Oscura; la calle en sí sólo tenía dos manzanas de largo, uno de esos tramos cortos que unen dos avenidas cerca de múltiples intersecciones de cinco puntos.

Cuando vuelvo a pensar en ello, todavía me asombra que entrara sola en el barrio abandonado ese día. Fue un milagro que sobreviviera. No tengo muy claro qué estaba pensando. La mayoría de las veces, mientras rememoro el pasado y os cuento mi historia, podré daros una idea bastante aproximada de lo que me estaba pasando por la cabeza en aquel momento. Pero ése es uno de esos días que, aunque las horas centrales conservan los detalles permanentes y claramente estampados de una marca hecha con un hierro al rojo en mi cerebro, empezó envuelto en una especie de neblina y terminó en otra aún peor.

Quizás estaba pensando en que todavía quedaban bastantes horas de luz por delante, las sombras sólo suponían una amenaza durante la noche y yo tenía mi punta de lanza, así que no corría ningún peligro. Quizás estaba tan aturdida por los muchos horrores que había vivido que no sentía el miedo que hubiese debido sentir.

Quizá, después de todo lo que había perdido hacía tan poco, sencillamente me daba igual. Barrons me había llamado Señorita Arco Iris la noche en que robamos a Mallucé. Pese a la condescendencia de su tono, el mote me había gustado. Pero los arco iris necesitan que haga sol para existir, y no había habido mucho de eso en mi mundo últimamente.

Por la razón que fuese, me levanté, me di una ducha, elegí mi atuendo con mucho cuidado, cogí la punta de lanza y las linternas y fui en busca del 1247 de LaRuhe. Yo sola.

Ya casi era mediodía y oí el suave ronroneo del sedán de lujo de Fiona deteniéndose junto a la acera detrás de mí mientras yo entraba en lo que un día todas las *sidhe* videntes llamarían con el nombre con que lo había bautizado yo; lo que un día, y no faltaba mucho para ello, empezaría a aparecer en ciudades esparcidas por todo el globo terráqueo, una Zona Oscura.

No miré atrás.

22

Aunque sólo habían transcurrido dos semanas desde el día en que me extravié por primera vez en las tenebrosas calles desiertas del barrio abandonado, sentía como si todo eso hubiera sucedido en otra vida.

Probablemente porque entonces mi vida era otra.

La Mac que había seguido la dirección indicada por el brazo extendido de una mujer hacia el interior de un páramo urbano ese día llevaba unos Capri rosados de pernera ancha y con la cinturilla bien baja en las caderas, un top de seda rosa, sus sandalias plateadas favoritas y accesorios plateados a juego. Tenía una hermosa melena rubia recogida en una cola de caballo que le acariciaba el centro de la espalda con el ímpetu de sus andares juveniles.

La Mac de ahora tenía el pelo negro y sólo le llegaba hasta los hombros: para esconderse mejor de los monstruos que andaban tras Mac Versión 1.0. La Mac de ahora llevaba vaqueros negros, y una camiseta también negra: para disimular mejor la sangre si llegaba el caso de que se manchara con ella. Unas zapatillas de tenis ocultaban las uñas de sus pies pintadas con esmalte de la variedad Rosa Helado de Fresa: para correr mejor si tenía que salir huyendo. Su austero atuendo se completaba con una chaqueta negra que había cogido de un gancho junto a la puerta principal mientras se iba; para ocultar mejor el palmo de la punta de lanza deslizada bajo la cinturilla de los vaqueros con una bola de papel de estaño clavada en ella, el único accesorio plateado que complementaba aquel conjunto elegido con tanto esmero.

Llevaba varias linternas metidas en los bolsillos de atrás y unas cuantas más en la chaqueta.

Adiós a los andares llenos de energía que hacían que pareciese moverse sobre resortes. Mac 2.0 caminaba con determinación y la mente concentrada en unos pies firmemente enraizados en el suelo.

Esta vez, mientras me adentraba en la Zona Oscura, entendí lo que había estado sintiendo la primera vez que fui a través de ella: la mezcla de náuseas, miedo y esa vaga convicción de que tenía que salir huyendo. Mis sentidos de *sidhe* vidente se habían visto activados en cuanto crucé Larkspur Lane y empecé a atravesar sin quererlo las dieciocho manzanas ausentes entre esa vía y la calle Collins. Aunque las sombras se retiraban durante el día e iban a algún lugar absolutamente oscuro, su santuario carente de luz tenía que estar en algún rincón de ese lugar olvidado. Podía sentir la presencia de invisibles por todas partes alrededor de mí, como la había sentido aquel día, pero entonces aún no había sabido lo que significaba aquella sensación, ni había entendido en medio de qué me hallaba.

Esta vez también había algo más. Me habría jugado lo que fuese a que el pequeño mapa que había dibujado resultaría innecesario. Algo estaba tirando de mí en dirección sureste, atractivo y repelente a la vez. La sensación me hizo pensar en una pesadilla que tuve una vez, y que me había dejado una huella indeleble en la memoria.

En mi sueño, yo estaba en un cementerio de noche, bajo la lluvia. Unas cuantas sepulturas más allá de aquella junto a la que me había detenido, estaba mi propia tumba. No había llegado a verla. Sencillamente sabía que estaba allí con esa convicción irrefutable propia de los sueños. Una parte de mí quería echar a correr, huir lo más deprisa que pudiera de la hierba mojada por la lluvia y las lápidas y los huesos, y nunca mirar atrás, como si contemplar mi propia tumba pudiese bastar para sellar mi destino. Pero otra parte de mí había sabido que nunca tendría otro momento de paz en la vida si tenía miedo de ir hasta allí y contemplar mi propia lápida, bajar la vista hacia mi propio nombre y leer en voz alta la fecha en que había muerto.

Había despertado de la pesadilla antes de que me viera obligada a tomar una decisión. No era lo bastante idiota como para pensar que iba a despertar de la actual.

Ignorando resueltamente los restos humanos deshidratados arrastrados por el viento que rodaban a lo largo de la calle desierta llena de niebla, dejé el mapa que me había dibujado metido en el bolsillo delantero izquierdo de los tejanos y me entregué a la oscura melodía de mi flautista de Hamelín particular. Esta vez vi el barrio abandonado de una forma un poco distinta mientras me adentraba en él.

Como un cementerio.

Recordé la queja del inspector O'Duffy la primera vez que hablé con él: «El porcentaje de homicidios y desapariciones ha crecido muchísimo durante las últimas semanas. Es como si la mitad de esta maldita ciudad se hubiera vuelto loca.»

Según mis cálculos no eran ni mucho menos la mitad, o en todo caso todavía no. No me costaba nada imaginar cuál habría sido su consternación ante cadáveres como el que el hombre gris había dejado en el pub la otra noche, pero ahí estaba la explicación de algunas de las desapariciones de las que me había hablado O'Duffy.

Tiradas por todas partes a mi alrededor. Yo las iba dejando atrás, una manzana tras otra.

Estaban fuera de coches abandonados, dispuestas en pulcros montones. Estaban esparcidas por las aceras, medio enterradas bajo desperdicios que nunca volverían a ser recogidos porque esas calles no aparecían en ninguno de los mapas que utilizaban los empleados municipales. Aunque un barrendero particularmente concienzudo podía echar una ojeada ocasional mientras pasaba por allí y decir «Caramba, anda que no hay porquería tirada ahí abajo», sin duda el comentario iría seguido rápidamente por un «No es mi ruta, allá otro con el problema».

El peligro de la Zona Oscura era ése: aunque esas calles y avenidas no aparecían en ningún mapa, no había nada que impidiese que la gente condujera su coche hasta allí, o que entrara caminando, como había hecho yo mi primer día en Dublín. Con lo cerca que estaba del barrio de Temple Bar, había mucho tráfico peatonal, y yo misma había visto que una gran parte de él estaba formado por turistas demasiado bebidos para reparar en el cambio radical sufrido por el entorno, hasta que ya era demasiado tarde. Un coche podía tener bastantes probabilidades de atravesarla durante la noche, con los faros y las luces interiores encendidas, siempre que el conductor no parase y bajara del coche por alguna razón banal, como permitirse una rápida meada de borracho, pero yo no me arriesgaría a intentarlo.

Reparé en otra cosa que se me había pasado por alto durante mi primera travesía del barrio abandonado. No había animales. Ni un solo gato de callejón listo para bufarte, ninguna rata con ojos como abalorios, ni una sola paloma dispuesta a cagarte encima. Realmente era una zona muerta. Y aquellos diminutos restos resecos ahora también tenían sentido para mí.

Las sombras se lo comían todo.

—Excepto a Barrons —masculló, sintiéndome más profundamente ofendida por eso de lo que estaba dispuesta a admitir. Cuando acabamos con el hombre gris la otra noche, yo había sentido una especie de parentesco con mi enigmático mentor.

Habíamos sido un equipo. Habíamos librado a la ciudad de un monstruo. Quizá yo no hubiera dado en el blanco a la primera, pero el resultado final había sido bueno, y lo haría mejor la próxima vez. Yo lo había paralizado y Barrons lo había matado. Ninguna mujer más sería despojada de su juventud y de su hermosura. Ninguna más sucumbiría a una muerte horrenda. Había sido una sensación buena. Y supongo que en algún rincón de mi mente yo había estado pensando que cuando por fin descubriera quién o qué había matado a Alina, Barrons me ayudaría a acabar con ello.

No me hacía ilusiones de que la policía o un tribunal fueran a poder ayudarme en mi intento de que se hiciera justicia. No me cabía duda de que el asesino (¿asesinos?) de Alina sería algo que sólo Barrons, yo y otros *sidhe* videntes podían ver, y sólo sabía de otra *sidhe* vidente. No sólo no creía que la anciana fuera a serme de mucha ayuda a la hora de acabar con uno o diez invisibles sino que no quería su ayuda. No quería volver a verla nunca más. Sabía que el viejo adagio «matar al mensajero» no es nada justo, pero los adagios llegan a ser adagios porque están en boca de todos. Aquella anciana me era tan desagradable como su mensaje.

Sacudí la cabeza y volví a centrar mis pensamientos en mi hermana. «1247 LaRuhe, Jr.», había escrito Alina con su último aliento. Ella había querido que yo fuera allí para encontrar algo. Esperaba que fuese su diario, aunque no se me ocurría por qué podía haberlo escondido en el barrio abandonado. Dudaba que se tratase del misterioso, mortífero *Sinsar Dubh*, porque, aunque estaba sintiendo el típico malestar inducido por las criaturas mágicas, con el que, dicho sea de paso, cada vez me resultaba más fácil lidiar, no estaba padeciendo nada ni remotamente parecido a las terribles náuseas que unas meras fotocopias del libro me habían inducido. Lo único que captaba de lo que fuese que me empujaba y atraía en dirección sureste era una vaga sensación de peligro sobrenatural, pero se hallaba atenuada, como si lo que fuese que me aguardaba estuviera... bueno..., dormido.

No pude encontrar demasiado consuelo en el hecho de que «dormido» sea otra palabra para «que puede hacer explosión en cualquier momento», y a juzgar por cómo había estado yendo mi vida últimamente, si había un volcán en las inmediaciones, más temprano que tarde iba a escupirme lava en la cara.

Con un suspiro, seguí avanzando a través de la niebla.

El número 1247 de la calle LaRuhe no era lo que había imaginado.

Yo me esperaba un almacén o uno de esos miserables edificios de apartamentos que habían brotado como setas, reemplazando las residencias en el área cuando la industria entró a saco en ella.

Lo que encontré fue una elegante casa de ladrillo engalanada con una fachada ornada de piedra caliza, en medio de bloques de almacenes y factorías comerciales.

Era evidente que el propietario se había negado a venderla, plantando cara hasta el último momento a la transición y el lento degradarse del barrio. Aquella residencia parecía tan fuera de lugar allí como lo estaría la joyería Tiffany's en el centro de un complejo inmobiliario barato.

En el gran patio delantero, lleno de niebla y circundado por una verja de hierro, se alzaban tres árboles esqueléticos, sin hojas, sin pájaros en las ramas, y me habría jugado lo que fuese a que si me ponía a cavar en sus bases, no encontraría ni un solo gusano en el suelo. Los jardines en terraza estaban vacíos y la fuente de piedra en la gran entrada arqueada llevaba mucho tiempo seca.

Eso era la Tierra Baldía.

Levanté los ojos hacia la distinguida residencia y la recorrí

314

con la mirada. Su barniz de urbanidad y riqueza quedaba seriamente socavado por lo que le habían hecho a sus muchas ventanas.

Todas habían sido pintadas de negro.

Y tuve la inquietante sensación de que alguien estaba pegado a esos grandes ojos oscuros, observándome.

—¿Y ahora qué, Alina? —murmuré—. ¿De verdad se supone que he de entrar ahí? —No tenía ningunas ganas de hacerlo.

No esperaba ninguna respuesta y no la recibí. Si los ángeles realmente cuidan de nosotros como creen algunas personas, los míos son sordomudos. Había sido una pregunta puramente retórica, en cualquier caso. Ahora no podía darle la espalda a aquel sitio. Alina me había enviado allí y yo iba a entrar, aunque fuese lo último que hiciera.

No me molesté en andarme con sigilos. Si alguien o algo me estaba observando, ahora ya era demasiado tarde para eso. Cuadrándome de hombros, respiré hondo, fui por la curva de pálidas losas, subí los escalones delanteros y golpeé la puerta con el pesado aldabón.

Nadie respondió. Pasados unos instantes repetí la llamada, y luego probé a abrir la puerta. Su propietario prestaba muy poca atención a la seguridad; la puerta no estaba cerrada con llave, y daba a un suntuoso vestíbulo. Suelos de mármol blanco y negro relucían bajo una gran araña de luces. Más allá de una mesa redonda de madera tallada rematada por un enorme jarrón lleno de aparatosas flores de seda, una elegante escalera en espiral se curvaba hacia arriba a lo largo de la pared, adornada por una magnífica balaustrada.

Entré. Aunque el exterior acusaba el paso de los años y necesitaba una buena reparación en el tejado y los canalones para el agua de lluvia, el interior estaba amueblado en un señorial estilo Luis XIV, con elegantes sillas y sofás dispuestos junto a columnas y pilastras palaciegas, mesas con tableros de mármol magníficamente tallados y preciosos apliques murales ámbar y oro. Estuve segura de que el mobiliario de los dormitorios sería igual de recargado e impresionante, como correspondía al estilo del Rey Sol. Enormes espejos con marco de oro y cuadros de escenas mitológicas vagamente familiares adornaban las paredes.

Después de escuchar unos momentos, empecé a moverme a través de la casa tenuemente iluminada, una mano encima de una linterna, la otra encima de la punta de lanza, intentando hacerme una imagen mental de su morador. Cuantas más habitaciones miraba, menos entendía. Había visto tanta fealdad en el poco tiempo que llevaba en Dublín que había estado esperando más de ella, especialmente en aquel páramo urbano, pero el ocupante parecía ser una persona rica y cultivada, de gustos altamente sofisticados y...

Me di una palmada mental en la frente: ¿era allí donde vivía el novio de Alina? ¿Me había enviado mi hermana directamente a la dirección de su asesino?

Diez minutos después encontré mi respuesta en un dormitorio del piso de arriba, más allá de una enorme cama, en un espacioso armario ropero lleno de prendas todavía más elegantes que las que llevaba Barrons. Quienquiera o lo que quiera que fuese el propietario, sólo usaba lo mejor de lo mejor. Quiero decir, lo ridículamente mejor; el tipo de cosas por las que pagas auténticas burradas sólo para tener la seguridad de que nadie más en el mundo podrá llevarlas.

Tirados por el suelo de cualquier manera, junto a una colección de botas y zapatos que hubieran podido calzar a un ejército entero de modelos de Armani, encontré el Planificador Franklin de Alina, sus álbumes de fotos y dos sobres de plástico llenos de fotos reveladas por uno de aquellos laboratorios fotográficos de una hora que había en el barrio de Temple Bar. Metí el planificador y los álbumes dentro de mi abultada chaqueta, pero me quedé con los sobres de plástico de las fotos en la mano.

Después de un rápido pero concienzudo examen tanto del

armario como del resto del dormitorio, para asegurarme de que no se me pasaba por alto nada más que hubiera pertenecido a mi hermana, me apresuré a volver a la planta baja para estar más cerca de una vía de escape en el caso de que llegara a necesitarla.

Entonces me senté en el primer escalón, bajo la araña de luces incrustada de oro y cristal y abrí el primer paquete de fotos.

Dicen que una imagen vale mil palabras.

Éstas ciertamente las valían.

De acuerdo, lo admitiré; desde que había oído la descripción del novio de Alina, mayor que ella, sofisticado, atractivo, no irlandés, no podía quitarme de la cabeza a Barrons, lo que quizá fuera pura paranoia.

¿Estaba siguiendo yo los pasos de mi hermana, exactamente? ¿Hasta el punto de que mi fidelidad al detalle incluía al hombre que la había traicionado? ¿Había estado enamorada mi hermana de Jericho Barrons? ¿Era mi misterioso anfitrión y supuesto protector quien la había matado?

Cuando había entrado allí hacía un rato, una parte de mí había pensado: «Ajá, conque es aquí adónde se dirigía él la otra noche. Éste es su verdadero hogar, no la librería, y en realidad Barrons es una criatura mágica oscura y por alguna razón soy tan incapaz de percibirlo como lo fue Alina en su momento.» ¿Cómo lo iba a saber? Ciertamente eso explicaría los extraños destellos de atracción hacia él que había experimentado en un par de ocasiones, si realmente había una criatura mágica de la variedad sexo por muerte oculta en algún lugar bajo toda esa autoridad dominadora. Quizás existían criaturas mágicas que podían esconderlo de algún modo. Quizá disponían de talismanes o hechizos para disimular su verdadera naturaleza. Yo había visto demasiadas cosas inexplicables últimamente para atreverme a considerar que algo quedaba fuera del reino de la posibilidad.

Le había dado mil vueltas al tema sin llegar a ninguna conclusión: un día pensaba que era imposible que hubiera sido Barrons, al siguiente estaba casi segura de que tenía que haber sido él.

Ahora estaba segura. El novio de Alina no era Jericho Barrons.

Acababa de hacer un viaje fotográfico por una parte de la vida de mi hermana que nunca había creído llegaría a ver, empezando con el primer día cuando llegó a Irlanda, hasta fotos de ella en Trinity College, hasta algunas de ella riendo con compañeros de clase en los pubs, y todavía más de Alina bailando con un grupo de amigos. Mi hermana había sido feliz allí. Fui pasando las fotos despacio, con mucho cuidado, poniendo el dedo sobre los puntos de color de las mejillas de Alina, siguiendo la elegante línea de su largo cabello rubio, alternando el reír con el tratar de no romper a llorar mientras iba teniendo vislumbres de un mundo que nunca había esperado llegar a ver: de Alina viva en esa ciudad demencial llena de *craic* y de monstruos. ¡Dios, la echaba de menos! ¡Verla así era como una patada en el estómago! Mirando las fotos, sentía la presencia de Alina tan intensamente que era casi como si mi hermana estuviera de pie a mi lado diciendo: «Te quiero, Jr., estoy aquí contigo. Puedes hacerlo. Sé que tú puedes.»

Entonces las imágenes cambiaron, alrededor de cuatro meses después de que mi hermana hubiera llegado a Dublín, según las fechas de las fotos. En el segundo paquete de fotos había docenas de instantáneas de Alina sola, tomadas tanto en la ciudad como por sus alrededores, y por la forma en que miraba a la persona que manejaba la cámara era evidente que ya estaba profundamente enamorada. Por mucho que me doliera admitirlo, el hombre detrás del objetivo había tomado las fotos más hermosas de mi hermana que yo había visto jamás.

Quieres creer en el blanco y el negro, el bien y el mal, héroes que son realmente heroicos y villanos que son sencillamente malos, pero durante el último año he aprendido que las cosas rara vez son tan simples. Los buenos pueden hacer cosas verdaderamente horrendas, y a veces los malos pueden darte la sorpresa del siglo.

Este malo en particular había visto y capturado lo mejor en mi hermana. No sólo su belleza, sino esa luz interior que definía a Alina y la hacía única.

Justo antes de que él mismo la hubiera extinguido.

Lo que no podía entender era que nadie hubiera sido capaz de describirme a ese hombre. Él y mi hermana tenían que haber hecho volverse las cabezas por toda la ciudad a su paso, y sin embargo nadie había podido decirme de qué color tenía el pelo aquel hombre.

Surcado por franjas doradas, brillaba como el cobre y le llegaba hasta la cintura. ¿Cómo era posible que la gente no se acordara de eso? Era más alto que Barrons y bajo su ropa refinada había la clase de cuerpo que un hombre sólo consigue levantando pesas y siendo tremendamente disciplinado consigo mismo. Parecía rondar la treintena, pero fácilmente podía haber sido más joven o más mayor; había en él una especie de intemporalidad. Su piel era dorada y muy suave. Aunque estaba sonriendo, sus extraños ojos color cobre contenían la arrogancia y el saber autoritario propios de la aristocracia. Ahora entendía por qué había amueblado su casa con la extravagante opulencia de aquel Rey Sol que hizo construir el palacio de Versalles; le iba como un guante. No me hubiese extrañado nada enterarme de que era el rey de uno de esos pequeños países extranjeros de los que poca gente ha oído hablar. Lo único que enturbiaba su perfección era una larga cicatriz que le bajaba por la mejilla izquierda, desde el pómulo hasta la comisura de los labios, y en realidad no la enturbiaba. Sólo lo hacía más intrigante.

Había muchas fotos de ellos juntos que obviamente habían sido tomadas por alguien más, y sin embargo ni una sola persona había sido capaz de describir ese hombre a la policía, o de decirme cómo se llamaba.

Allí, estaban cogidos de la mano y se sonreían. Ahí, estaban yendo de compras. Ahí, estaban bailando encima de una mesa en el barrio de Temple Bar.

Allí se estaban besando.

Cuanto más miraba yo las fotos, más me costaba ver a aquel hombre como un villano. Alina parecía muy feliz con él y él parecía igual de feliz con ella.

Sacudí la cabeza. Mi hermana había pensado así, también. Creyó en aquel hombre hasta el día en que me llamó y me dejó su frenético mensaje: «Pensaba que él me estaba ayudando, había dicho, pero... ¡Dios, no puedo creer que haya sido tan estúpida! ¡Pensaba que estaba enamorada de él y es uno de ellos, Mac! ¡Es uno de ellos!»

¿Uno de quiénes? ¿Un invisible que de alguna manera podía hacerse pasar por humano, engañando incluso a una *sidhe* vidente? Volví a preguntarme si era posible tal cosa. Si él no era un invisible, ¿entonces qué era, y por qué iría a aliarse con monstruos? Estaba claro que aquel hombre tenía que ser muy buen actor para haber podido engañar a Alina. Pero al final ella lo había descubierto. ¿Había empezado a sospechar y lo había seguido hasta allí? ¿A su hogar en la Zona Oscura, en pleno centro del lugar donde mi sentido arácnido estaba recibiendo toda clase de advertencias sobre peligros sobrenaturales?

Hablando de peligros sobrenaturales, yo había estado tan concentrada en investigar la dirección a la que me había enviado Alina, y luego me había dejado absorber hasta tal punto por las fotos, que no me había dado cuenta de que lo que fuese que me había arrastrado en esa dirección ni siquiera estaba en la casa. Estaba más allá, ahí fuera.

Y la sensación de su presencia se estaba haciendo más fuerte. Mucho más fuerte. Como si acabara de despertar.

Volví a meter las fotos en sus sobres, me los guardé en uno de los bolsillos interiores de la chaqueta, y me levanté. Mientras volvía a atravesar apresuradamente el primer piso de la casa, buscando una salida trasera, reparé en que había algo que estaba mal en los espejos de las paredes. Tan mal, de hecho, que después de haber mirado en los primeros, dejé de mirarlos y apreté el paso. Aquellos espejos de aspecto extrañamente surreal fueron mi primera toma de contacto con la auténtica «otredad» de las criaturas mágicas. Aunque algunos visibles e invisibles caminan y hablan igual que lo hacemos nosotros, pertenecemos a dos especies muy distintas.

Localicé una puerta trasera, salí de la casa y fui directamente a la puerta de acero a medio subir del muelle de carga de un almacén que se alzaba junto al callejón a unos quince metros tras el número 1247 de la calle LaRuhe. Lo que estaba tirando de mí se encontraba allí.

Lo único que se me ocurre es que ese día tenía que estar fuera de mí. Aunque me moví con cautela y no me aparté del costado del edificio, entré directamente. La temperatura cayó en picado en cuanto crucé el umbral y me adentré en el oscuro interior. Aquella enormidad de edificio podía haber contenido fácilmente varios campos de fútbol. Era un viejo centro de distribución, con grandes estanterías de almacenaje que se elevaban sus buenos tres metros a mi izquierda y a mi derecha, y un pasillo central entre ellas, lo bastante ancho para que dos camiones de reparto pudieran pasar, rodando el uno al lado del otro. El largo pasillo estaba lleno de palets envueltos en plástico colocados en pilas de entre metro y metro y medio de altura, que aún no habían sido descargadas y transferidas a las distintas estructuras de almacenaje. El cemento lleno de arañazos y melladuras estaba lleno de pilas de cajas de madera esparcidas al azar y carretillas elevadoras mecánicas que parecían haber sido abandonadas, en mitad del proceso de levantar una carga. Al final del largo pasillo, pude ver una luz muy fuerte, y oír voces.

Avancé sigilosamente hacia la luz entre las pilas y las carretillas, llevada por un instinto que no podía entender ni rechazar. Cuanto más me acercaba, más frío hacía. Cuando llegué a la antepenúltima hilera de mercancías entre mí y lo que fuese que había delante, estaba temblando y veía cómo mi aliento creaba diminutos cristales de hielo en el aire.

En la penúltima hilera de mercancías, el metal de la carretilla elevadora tras la que me agazapé estaba tan frío que me dolió la mano al tocarlo.

En la última hilera, las náuseas llegaron a ser tan intensas que tuve que sentarme en el suelo y estarme quieta un rato. Ahora lo único que se interponía entre mí y lo que fuese que había delante eran pilas y más pilas de palets colocadas de cualquier manera formando una hilera, que parecían haber sido arrimadas a un lado para dejar un gran espacio despejado en el suelo. Más allá de esas pilas, pude ver los extremos superiores de lo que parecían inmensas piedras. La densa luz que se infiltraba en la penumbra, allí donde yo estaba agazapada, no era natural. Era pesada, con algo indefiniblemente oscuro en ella, y ninguno de los objetos que bañaba proyectaba una sombra.

No tengo ni idea del tiempo que tardé en recuperar el control de mi estómago revuelto. Puede que fueran cinco minutos, puede que fuese media hora, pero finalmente pude levantarme del suelo y seguir avanzando. Se me ocurrió que quizá no debería hacerlo; debería limitarme a «salir corriendo» como me había aconsejado que hiciera Barrons en una ocasión y no mirar atrás, pero estaba todo eso que tiraba de mí. Tenía que ver lo que había ahí delante. Tenía que saber. Había llegado demasiado lejos para volverme atrás.

Asomé la cabeza por el rincón de un rimero de palets... y retrocedí con un estremecimiento.

Avancé sobre el suelo con piernas que volvían a temblar, una mano sobre mi corazón palpitante mientras deseaba con todas mis fuerzas que no se me hubiera ocurrido levantarme de la cama aquella mañana.

Después de haber tragado aire unas cuantas veces, me incliné hacia delante y volví a mirar. Creo que con la esperanza de que sólo lo hubiera imaginado.

Pero no era así.

Aunque había visto imágenes en guías turísticas y tarjetas postales, aquello era la clase de cosa que esperas encontrar en los prados de un granjero, no al fondo de un almacén industrial en pleno distrito comercial, en el centro de la ciudad. También me había hecho la impresión de que sus dimensiones eran bastante más moderadas. Pero en realidad era inmenso. Traté de imaginar cómo había ido a parar allí, y entonces recordé que no me las estaba viendo con métodos humanos de locomoción. Con las criaturas mágicas, todo era posible.

Elevándose tras lo que parecía un centenar de chicos rinoceronte y otras clases de invisibles (que no proyectaban sombras en la extrañamente opresiva claridad que emanaba de él) había un dolmen. Dos piedras imponentes se alzaban a unos ocho metros de distancia la una de la otra, y una larga losa de piedra estaba extendida sobre ellas, convirtiendo los antiguos megalitos en un inmenso portal.

Alrededor de todo el portal, símbolos y runas habían sido tallados en el suelo de cemento. Algunos brillaban con destellos escarlata, otros latían con esa extraña luz negro azulada de la piedra que le habíamos robado a Mallucé. Una figura ataviada con una túnica roja estaba de pie vuelta hacia el dolmen, una gran capucha ocultándole la cara.

Un viento ártico tan frío que me atravesaba los pulmones como una cuchillada soplaba a través de las piedras, helando algo más que mi carne; el oscuro viento mordía mi alma con afilados dientes de hielo, y de pronto supe que si tenía que soportarlo durante mucho rato empezaría a olvidar lentamente cada sueño y cada esperanza que me hubieran calentado el corazón.

Pero no fue el viento que te congelaba el alma o los chicos rinoceronte o ni siquiera la figura ataviada con una túnica roja, a la que las criaturas mágicas que hacían las funciones de perros guardianes se dirigían como «mi Señor de los Señores», lo que hizo que me acurrucara entre las sombras.

Lo que me provocó esa reacción fue que el inmenso portal de piedra se hallaba abierto. Y a través de él estaba entrando una horda de invisibles.

23

No os aburriré con los detalles de los monstruos que llegaron a través del portal aquel día. Barrons y yo hablaríamos de ellos más tarde y trataríamos de identificar sus castas, y os encontraréis con la mayor parte de ellos dentro de poco, en todo caso.

Bastará con decir que había centenares de ellos, altos y bajos, con alas y con pezuñas, obesos y macilentos, todos ellos bastante horripilantes, y se iban agrupando conforme salían del portal, unos diez para cada chico rinoceronte. Por los fragmentos de conversación que pude oír, a los perros guardianes de los invisibles se les había asignado la labor de hacer que sus nuevos subordinados se aclimataran a nuestro mundo.

Mi mundo.

Me encogí tras el rimero de palets, demasiado aterrorizada para que pudiese moverme mientras observaba. Finalmente, cuando el último de ellos hubo cruzado, con más cánticos y secos golpes de un cetro negro y oro sobre algunos de los símbolos relucientes, el Señor de los Señores de la túnica roja cerró el portal. Los símbolos se oscurecieron y el viento ártico cesó. La luz en el almacén se hizo más intensa, al tiempo que de algún modo se volvía más ligera, y los invisibles empezaron a proyectar sombras de nuevo. La sensación volvió a mi cara y mis dedos entumecidos por el frío, y los sueños a mi corazón.

—Ya habéis recibido instrucciones —dijo el Señor de los Señores, y me pregunté cómo un ser tan maléfico podía tener una voz tan hermosa.

Doblando la rodilla como ante un dios, los chicos rinoceronte empezaron a conducir a sus recién llegados congéneres hacia el pasillo. Un grupo de unos treinta monstruos de distintas clases se quedó atrás con el Señor de los Señores.

Pegué el cuerpo al rimero de palets mientras cada uno de los recién llegados pasaba a un par de metros de mí, acompañado por su «entrenador». Fueron algunos de los minutos más angustiosos de mi vida. Tuve ocasión de echar una buena mirada a cosas que dejaban pequeñas a nuestras creaciones más espeluznantes para las películas de terror.

Después de que el último de ellos hubiera caminado, reptado, aleteado o galopado por el largo pasillo y salido del edificio, apoyé la espalda en el montón de palets, cerré los ojos y los mantuve cerrados.

Así que eso era lo que Alina había querido que supiera: que detrás del número 1247 de la calle LaRuhe había una puerta al infierno, y allí el Señor de los Señores estaba trayendo a sus oscuros sirvientes desde su prisión de los invisibles para dejarlos sueltos por nuestro mundo.

Bueno, ahora yo lo sabía.

¿Y qué se suponía que tenía que hacer al respecto? Alina me había sobrestimado si pensaba que yo podría, o querría, hacer algo acerca de este problema. No era mi problema. Mi problema era encontrar al bastardo que la había traicionado y asegurarme de que se hiciera justicia. Si era humano, dejaría que los tribunales se encargaran de él. Si era un invisible que se hacía pasar por humano, moriría bajo la punta de mi lanza. Eso era lo único que me importaba.

«Tenemos que encontrar el *Sinsar Dubh*. Todo depende de ello», había dicho Alina.

¿Qué dependía de ello? Tuve la deprimente sensación de que la respuesta a esa pregunta era una de esas cosas que tienen que ver con el destino del Mundo. Eso no figuraba en mis obligaciones laborales. Yo mezclaba combinados y los servía, limpiaba las mesas y lavaba los vasos. Después de cerrar barría el suelo.

¿Había querido Alina que yo encontrara el Libro Oscuro porque en algún lugar de sus peligrosas páginas escritas en clave figuraba la forma de derrotar al Señor de los Señores y destruir su portal para los invisibles? ¿Por qué debería importarme a mí eso? ¡El portal estaba en Dublín, no en Georgia! Era problema de Irlanda. Podían ocuparse de sus propios problemas. Además, aunque yo consiguiera hacer lo imposible y encontrar el estúpido Libro Oscuro, ¿cómo se suponía que iba a traducirlo? Barrons tenía dos de las piedras necesarias, pero yo no tenía ni idea de para qué equipo estaba jugando él. Tampoco tenía idea de dónde estaban las otras dos piedras, cómo encontrarlas y cómo utilizarlas; eso suponiendo que lograra hacerme con ellas.

¿Qué había esperado Alina que hiciera yo? ¿Que me comprometiera a quedarme en Dublín indefinidamente, buscando esos cachivaches mágicos y viviendo siempre con el miedo metido en el cuerpo? ¿Que dedicara mi vida a esta causa? ¿Qué estuviera dispuesta a morir por ella?

Era pedir demasiado de una camarera. Hubiese soltado un bufido si no fuera porque llevaba media hora en la incómoda situación de estar a punto de mearme en los pantalones del miedo que tenía.

Mi hermana había muerto por todo esto.

Apreté las mandíbulas y cerré los ojos.

Nunca había sabido estar a la altura de Alina, y nunca sabría estarlo. No sentía ningún deseo de abrir los ojos. Si lo hacía quizá viese alguna otra cosa de la que mi hermana había pensado que yo debería hacerme responsable, me dije con disgusto. Decidí que lo que tenía que hacer era largarme de allí. Interpondría la mayor distancia posible entre mi persona y el portal, el Señor de los Señores con su túnica roja y toda la Zona Oscura.

Suspiré.

Lo haría, en serio. En cuanto hubiera echado una última miradita alrededor de la esquina para ver si había algo más que yo debería saber. No porque planeara hacer nada con la información. Sólo pensé que ya que estaba allí, bien podía recoger la mayor cantidad de ella posible. Quizá podría pasársela a esa vieja entrometida, o a V'lane, y uno de ellos podría hacer algo al respecto. Si V'lane realmente era uno de los buenos, entonces él y su reina deberían actuar inmediatamente para taponar el inaceptable agujero que había entre nuestros mundos. ¿No había mencionado Barrons algo acerca de un Pacto? ¿No había alguna clase de acuerdo que esto violaba?

Abrí los ojos.

Y fracasé miserablemente tanto en mi intento de ganar el campeonato de saltos causados por el pánico, como en mis esfuerzos por hacer que se me tragara la tierra.

Barrons y yo nos habíamos preguntado dónde estaría Mallucé. Ahora yo lo sabía.

A menos de tres metros de mí, enseñándome los colmillos, flanqueado por seis chicos rinoceronte de ojos como abalorios.

24

Tratar de desaparecer no había funcionado, así que simplemente hice erupción, siseando y dando patadas y poniendo las manos encima de todo lo que, bueno, podía tocar con las manos.

A diferencia de la otra noche, cuando había intentado matar al hombre gris, no tuve tiempo de pensar en lo que estaba haciendo, y me limité a dejar que el instinto guiara mis actos.

Resultó que mis instintos eran asombrosos.

Me había dejado la punta de lanza metida debajo de la cinturilla de los pantalones, así que podía usar ambas manos. Había algo dentro de mí que funcionaba como el sistema de detección de blancos de un bombardero inmune al radar, localizando a cualquier criatura mágica que se encontrara lo bastante cerca y centrándose en ella.

Mientras Mallucé retrocedía y dejaba que los seis chicos rinoceronte vinieran hacia mí, extendí las palmas en direcciones opuestas y les di a dos de ellos justo en el centro de sus pechos de tonel. Giré en redondo, volví a golpear, les acerté a otros dos en las costillas y luego me dejé caer al suelo y golpeé una tercera vez.

De rodillas en el suelo, sacudí la cabeza para apartarme el

pelo de los ojos y evalué la situación. Había dejado paralizados a los seis en sólo dos segundos.

Pero ¿cuánto tiempo permanecerían paralizados? Ésa era la pregunta vital.

Mallucé parecía desconcertado. Supongo que nunca había visto en acción a una nulificadora anteriormente. Entonces vino hacia mí con esos movimientos tan sinuosos que tenía. Metí la mano dentro de la chaqueta en busca de la punta de lanza y en aquel momento me acordé de lo que había dicho Barrons, o más bien de lo que no me había dicho, sobre cómo se mataba a un vampiro. Mallucé no era una criatura mágica, así que yo no podía paralizarlo ni clavarle la punta de lanza y esperar que funcionara. Y, según Barrons, atravesarle el corazón con una estaca tampoco serviría de nada, así que no veía ninguna razón por la que mi punta de lanza debiera matarlo. Aparté la mano de la chaqueta. No quería enseñar mi as en la manga hasta que no me quedara otro remedio. Quizá, sólo quizá, podría acercarme al Señor de los Señores. Y quizá podría usar la punta de lanza para matarlo. Y entonces tal vez podría dejar paralizados a todos los invisibles y correr más deprisa que un vampiro. A mí me sonaba como un buen plan. El único que se me había ocurrido.

Me levanté del suelo y empecé a retroceder. Parecía ser lo que el vampiro quería que hiciera, de todas formas. Sostuve su demasiado brillante mirada amarilla mientras me obligaba a dejar atrás los palets, pasar al suelo con las runas talladas enfrente del dolmen, y al interior de un círculo de chicos rinoceronte invisibles y monstruos varios.

—¿Qué es esto, Mallucé? —Era la voz inconfundible del Señor de los Señores. Lo tenía detrás de mí y sólo podía oírlo. Su timbre era rico, lleno de tonos y musical, como la voz de V'lane.

—Me pareció oír algo detrás de los palets —dijo Mallucé—. Es una nulificadora, Señor de los Señores. Otra.

No lo pude evitar. Tenía que saberlo.

—Te refieres a Alina, ¿verdad? La otra nulificadora era Alina Lane, ¿no? —acusé.

Los aterradores ojos amarillos del vampiro se entornaron. Cruzó una larga mirada con la cosa de la túnica roja detrás de mí.

—¿Qué sabes tú acerca de Alina Lane? —dijo el Señor de los Señores suavemente, con esa voz melodiosa. Era la palabra de algo más grande que la vida, un arcángel, tal vez; el que había caído.

—Era mi hermana —gruñí, dándome la vuelta—. Y voy a matar al bastardo que la mató. ¿Qué sabes tú acerca de ella?

La capucha escarlata tembló de risa. Cerré las manos sobre los costados para no empuñar mi punta de lanza y abalanzarme sobre la figura vestida de rojo. Sigilo, me dije. Cautela. Dudaba que fuese a tener más de una oportunidad.

—Te dije que vendría, Mallucé —dijo el Señor de los Señores—. La utilizaremos para terminar lo que empezó su hermana. —Levantó las manos como para abarcar al grupo y se dirigió a todos los invisibles congregados allí—. Cuando todo esté en su sitio, abriré el portal y dejaré suelta por este mundo a toda la prisión de los invisibles, tal como os prometí. Cogedla. Ella vendrá con nosotros.

—Eso ha sido una estupidez, señorita Lane —dijo Barrons, sacudiendo la cabeza mientras se dejaba caer al suelo junto a mí con un ondular de su largo abrigo negro—. ¿Realmente tenía que decirles quién era? No habrían tardado mucho en deducirlo por su cuenta.

Parpadeé, estupefacta.

Supongo que el Señor de los Señores, Mallucé y el resto habían quedado tan desconcertados como yo por la inesperada entrada en escena, porque todos nos lo quedamos mirando, y luego todos miramos arriba. Yo sólo quería ver de dónde diablos había salido Barrons. Creo que ellos miraban para ver si había alguien más allá arriba. Tenía que haber estado en las vigas del techo.

Quedaban como a diez metros de distancia del suelo. No vi una cuerda convenientemente colgada de ninguna parte.

Cuando volví a bajar la vista, el cabecilla de los invisibles había echado hacia atrás su capucha escarlata y estaba mirando a Barrons, fijamente. Lo que vio no pareció gustarle nada.

Yo me quedé atónita, sin saber qué cara poner.

Contemplé con una mezcla de incredulidad y confusión al novio de Alina, el Señor de los Señores. ¡El líder de los invisibles ni siquiera era una criatura mágica! Hasta Barrons parecía un poco desconcertado.

El Señor de los Señores ladró una orden, luego se volvió en un torbellino de tela roja. Docenas de invisibles avanzaron hacia nosotros inmediatamente.

Las cosas se liaron bastante a partir de ese momento, y todavía no tengo muy claro qué fue lo que sucedió exactamente. Mientras sus esbirros eliminaban cualquier posibilidad de fuga, el capullo que había usado y matado a mi hermana y había estado planeando hacerme lo mismo que a ella, ordenó que me capturaran con vida, «si sabéis lo que os conviene», y que mataran... al otro.

Entonces quedé rodeada de invisibles y ya no pude ver a Barrons. En algún lugar en la lejanía, oí cánticos, y las runas empezaron a brillar de nuevo en el cemento bajo mis pies.

Cerré mi mente a todo lo que no fuese la batalla. Luché.

Luché por mi hermana que había muerto sola en un callejón. Luché por la mujer con la que se había alimentado el hombre gris mientras yo comía patatas fritas mojadas en ketchup, y por aquella otra mujer a la que había consumido hacía dos días, mientras yo miraba con horrorizada impotencia. Luché por la gente que había matado la cosa con muchas bocas. Luché por los restos humanos deshidratados que el viento arrastraba a lo largo de las calles olvidadas entre la avenida Collins y Larkspur Lane. Puede que incluso luchara por algunos de los pistoleros de O'Bannion. Y luché por aquella joven de veintidós años que había llegado a Dublín, sintiéndose muy segura de sí misma, y que ahora ya no tenía nada claro de dónde había venido o adónde iba, y que acababa de romperse su tercera uña pintada con Rosa Helado de Fresa.

La punta de lanza de alabastro parecía arder con una luz sagrada en mi mano mientras yo esquivaba y giraba, golpeaba y hería. En un momento vi el rostro perplejo de Barrons, y supe que si él me estaba mirando de aquella manera, era porque yo debía de ser todo un espectáculo.

Me sentía como algo digno de verse.

Me sentía como una máquina bien construida y bien engrasada con un solo propósito en la vida: matar criaturas mágicas. Buenas o malas. Acabar con todas ellas.

Y lo hice, una tras otra. Agacharme, golpear, herir. Girar, golpear, herir. Las criaturas mágicas caían una tras otra. La punta de lanza era puro veneno para ellas, y verlas morir me estaba produciendo una extraña especie de subidón. No tengo ni idea del tiempo que podría haber seguido adelante con aquello si sólo hubiera habido criaturas mágicas, pero no era así y la cagué.

Me había olvidado de Mallucé.

Cuando el vampiro se me acercó sigilosamente por detrás, lo percibí ahí igual que a una criatura mágica; aparentemente mi radar captaba la presencia de todo lo que no fuera de este mundo dentro de un cierto perímetro. Giré en redondo y le clavé la punta de lanza en la tripa.

Comprendí mi error inmediatamente, aunque no tenía ni idea de cómo enmendarlo. El vampiro representaba una amenaza mucho más seria para mí que cualquiera de los invisibles, incluyendo las sombras. Al menos yo sabía cómo obligar a retroceder a aquellos chupadores de vida: luz. Pero no tenía ni idea de cuál era el punto débil de este chupador de vida, o ni siquiera de si tenía alguno. Barrons había hablado como si matar a un vampiro fuese prácticamente imposible.

Por un instante, estuve inmóvil ante él, mi arma enterrada en su estómago, con la esperanza de que hiciera algo. Si surtió alguna clase de efecto sobre Mallucé, no sabría decirlo. Me quedé mirando como una boba aquellos ojos amarillos de fiera que relucían en aquel rostro blanco, blanco. Entonces mi mente volvió a funcionar e intenté extraer la punta de lanza para volver a clavársela, esta vez en el pecho..., quizá Barrons estaba equivocado, y en todo caso algo tenía que intentar. Pero la punta afilada como una navaja se había quedado atascada en un nudo de tendón o hueso o lo que fuese, y no pude extraerla.

Mallucé cerró la mano sobre mi brazo. Sentí como si me estuvieran tocando con algo frío y muerto.

—¡Pequeña zorra! ¿Dónde está mi piedra? —siseó el vampiro.

Entonces comprendí por qué no había sacado a relucir el tema antes, cuando me vio. Había estado jugando sucio con el Señor de los Señores y no podía arriesgarse a que los chicos rinoceronte lo supieran.

—Oh, Dios, él ni siquiera sabe que la tenías, ¿verdad? —exclamé. Supe que había sido un error en cuanto lo dije. Mallucé tenía más que perder si el Señor de los Señores descubría que lo estaba traicionando que si admitía haber matado a la *sidhe* vidente sin darse cuenta durante el momento culminante de la batalla. Yo acababa de firmar mi propia sentencia de muerte.

Tiré frenéticamente de la punta de lanza. Mallucé me enseñó los colmillos cuando el arma cedió y retrocedí dando traspiés. Perdido el equilibrio, volví a golpear..., pero lo hice un milisegundo demasiado tarde. El vampiro me cruzó la cara con un salvaje revés y salí despedida hacia atrás, los brazos y las piernas doblados hacia delante como una muñeca de trapo, igual que había visto hacer a sus guardaespaldas aquella noche.

Me estrellé contra el lado de una pilada de palets tan dura como una pared de ladrillos. El impacto me impulsó la cabeza hacia atrás y una punzada de dolor me rebotó a través del cráneo. Oí crujir cosas dentro de mí.

—¡Mac! —oí gritar a Barrons.

Me sentí resbalar lentamente a lo largo de la pared recubierta de plástico y mientras caía pensé en lo raro que sonaba, él llamándome Mac. Antes siempre me había llamado señorita Lane. No podía respirar. Algo me oprimía el pecho, y me pregunté si se me habrían roto las costillas y perforado los pulmones. La punta de lanza se me estaba escurriendo de los dedos. El viento ártico de antes había vuelto, helándome el cuerpo y el alma, y entendí vagamente que la puerta volvía a estar abierta.

Los párpados me pesaban como pisapapeles y parpadeé muy despacio. Tenía la cara mojada. No estaba segura, pero me pareció que estaba llorando. No podía estar muriéndome. Por fin sabía quién había matado a mi hermana. Lo había mirado a la cara. Todavía no la había vengado.

Barrons flotó ante mis ojos.

—La sacaré de aquí. Aguante —me dijo con voz lenta y desapareció.

Volví a parpadear, pesadamente. Seguía sin poder respirar y la vista se me iba y volvía de pronto, especialmente en un ojo. Todo se puso oscuro, y un instante después Barrons volvió a estar ahí. Él y Mallucé se plantaban cara el uno al otro, moviéndose en un lento círculo. Los ojos del vampiro brillaban y sus colmillos estaban extendidos al máximo.

Mientras sentía que empezaba a perder el conocimiento, intenté decidir qué diablos podía haber acabado de hacerle Barrons a Mallucé para que aquel vampiro absurdamente fuerte se estrellara contra un rimero de palets y rebotara en una carretilla mecánica; cómo había ido a parar yo a sus brazos y adónde creía que me estaba llevando a semejantes velocidades.

A un hospital, esperé.

Recuperé el conocimiento varias veces a lo largo de nuestra huida.

El tiempo suficiente, la primera vez, para comprender que no había muerto, cosa que me sorprendió un poco. La última vez que había visto a Mallucé arrojar a alguien contra una pared, se trataba de un hombre mucho más grande que yo y había muerto inmediatamente, sangrando por múltiples orificios.

Debí de musitar algo al respecto porque sentí el rumor del pecho de Barrons debajo de mi oreja.

—La punta de lanza le hizo algo, señorita Lane. No estoy seguro de qué o por qué, pero el caso es que lo frenó un poco. —La siguiente vez que recuperé el conocimiento, me dijo—: ¿Puede pasarme un brazo alrededor del cuello y mantenerse agarrada?

—Sí, uno. —El otro no se movería. Colgaba flácidamente de mi hombro.

Aquel hombre podía correr en serio cuando se lo proponía. Estábamos en las alcantarillas, lo supe por el olor y el ruido de chapoteo que hacían las botas de Barrons. Esperé no estar engañándome en un exceso de optimismo, pero no oí ningún sonido de persecución. ¿Habíamos conseguido despistarlos? ¿A todos?

—No conocen el subsuelo tan bien como yo —dijo Barrons—. Nadie lo conoce.

Qué raro. Yo me había puesto muy parlanchina y ni siquiera me enteraba, porque no paraba de hacer una pregunta tras otra pese a que me dolía todo. ¿O sería que Barrons me estaba leyendo la mente?

—Usted... ¿Usted?...

—No leo la mente, señorita Lane —dijo él—. Lo que pasa es que a veces usted piensa con toda la cara. Tendría que trabajarlo un poco.

—¿No debería ir al hospital? —pregunté con voz pastosa cuando desperté por tercera vez. Volvía a estar en la cama, en mi dormitorio prestado de Barrons Libros y Objetos de regalo. Tenía que haber permanecido inconsciente durante un buen rato—. Me parece que tengo unas cuantas cosas rotas.

—Su brazo izquierdo, dos costillas y unos cuantos dedos. Está llena de cardenales. Ha tenido suerte. —Me apretó la mejilla con una compresa fría y yo tragué aire con un siseo de dolor—. Al menos el hueso del pómulo no se le rompió cuando él la golpeó. Temía que lo hubiera hecho. No tiene usted muy buen aspecto, señorita Lane.

—¿Hospital? —volví a intentar.

—No pueden hacer nada por usted que yo no haya hecho ya y sólo le harían preguntas a las que no puede responder. Me culparán a mí si la llevo en semejante estado y usted se niega a hablar. Ya le he enderezado las fracturas del brazo y de los dedos —dijo—. Sus costillas se curarán. Su cara va a estar un poco..., bueno..., sí. Se recuperará con el tiempo, señorita Lane.

Eso sonaba ominoso.

—¿Espejo? —logré murmurar con un hilo de voz.

—Lo siento —dijo él—. No tengo ninguno a mano.

Traté de mover el brazo izquierdo, preguntándome cuándo y dónde había añadido Barrons el enyesar fracturas a su aparentemente interminable lista de conocimientos profesionales. No lo había hecho. Mi brazo estaba entablillado, al igual que varios dedos de esa mano.

—¿No debería tenerlas enyesadas?

—Los dedos basta con entablillarlos. La fractura en su brazo es aguda y si se lo enyesara, sólo conseguiría que se le atrofiaran los músculos. Tiene que darse prisa en recuperarse. Por si no se ha dado usted cuenta, señorita Lane, tenemos unos cuantos problemas entre manos.

Alcé la mirada hacia él a través del único ojo con el que podía ver. El derecho se me había hinchado tanto a causa del golpe recibido en la mejilla que no lo podía abrir. Me acordé de que él me había llamado Mac en el almacén, cuando Mallucé me pegó. Pese a mis dudas acerca de Barrons, y mis preocupaciones por la clase de acuerdos a que hubiera podido llegar con las sombras, había estado allí para mí cuando hizo falta. Me había salvado la vida. Me había remendado y me había acostado en la cama y yo sabía que cuidaría de mí hasta que volviese a estar de una pieza. En tales circunstancias, parecía absurdo que continuara llamándome señorita Lane y así se lo dije. Quizás iba siendo hora de que yo también hiciera algo más que llamarlo «Barrons».

—Puedes llamarme Mac, esto..., Jericho. Y gracias por salvarme.

Una oscura ceja subió y Barrons me miró con lo que a mí me pareció era diversión.

—Siga con Barrons, señorita Lane —dijo secamente—. Necesita descansar. Duerma.

Los ojos se me cerraron como si él hubiera pronunciado un hechizo sobre mí y floté hacia un sitio muy agradable, un pasillo empapelado con fotos de mi hermana sonriendo. Ahora conocía la identidad del asesino, e iba a vengarla. Ya había recorrido la mitad del trayecto. No lo llamaría Jericho si a él no le gustaba que lo hiciera. Pero quería que él me llamara Mac, insistí con voz adormilada. Estaba harta de encontrarme a seis mil kilómetros de casa y sentirme tan sola. Pensé que estaría bien poder usar el nombre de pila con alguien de Dublín. Cualquier persona serviría, incluso Barrons.

—Mac. —Él dijo mi nombre y rio—. Qué nombre para alguien como usted. Mac. —Volvió a reír.

Yo quería saber lo que había querido decir con eso, pero no tenía fuerzas para preguntárselo.

Entonces sus dedos se posaron con la suavidad de las alas de una mariposa sobre mi maltrecha mejilla y empezó a hablarme en voz muy baja, pero no en nuestro idioma. Sonaba como una de esas lenguas muertas que usan en la clase de películas que solían hacerme cambiar de canal cuando pillaba alguna; y ahora lamento no haber visto al menos una o dos, porque probablemente habría estado mucho mejor preparada para todo eso si lo hubiera hecho.

Creo que él me besó entonces. No fue como ningún otro beso que yo hubiera sentido antes.

Y entonces todo se oscureció. Y soñé.

25

—No, así no. Deje de ponerle pegotes. Se supone que la primera capa ha de ser lo más fina posible —le dije—. Esto no es un pastel al que le esté poniendo el recubrimiento. Es una uña.

Estábamos sentados en lo alto de Barrons Libros y Objetos de regalo dentro de un acogedor jardín de invierno en el tejado que yo ni siquiera había sabido que estuviera allí hasta que Fiona, quien se había mostrado mucho más afectada por mis lesiones de lo que yo me esperaba, me había hablado de él. Ahora yo pasaba el atardecer recostada en una tumbona, fingiendo que leía, pero en realidad sin hacer gran cosa. Cuando los focos, instalados en los cuatro lados del tejado, se habían encendido poco antes de que el cielo se oscureciese, iluminando el jardín, les eché una mirada a mis uñas, bajé a coger mi equipo de manicura, volví a subir al tejado y esparcí mis herramientas encima de una preciosa mesa de hierro forjado con tablero de cristal, adosada a la fachada de la librería, justo debajo de los focos que daban más luz, y me esforcé por reparar los daños. Pero por mucho que lo intentara, no había conseguido llegar a pintarme las uñas de la mano derecha con el brazo izquierdo entablillado. Entonces había llegado Barrons y yo lo había puesto a trabajar inmediatamente.

Un músculo vibró en la mandíbula de él.

—¿Le importaría volver a explicarme por qué estoy haciendo esto, señorita Lane?

—¡Anda! —dije yo—. Porque mi brazo está roto. —Agité el miembro entablillado ante él, por si acaso lo había olvidado.

—Me parece que no se ha esforzado usted lo suficiente —dijo él—. Creo que debería volver a intentarlo. Creo que bastará con que extienda el miembro entablillado en este ángulo... —me hizo una demostración, en el curso de la cual esparció un poco de esmalte de uñas sobre las baldosas del patio—, y luego lo gire de esta manera. —Asintió con la cabeza—. Pruébelo. Creo que funcionará.

Lo miré fríamente.

—Usted me lleva de un lado a otro para que le busque objetos de poder, pero ¿me paso el rato quejándome? No. Pues ahora se aguanta, Barrons. Lo menos que puede hacer es pintarme las uñas hasta que se me haya soldado la fractura. Tampoco es como si le pidiera que me hiciese las dos manos. Y fíjese en que no le estoy pidiendo que me haga las uñas de los pies. —Aunque no me habría ido mal que me echaran una mano con la pedicura, claro. Cuidarte el pie como es debido es un trabajo que requiere ambas manos.

Él me lanzó una mirada asesina ante la perspectiva de tener que pintarme las uñas de los pies con los reflejos dorados del tono Rubor de Princesa del Hielo, un nombre que, dicho sea de paso, siempre me ha parecido un poco oximorónico, como cóctel de gambas. Ninguna de las princesas del hielo que he conocido en el instituto y en los cursos universitarios se ruborizaba por nada.

—Sé de ciertos tipos —le informé altivamente— que se pondrían a dar saltos de alegría si les dijera que podían pintarme las uñas de los pies.

Barrons inclinó la cabeza sobre mi mano, y aplicó el esmalte rosa pálido a mi dedo anular con minucioso cuidado. Se lo veía grande, musculoso, masculino y ridículo mientras me pintaba las uñas, como un centurión romano ataviado con un delantal de chef lleno de volantitos. Tuve que morderme la mejilla por dentro para contener la risa.

—Estoy seguro de que lo harían, señorita Lane —dijo secamente.

Seguía llamándome señorita Lane.

Después de todas las cosas por las que habíamos llegado a pasar juntos. Como si él no hubiera encontrado mi mapa con el puntito rosa que yo había marcado, seguido al interior de la Zona Oscura, rescatado, entablillado las fracturas, vendado, acostado en la cama y, creo, incluso, besado.

Entorné los ojos, estudiando su oscura cabeza inclinada sobre mi mano. Sabía cómo había dado conmigo. Fiona me había dicho que lo llamó apenas me vio entrar en el barrio abandonado. Por la preocupación teñida de culpabilidad que había mostrado ante mis lesiones, sin embargo, yo estaba bastante segura de que no había llamado a Barrons inmediatamente después, no sé si me explico.

Pero eso era todo lo que sabía. Había pasado la mayor parte de los tres días transcurridos desde que fui al número 1247 de la calle LaRuhe sumida en un profundo sueño inducido, del que emergía sólo el tiempo suficiente para que Barrons me diera a comer algo antes de que me ordenara que volviese a dormir.

Tenía la espalda y los flancos llenos de cardenales, varias partes de mi cuerpo se hallaban inmovilizadas, llevaba las caderas vendadas y me dolía respirar, pero puestos a ver el lado bueno, mi ojo ya casi se había abierto del todo. Todavía no me había atrevido a mirarme en un espejo, y llevaba cuatro días sin ducharme, pero ahora mismo tenía otras cosas en que pensar, como por ejemplo algunas de esas preguntas que durante todo el día me habían abrasado por dentro.

—Bueno, Barrons, ha llegado el momento.

—No la ayudaré a afeitarse las piernas —dijo él inmediatamente.

—Oh, por favor. Como si yo fuese a dejar que lo hiciera. Me refería a las preguntas.

—Oh.

—¿Qué es usted? —Le arrojé la pregunta a la cara como si fuese un cubo lleno de agua helada.

—Me temo que no la sigo —dijo él con uno de esos elegantes encogimientos de hombros a la francesa.

—Se dejó caer al suelo desde una altura de diez metros en ese almacén. Debería haberse roto algo. De hecho debería haberse roto dos algos, como por ejemplo las piernas. ¿Qué es usted?

Hubo otro de esos encogimientos.

—Pruebe con un hombre que se descuelga por una cuerda.

—¡Qué risa! No vi ninguna cuerda.

—Yo no tengo la culpa de que no la viera. Quizá buscaba algo blanco y grueso, no un fino cable metálico.

Sí, claro. Con todo, Barrons había conseguido sembrar la cantidad justa de duda en mi mente. Yo no podía garantizar al cien por cien que no hubiera habido uno de esos cables delgadísimos que siempre ves utilizar a los ladrones sofisticados en las películas. Probé otra táctica.

—Hizo que Mallucé saliera volando por los aires, para estrellarse contra los palets y luego contra una carretilla metálica.

—Soy fuerte, señorita Lane. ¿Le apetecería tocarme los músculos? —Me enseñó los dientes, pero en realidad no era una sonrisa y ambos lo sabíamos. Hacía dos semanas me habría intimidado.

—Me da igual lo fuerte que sea usted. Mallucé es superfuerte. Es un vampiro.

—Puede que sí. Puede que no. Sus seguidores parecen creer que está muerto.

—Oh, bendito sea este día —dije fervientemente—. Un monstruo menos. —Ahora ya sólo quedaba un millar, según mis cálculos, aunque cabía la posibilidad de que me hubiera quedado corta.

—Espere un poco antes de celebrarlo, señorita Lane. No crea que nada está muerto hasta que lo haya quemado, hurgado un poco en las cenizas y luego dejado pasar un día o dos para ver si algo se levanta de ellas —reflexionó Barrons.

—Déjese de bromas. ¿Algunas cosas son tan... difíciles de matar?

—Algunas cosas, señorita Lane —dijo él mientras empezaba a aplicarme la segunda capa de esmalte—, son imposibles de matar. Sin embargo, no estoy seguro de que Mallucé fuera una de ellas. Eso aún está por ver.

Le disparé mi siguiente pregunta.

—¿Por qué las sombras le permiten tanta libertad de movimientos dentro de la Zona Oscura, Barrons?

Me pintó de rosa todo el dedo índice. Luego todavía tuvo la jeta de levantar los ojos hacia mí para fulminarme con la mirada, como si fuera yo la que hubiese hecho aquel estropicio.

—¡Puñetas, Barrons, estaban quedando la mar de bien hasta que ha tenido que meter la pata! —Aparté la mano—. Humedezca una de esas bolitas de algodón con esto. —Le tendí una botellita de disolvente para el esmalte de uñas.

Él la cogió, con otra mirada asesina.

—¿Se dedica a espiarme, señorita Lane?

—Azar, Barrons. Dio la casualidad de que yo estaba mirando por la ventana justo cuando usted fue a hacer algo bastante nefando, lo que hace que me pregunte cuántas cosas nefandas se dedica a hacer cuando no estoy mirando por la ventana. ¿Dónde está el Maybach?

Una sonrisa le curvó los labios; la rápida sonrisa posesiva de un hombre que acaba de hacerse con un nuevo juguete.

—O'Bannion ya no lo necesitaba. La policía ni siquiera ve

la... ¿cómo la ha llamado usted? Ah, sí, la Zona Oscura. Se habría quedado tirado allí para siempre. Qué desperdicio.

—Oh, no tiene usted corazón —murmuré—. Ese hombre ni siquiera llevaba un día muerto.

—Botín de guerra, señorita Lane.

—¿No podría al menos haberse llevado todos esos montoncitos de ropa ya que estaba en ello?

Él se encogió de hombros.

—Pasado un tiempo dejas de verlos —admitió Barrons.

Yo esperaba que no fuera así. Dejar de verlos querría decir que una parte de mí estaba tan muerta como él.

—¿Qué clase de trato tiene usted con las sombras, Barrons?

Yo me esperaba evasivas, incluso una contrapregunta, pero no estaba preparada para la que me lanzó él.

—¿Por que no me dijo que se había encontrado con V'lane, señorita Lane? —dijo con voz sedosa.

Di un respingo.

—¿Cómo lo ha sabido?

—V'lane me lo contó.

—¿De qué conoce usted a V'lane? —pregunté con indignación.

—Conozco a todo el mundo —dijo él.

—No me diga —repliqué yo, en el tono más edulcorado de que fui capaz—. Entonces, ¿quién y qué es el Señor de los Señores? Respóndame a eso. —No era una criatura mágica, desde luego. Pero no había parecido... completamente humano, tampoco.

—El novio de su hermana —dijo él sin inmutarse—, y sabiendo eso, ¿qué cree que debería pensar de usted? —Cuando lo miré con cara de no entender nada, él dijo—: Encontré las fotos en uno de los bolsillos de su chaqueta.

Estuve a punto de darme una palmada en la frente. ¡Las fotos! Me había olvidado por completo de las cosas que cogí de la residencia del Señor de los Señores.

345

—¿Dónde ha puesto las otras cosas que había en mi chaqueta? —le pregunté. No recordaba haber visto ni los dos álbumes ni el Planificador Franklin en mi dormitorio. Tenía que hacer un repaso a fondo del calendario de Alina. Podía haber toda clase de información valiosa ahí dentro: nombres, direcciones, fechas.

—No había nada más en su chaqueta.

—Sí que lo había —protesté. Él negó con la cabeza—. ¿Está seguro?

—Segurísimo.

Le escruté la cara. ¿Me estaba diciendo la verdad? ¿Se me habían caído de la chaqueta mientras luchaba? ¿O se los había quedado él por alguna razón? Con una sensación de abatimiento, comprendí que quizá tuviese que volver al 1247 de la calle LaRuhe para estar segura.

—No sabía que era el novio de mi hermana, Barrons —dije a la defensiva—. Ella tampoco sabía quién era en realidad. ¿Se acuerda de su mensaje? Decía que le había estado mintiendo desde el primer momento. Que era uno de ellos y ella no lo había sabido hasta entonces. La engañó y la traicionó —dije amargamente—. Bueno, ya he respondido a su pregunta. Ahora responda usted a la mía. ¿Por qué las sombras permiten que disponga de tanta libertad de movimientos dentro de la Zona Oscura?

Él no dijo nada durante un buen rato, sin abrir la boca mientras daba el último acabado a mis uñas y me retocaba las cutículas. Lo hacía mejor que la mayoría de las especialistas en manicura; aquel hombre era un perfeccionista. Ya casi había perdido la esperanza de que me respondiera cuando dijo:

—Todos tenemos nuestros... dones, señorita Lane. Usted es una nulificadora. Yo soy... otras cosas. Lo que no soy es su enemigo. Tampoco estoy aliado con las sombras. Tendrá que creer en mi palabra acerca de eso.

—Me sería mucho más fácil confiar en usted sólo con que respondiera a mi pregunta —insistí.

—No sé por qué lo pregunta, en todo caso. Podría mentirle de un millón de maneras distintas —señaló Barrons—. Fíjese en mis acciones. ¿Quién le salvó la vida?

—Sí, bueno, los detectores de objetos de poder no funcionan tan bien cuando están muertos, ¿verdad? —señalé yo.

—Me las arreglaba bastante bien por mi cuenta antes de que apareciera usted, señorita Lane, y mis asuntos continuarían yendo viento en popa aunque no la tuviera aquí. Sí, puede encontrar objetos de poder, pero, francamente, mi vida era mucho menos complicada antes de que usted irrumpiera en mi librería. —Suspiró—. No sabe cómo echo de menos esos días.

—Siento haberle causado tantas molestias —repliqué—, pero el caso es que mi vida tampoco ha sido precisamente coser y cantar desde entonces. —Los dos estuvimos callados un rato, mirando la noche mientras rumiábamos nuestros propios pensamientos—. Bueno, al menos ahora sé quién mató a Alina —dije finalmente.

Barrons me miró y preguntó:

—¿Oyó usted algo que yo no llegué a escuchar en ese almacén, señorita Lane?

—Bueno, el novio de mi hermana era el Señor de los Señores y ella no lo sabía. Tuvo que seguirlo un día y entonces descubrió quién y qué era él, igual que hice yo. Y la mató por eso. —Era tan obvio que no podía creer que Barrons no lo viera. Pero no lo veía. El escepticismo estaba escrito por todo su rostro—. ¿Qué? —dije—. ¿Estoy pasando por alto algo? ¿Me está diciendo que no debería ir tras él?

—Oh, no cabe duda de que deberíamos ir tras él —dijo Barrons—. Dese cuenta de que he dicho «deberíamos», señorita Lane. Usted vuelva a salir corriendo en pos de algo grande y malo, y el daño que le hagan los monstruos no será nada comparado con el que le haré yo. Quiero al Señor de los Señores muerto aunque sólo sea por una razón: no quiero todavía más malditos invisibles en mi ciudad. Pero si hay una cosa que he aprendido en la vida es ésta: asumir es una forma rápida de admitir que algo se te ha caído por el sumidero.

—Me encantan sus juegos de palabras —dije.

—No pretendía hacer ningún juego de palabras. Le estoy diciendo que no asuma que sabe quién asesinó a su hermana hasta que tenga evidencias sólidas o una confesión. Las suposiciones —dijo Barrons con expresión sombría— pueden complicar todavía más una situación ya complicada de por sí.

Iba a preguntar «¿cómo cuál?» cuando de pronto me entró tal acceso de náuseas que no pude hablar. La bilis me subió a la garganta sin avisar y alguien me atravesó el cráneo con un cuchillo que, a juzgar por el dolor que sentí, debía sobresalir sus buenos veinte centímetros de cada sien.

Me levanté tan deprisa que me di con la mesa, y me cargué hasta la última de mis uñas intentando agarrarme a ella. Habría acabado en el suelo y probablemente me hubiese vuelto a romper el brazo si Barrons no me hubiera sostenido. Creo que vomité.

Justo antes de perder el sentido.

Cuando volví en mí, estaba tendida en la tumbona y Barrons se inclinaba sobre mí, el rostro muy serio.

—¿Qué? —inquirió—. ¿Qué le ha sucedido hace unos momentos, señorita Lane?

—Oh, Dios... —dije con un hilo de voz. Nunca había sentido nada semejante antes y no quería volver a sentirlo jamás. Bueno, estaba claro que hasta ahí podíamos llegar. Me iba a casa. Abandonándolo todo. Búsqueda de venganza, eliminada. Lo dejo. Estaba entregando mi dimisión oficial como *sidhe* vidente.

—¿Qué? —volvió a inquirir Barrons.

—No p... puedo pa... parar de t... —me callé. «Temblar» era lo que estaba intentando decir, pero los dientes me castañeteaban tan fuerte que no era capaz de articular la palabra. La sangre se me había helado en las venas. Tenía frío, muchísimo frío. Tanto que por unos momentos pensé que nunca más volvería a sentir calor.

Barrons se quitó la chaqueta con un encogimiento de hombros y me la echó encima.

—¿Mejor? —Dejó pasar dos segundos enteros antes de volver a hablar—. ¿Y bien? ¿Qué? —preguntó, impaciente.

—Estaba a aquí —logré decir al fin, al tiempo que movía el brazo bueno para señalar el borde del tejado—. En algún lugar a ahí abajo. Creo que iba dentro de un co... coche. Se movía deprisa. Ahora se ha ido.

—¿Qué estaba aquí? ¿Qué se ha ido?

Con un último estremecimiento, conseguí controlar el castañeteo de mis dientes.

—¿Usted qué cree, Barrons? —dije—. El *Sinsar Dubh*. —Respiré hondo y exhalé lo más despacio que pude. Ahora sabía algo acerca de aquel libro tan escurridizo que no había sabido antes: era tan maligno que corrompía a cualquiera que lo tocase, sin excepción—. Oh, Dios, estamos de problemas hasta el gorro, ¿verdad? —murmuré.

Aunque ninguno de los dos había sacado el tema, yo sabía que ambos habíamos estado pensando en todos aquellos invisibles que habían llegado a través del dolmen ese día y en aquello que en ese preciso instante se estaba familiarizando con nuestro mundo, enseñándoles a proyectar ilusiones mágicas para que pudieran relacionarse con nosotros, y hacer presa en nosotros.

«Cuando todo esté en su sitio, abriré el portal y dejaré suelta por este mundo a toda la prisión de los invisibles», había dicho el Señor de los Señores.

Yo no tenía ni idea de cuán grande era la prisión de los invisibles y no quería llegar a saberlo nunca. Pero tuve el presentimiento de que no tardaríamos en descubrirlo.

—¿Hay más *sidhe* videntes por ahí, Barrons? —pregunté—. ¿Aparte de nosotros? —Él asintió con la cabeza—. Me alegro. Porque nos van a hacer falta.

Iba a empezar una guerra. Podía sentirlo en mis huesos. Una guerra como para acabar con todas las guerras.

Y la Humanidad ni siquiera lo sabía.